붉은 바람 3권

붉은 바람 3권

초판1쇄 인쇄 | 2022년 11월 10일
초판1쇄 발행 | 2022년 11월 15일

지은이 | 이원호
펴낸이 | 박연
펴낸곳 | 한결미디어

등록 | 2006년 7월 24일(제313-2006-000152호)
주소 | 서울시 마포구 모래내로 83 한올빌딩 6층
전화 | 02-704-3331
팩스 | 02-704-3360
이메일 | okpk@hanmail.net

ISBN 979-11-5916-169-8(04810) 979-11-5916-166-7 (세트)

붉은 바람 3권

붉은 바람

이원호 장편소설

한결미디어
HANGYEOL MEDIA

차례

1장 여왕의 죽음

오후 3시 반.

보고타로 향하는 전용기 안. CIA 전용기다. 18인승 쌍발 제트기 안에는 지노와 마이클 우드워드가 나란히 앉아있다. 지노가 콜롬비아로 간다고 했더니 마이클이 같이 가자고 한 것이다. 할 이야기가 있다면서 제 전용기를 제공했기 때문이다.

"지노, 사만타를 어떻게 할 거야?"

창밖을 내다보던 마이클이 고개를 돌려 지노를 보았다. 전용기는 국경을 향해 날아가는 중이다. 지노가 의자에 등을 붙였다.

"죽일 거야."

"그래야 균형이 잡히겠군. 세실리아가 죽었으니까 사만타도 보내야지."

"사만타가 나쁜 년이야. 제 아버지보다 더 저를 챙겨주었던 페르난도를 가차 없이 죽였어."

"마르코도 놔둘 것 같지 않아."

마이클이 말했을 때 지노가 심호흡을 했다. 한동안 둘 사이에 정적이 흘렀다. 그때 마이클이 말을 이었다.

"그리고 나서 적극적으로 너를 찾아서 없앨 거야."

"……."

"그렇게 되면 과타르치 가문도 흔들리게 되지. 체르넨코가 있다지만 널 치워

버린 사만타의 기세를 당해내지 못할 거야."

"그만해."

쓴웃음을 지은 지노가 마이클을 보았다.

"마이클, 네 용건을 말해."

"내가 함정을 팠어."

마이클이 말을 이었다.

"사만타가 고용한 정보원한테 네 안가 위치를 알려주었어. 경비원 배치도까지."

"……."

"아마 사만타가 저격병을 배치시켜 놓을 거야."

고개를 돌린 마이클이 지노를 보았다.

"지노, 고원에 있는 안가로는 가지 마. 그리고 이것."

마이클이 주머니에서 접힌 종이를 꺼내 지노에게 내밀었다.

"이것이 요즘 사만타가 사용하는 안가야. 네가 사만타의 뒤통수를 치는 거지."

"네가 없애."

사만타가 말하자 캄바스가 시선을 들었다. 저택의 마당에서 마주 보고 선 둘의 주위로 경호원들이 오가고 있다.

오후 4시 반.

메데인의 안가 마당이다. 사만타가 말을 이었다.

"어차피 마르코는 밖으로 나가지도 않아서 사람들 눈에 띄지도 않아. 네가 승합차에 태우고 나가서 묻고 와."

"……."

"둘이 나가는 거야, 경호원 데려가면 그놈 입도 조심시켜야 할 테니까."

"……."

"그러고 나서 마르코는 안가에 두고 온 것으로 하는 거지. 안가 위치는 너하고 나, 둘만 아는 것으로 하고."

"하긴."

마침내 캄바스가 천천히 고개를 끄덕였다.

"그 방법이 가장 편리하겠는데. 모두 보스가 안가에서 생활하고 있는 것으로 알겠지."

"북쪽 아세타 고원으로 올라가면 샛길에서 1백 미터만 들어가도 몇백 년이 지나도 못 찾아."

"알았습니다."

"페르난도 장례식은 내일 치러질 테니까 내일 어수선할 때 저녁때쯤 데리고 나가."

"그러지요."

"마르코는 페르난도를 우리가 제거한 줄 알고 있어. 이젠 자기가 다음 차례라는 것을 예상하고 있을 거야. 그러니까……."

"같이 가는 것이 어떻습니까?"

불쑥 캄바스가 묻자 사만타가 쓴웃음을 지었다.

"캄바스, 혼자는 불안해서 그런 거야?"

"여기서부터 묶어 갈 수도 없고 그냥 태우고 가기에는 좀 그러네요."

"부하 하나를 데려가서 도움을 받지 그래."

사만타가 목소리를 낮췄다.

"그러고 나서 같이 묻고 오는 거야."

"그렇군요."

캄바스가 커다랗게 고개를 끄덕였다.

"그 생각을 못 했습니다."

보고타의 안가에 도착했을 때는 오후 6시 반이다. 마이클과 공항에서 헤어진 지노는 호타크와 함께 안가로 들어섰다.

이곳은 단층 저택으로 앞쪽이 폐공장이다. 공장 기숙사로 사용되던 저택이어서 방이 14개나 되고 식당도 컸지만 오래되었다. 호타크와 18명의 부하가 투숙하기에 적당한 조건이다.

"보스, 내일 페르난도의 장례식에 참석하실 겁니까?"

호타크가 정색하고 물었기 때문에 지노가 쓴웃음을 지었다.

"그래. 과타르치도 온다고 했어."

"경찰청장, 시장도 온다니까 장례식장에서 무슨 짓을 벌이지는 못하겠지요."

"그럴까?"

"그럼 제가 보스께서 내일 참석하신다고 연락하겠습니다."

지노가 고개만 끄덕였다.

페르난도는 마르코 가문의 중심이었던 인물이다. 가문의 보스는 마르코였지만 페르난도는 보스에 충성하면서 수천 명의 식구와 가문의 존속을 위해 봉사했다. 그런데 자식들의 분탕질에 희생되어버렸다. 메스티소 출신의 서자 사만타가 이렇게 두각을 나타내게 될 줄은 페르난도는 상상하지도 못했을 것이다.

"지노가 온다구?"

보고를 받은 사만타의 눈빛이 흐려졌다. 이곳은 메데인의 안가 안. 눈을 가늘게 뜬 사만타가 다시 물었다.

"지금 지노가 어디 있다는 거야?"

"그건 말하지 않았습니다."

"알았어."

사만타가 고개를 끄덕이자 부하가 몸을 돌렸다. 그때 캄바스가 말했다.

"안가에는 오지 않았습니다."

비토리오가 말해준 지노의 안가를 말한다. 지노가 갔다면 배치된 저격수들이 연락했을 것이다.

"내일 키토에서 날아올 수도 있지요."

캄바스가 제 말에 제가 대답했을 때 사만타가 고개를 들었다.

"내일 장례식을 끝내고 지노가 돌아갈 때 끝장 내."

캄바스의 시선을 받은 사만타가 말을 이었다.

"돌아가는 길이 뻔할 것 아냐?"

"그렇죠."

"길가에 매복하고 있다가 로켓포를 쏘면 돼."

"로켓포를."

"방탄차도 날릴 수 있어."

"그렇습니다."

캄바스가 고개를 끄덕였다.

"조처하겠습니다, 보스."

"경찰청장, 시장이 참석하겠지만 돌아가는 길이야. 그자들은 나중에 만나서 수습하면 돼."

장례식은 내일 오전 11시. 장례식장은 메데인 서북쪽의 산마르틴 묘지. 메데인에서 10킬로쯤 떨어진 교외다.

캄바스가 돌아갔을 때 사만타는 심호흡을 했다. 그때 서둘러 부하가 다가왔다. 손에 핸드폰을 쥐고 있다. 부하가 눈을 치켜뜨고 말했다.

"보스, 지노 씨 전화입니다."

사만타가 손을 뻗어 핸드폰을 받아 쥐었다. 옆쪽의 캄바스도 숨을 죽이고 있다. 사만타가 입을 열었다.

"여보세요."

"사만타, 나야."

"지노, 내일 장례식에 온다구요?"

"그래. 내일 만나서 이야기할 시간이 없을 것 같은데."

"무슨 말인데요?"

"사만타, 아버지한테 맡기고 떠나. 그것이 너나 가문을 위해서 좋은 일이야."

"떠나라니? 무슨 말인가요?"

"세실리아처럼 되기 전에 떠나라는 말이야, 사만타."

"협박인가요?"

"널 아끼는 마음이 남아 있어서 이렇게 전화한 거다, 사만타."

"싫다면 내 적이 될 건가요?"

"말장난하지 마, 사만타."

지노의 목소리가 굳어졌다.

"난 사람을 죽여 온 용병이야. 너하고는 생각하는 것이 다르다."

"지노, 당신 뜻대로 안 돼."

"그래? 그렇다면 할 수 없지."

지노가 말을 이었다.

"사만타, 너하고는 이제 끝이다."

그러고는 통화가 끊겼기 때문에 사만타가 고개를 들고 캄바스를 보았다. 시선을 받은 캄바스가 숨을 들이켰다. 사만타가 웃고 있었기 때문이다.

"캄바스, 지금 가."

사만타가 말하자 캄바스는 홀린 듯 일어섰다. 두 눈도 흐려져 있다.

차가 저택을 나왔을 때는 오후 8시 반. 주위는 어둡다.

뒷문으로 나왔기 때문에 경비원 둘은 운전석에 앉은 보타만 보고 나가라는 손짓을 했다. 뒷좌석에 앉은 캄바스와 마르코는 보이지 않는다. 벤츠 유리창은 짙게 선팅이 되어있기 때문이다. 차가 도로로 나왔을 때 마르코가 캄바스를 보았다.

"페르난도 장례식에 과타르치도 오는 거냐?"

"예, 아버지."

앞쪽을 응시한 채 캄바스가 대답했다.

"온다고 했습니다."

"지노는?"

그때 숨을 들이켠 캄바스가 마르코를 보았다.

"안 올 것 같습니다."

"지노도 알 텐데, 그렇지 않으냐?"

"알겠지요."

"지금도 키토에 있나?"

"모르겠습니다."

"네 아들 이름이 도밍고였지?"

"가리발디입니다. 도밍고는 수르베의 아들이죠."

"그렇군."

"제 딸 이름은 아십니까?"

"네 딸이 있었던가?"

"2년 전에 낳았지요."

"그런가?"

"하긴 자식이 14명이니 손자 이름까지 기억하신다면 천재지요."

"……."

"아마 자식 이름도 다 기억하지 못하실 것 같군요."

"캄바스."

"예, 아버님."

"네가 지금 경비대를 맡고 있지?"

"그건 알고 계시지 않습니까?"

"넌 내 자식들 중에서 가장 연장자지만 생각이 많은 대신 용기가 없는 놈이었지. 네가 어릴 때 알아차렸다."

"죄송합니다, 아버님."

"가문을 이끌어갈 능력이 부족했어. 결단력, 순발력, 끈기가 보이지 않았다."

"잘 보셨습니다, 아버님."

"농장 관리인이 적격이었지."

"그래서 농장에만 파묻혀 있었지요."

"사만타가 그런 널 잘 이용한 거지."

"서로 이용하는 거죠."

"사만타 어미 안티네스가 교활하고 눈치가 빨랐지. 배은망덕하고. 다 제 어미 유전자를 받는 거다."

"그렇습니까?"

"네 어미는 착했어, 예민했고. 그래서 일찍 죽은 것 같다."

"어머니 장례식장에도 오지 않으셨지요, 알고 계시지요?"

"그랬던가?"

고개를 들었던 마르코가 주위를 둘러보았다. 차는 어느덧 시내를 빠져나가 고원지대로 들어서는 중이다.

"아니, 미카엘 신부님한테 가는 거 아니냐?"

마르코가 묻자 캄바스가 눈으로 어둠에 덮인 앞쪽을 가리켰다.

"저기서 기다리고 계십니다."

이곳은 차량 통행도 드물어서 차는 속력을 내었다.

큰길에서 1백 미터쯤 샛길로 들어선 차가 멈춰 섰을 때 마르코가 고개를 돌려 캄바스를 보았다. 시선이 마주친 순간 캄바스가 숨을 들이켰다.

마르코의 얼굴에 웃음이 떠올라 있었기 때문이다. 차의 계기판 등만 켜놓았지만 마르코의 얼굴 윤곽이 선명하게 드러났다. 흰 이가 반짝였다.

"여기냐?"

마르코가 묻자 캄바스가 외면한 채 대답했다.

"내리시죠."

그때 마르코가 고개를 돌려 운전석에 앉은 보타를 불렀다.

"보타."

보타가 백미러로 마르코를 보았다. 메스티소인 보타의 검은 눈이 더 깊어진 것 같다. 보타는 지금까지의 이야기를 다 듣고 온 셈이다. 마르코가 말을 이었다.

"보타, 캄바스가 날 여기로 데려온 이유를 알지?"

보타는 시선을 내렸고 차 안에 마르코의 목소리가 울렸다.

"보타, 캄바스가 너까지 죽여서 이곳에다 묻을 거다. 네 입을 그대로 둘 것 같으냐?"

"아버지."

그때 캄바스가 부르면서 가슴에서 권총을 꺼내 겨누었다.

"아버지, 내리시죠."

"차 안에서는 못 쏘겠지. 피가 튈 테니까 말야."

마르코가 얼굴을 일그러뜨리며 웃었다.

"나도 차 안에서 죽여 보았지만 피 청소하는 것이 아주 더럽고 귀찮지."

"아버지."

"더구나 몰래 살해한다면 부하들 모르게 청소를 해야 될 테니까 말야."

"나가시죠."

캄바스가 권총으로 마르코의 가슴을 찔렀다.

"붙여서 당기면 피도 안 튑니다."

"보타, 다음 순서는 너다. 너도 지금 도망치는 것이 좋을 거다."

"아버지, 나도 인내심에 한계가 있습니다. 나갑시다."

"보타, 사만타한테 가지 말고 과타르치한테로 가라. 사만타는 이놈한테 날 죽이라고 한 거다."

그때 캄바스가 문을 열고 밖으로 나갔다. 그리고 밖에서 안쪽을 향해 소리쳤다.

"빨리 나와요!"

어둠 속에서 캄바스의 목소리가 울렸다. 총구를 차 안에다 겨눈 캄바스가 다시 소리쳤다.

"어서!"

고원 사이에 뚫린 샛길은 짙은 어둠에 덮여 있다. 뒤쪽 차도를 달리는 차량 소음이 울릴 뿐 보이지는 않는다. 잡초가 허리까지 찬 고원 위로 바람이 훑고 지나면서 잡초가 파도 소리를 내었다.

"안 내리면 그냥 쏠 거요!"

마르코가 움직이지 않자 캄바스가 총구를 겨누면서 다시 소리쳤다.

"피는 닦아도 돼. 자, 셋을 세겠어!"

캄바스의 목소리가 울렸다.

"하나!"

캄바스가 총구로 마르코를 겨눴다.

"둘!"

그때 견디지 못한 보타가 운전석 문을 열고 밖으로 나왔다.

"자, 셋!"

"타앙!"

그 순간 총성이 울리고 화들짝 놀란 보타가 차 안을 보았다. 그 순간 보타는 숨을 들이켰다. 옆에 서 있던 캄바스가 뒤로 반듯이 넘어지는 것이다.

놀라 입을 딱 벌린 보타의 시선이 차 안으로 옮겨졌다. 마르코도 이쪽을 보는 중이다. 이제 마르코도 눈을 치켜뜨고 있다. 그때 뒤쪽에서 목소리가 울렸다.

"손들어!"

사내의 목소리다.

잠시 후.

고원의 차 옆에 사내 넷이 서 있다. 마르코와 보타, 그리고 앞에 선 사내는 호타크와 사자르다. 마르코가 호타크에게 물었다.

"호타크, 여긴 웬일이냐?"

"보스를 미행해 온 겁니다."

호타크가 쓴웃음을 지었다.

"보스가 아무래도 사만타한테 당할 것 같다고 지노 님이 저를 보내신 것입니다."

"그러냐?"

"그래서 안가 밖에서 차를 대기시켜 놓고 감시하고 있었습니다."

"지노가 날 살렸군."

"보스, 제가 모시고 가지요."

호타크가 마르코를 부축하면서 보타를 돌아보았다.

"보타, 너도 가자."

밤 11시.

저택 안에서 사만타가 산톤의 보고를 받는다.

"아직 연락 없습니다."

사만타는 눈만 크게 떴고 산톤의 말이 이어졌다.

"핸드폰도 전원이 꺼져 있는데요, 위치 추적도 안 됩니다."

고개를 기울인 산톤이 사만타를 보았다. 산톤은 캄바스의 보좌관이다.

"보스, 마르코 님과 함께 나갔다는데 어디로 갔습니까?"

"바깥 구경을 하고 싶다고 해서 캄바스가 모시고 나간 거야."

"그렇군요."

"전화가 오면 나한테 연락해."

"예, 보스."

"그리고."

고개를 든 사만타가 산톤을 보았다.

"저택 경비를 두 배로 늘려라."

"예, 보스."

"캄바스 대신 네가 지휘를 해."

"알겠습니다."

산톤이 방을 나갔을 때 사만타는 심호흡을 했다. 이곳은 저택의 2층 응접실
이다. 고개를 든 사만타가 3층으로 오르는 계단을 보았다. 계단을 올라 3층으로
오르면 마르코의 공간이다. 몇 시간 전만 해도 마르코가 그곳에서 거주하고 있
었던 것이다.

그 시간에 보고타의 안가에서 지노와 마르코가 응접실 소파에서 마주 보고 앉아있다. 탁자 위에는 위스키 병이 놓여 있었는데 마르코가 요구했기 때문이다. 위스키를 물 컵에 따라 금세 반병쯤 마신 마르코가 붉어진 얼굴로 지노를 보았다.

"지노, 내 눈으로 캄바스가 나한테 총을 겨누는 장면을 보니까 실감이 나지 않더라. 꿈 속 같았어."

지노는 쓴웃음만 지었고 마르코가 말을 이었다.

"사만타의 지시를 받고 나를 죽이려고 했던 거야, 그놈이."

"……"

"난 죽겠다고 마음을 먹었다. 그랬더니 기가 막혀서 캄바스한테 할 말은 했지. 호타크가 따라왔을 줄은 몰랐어."

"차 안에서 쏘았다면 호타크도 어쩔 수 없었다고 하더군요."

"내가 명이 긴 것 같다."

"내일 페르난도의 장례식장에서 사만타를 만날 겁니다."

"나도 같이 가지."

마르코가 술잔을 들면서 말했다.

"가서 과타르치도 만나봐야겠어."

"그렇다면."

지노가 정색하고 마르코를 보았다.

"보스, 지금 과타르치와 통화를 하시지요."

"아, 그럴까?"

반색한 마르코가 지노를 보았다.

"그러고 보니 과타르치가 살아남아서 자리를 지키고 있구나. 네 덕분에 말야."

10분쯤 후.

과타르치는 마르코의 전화를 받는다. 과타르치는 페레이라의 저택에서 보좌관 체르넨코와 함께 있던 참이다.

"여보세요, 과타르치, 나 마르코야."

마르코가 말하자 과타르치는 눈을 크게 떴다.

"아니, 마르코. 지금 어디야?"

"나 지금 보고타에 있어."

"보고타?"

과타르치의 목소리가 높아졌다.

"메데인에 있는 거 아냐?"

"아냐. 거기서 탈출했어."

마르코의 목소리에 웃음기가 섞였다.

"사만타가 날 암살하려는 것을 지노가 겨우 구해주었다네."

"무슨 소리야?"

"사만타가 캄바스를 시켜 날 죽이려고 고원으로 데려간 거야. 그런데 고원까지 미행해 온 지노 부하가 캄바스를 죽이고 날 구해주었다네."

"오, 성모 마리아시어."

"난 이제 다 미련 없어. 돈이고 권력이고 다 내려놓겠어."

"그럴수록 더 오래 살아야지."

"내일 페르난도 장례식에 올 건가?"

마르코가 물었기 때문에 과타르치는 눈의 초점을 잡았다. 옆쪽에 있는 체르넨코가 잠자코 시선만 준다. 그때 과타르치가 대답했다.

"가야지. 내가 간다고 사만타한테 통보했네."

"나도 갈 거야."

"자네도 참석한다고? 장례식장에서 사만타를 볼 건가?"

"봐야지."

"성모시여, 그럼 지노도 같이 오는 건가?"

"그럴 거네."

그때 과타르치가 정색했다.

"그럼 내가 도울 일이 있나?"

"지노가 체르넨코한테 할 이야기가 있다네."

그러자 과타르치가 체르넨코를 보면서 대답했다.

"마침 체르넨코가 여기 있어."

페르난도의 장례식장은 메데인 교외의 산도밍고 묘지다.

오전 11시.

장례를 주관하는 미카엘 신부 옆에 선 사만타가 다가오는 메데인 경찰청장 호마리우를 맞는다.

"어서 오세요, 청장님."

"삼가 애도를 보냅니다."

정복 차림의 호마리우가 고개를 숙이면서 말했다.

"페르난도는 조직의 기둥이었지요, 사만타."

"감사합니다, 청장님."

호마리우가 비켜갔을 때 이번에는 부시장 알레한드로가 다가와 고개를 숙였다. 이미 1백여 명의 조문객이 늘어서 있었기 때문에 장례식장은 버글거리고 있다. 모두 검정색 정장 차림이어서 주변은 엄숙한 분위기다. 검정색이 낮은 구릉을 덮고 있다.

이번에는 메데인 시청 간부들의 조문이 이어지고 있다. 페르난도와 평소에 인연이 있었던 명사들이다.

과타르치가 나타났을 때 장례식장 분위기는 절정에 이르렀다. 과타르치는 보좌관 체르넨코, 고위급 간부 10여 명을 대동했는데 경호원이 50여 명이나 되었다. 오늘의 상주 대표는 사만타였기 때문에 맨 마지막에는 사만타가 맞는다.

햇살이 환하게 비치는 고원의 장례식장은 검은 물결이 꿈틀거리고 있다. 이윽고 과타르치가 사만타 앞에 섰다.

"사만타, 오랜만이구나."

과타르치가 사만타의 손을 쥐고 물었다.

"마르코는 안 나왔느냐?"

"예, 몸이 좋지 않으셔서요."

"저런, 어디가?"

"과음하신 때문이죠."

"술을 줄여야 하는데."

"지금 누워 계세요."

"그렇구나."

고개를 끄덕인 과타르치가 발을 떼면서 말했다.

"내 안부 전하거라."

체르넨코는 사만타와 인사하지 않고 뒤로 빠졌다. 뒤쪽에 서 있는 체르넨코 옆으로 아가메즈가 다가왔다. 아가메즈는 과타르치를 수행해 온 경호대 대장이다.

"사만타가 데려온 경비대는 1백여 명 정도입니다."

다가선 아가메즈가 말을 이었다.

"장례식장 안팎에 배치되었는데 빈틈이 없습니다."

"당연하지."

"캄바스 대신 산톤이 지휘하고 있습니다. 저기 뒤쪽에 서 있군요."

체르넨코가 잠자코 고개를 끄덕였다.

지노가 나타났을 때는 그로부터 10분쯤 후다. 10여 대의 차량이 장례식장 아래쪽에 도착하더니 정장 차림의 사내들이 쏟아지듯 내렸다.

모두 50여 명이다.

모두의 시선이 모였고 사내들이 이쪽으로 다가오기 시작했다.

"나왔다."

드라구노프의 스코프에 눈을 붙인 바트라가 낮게 말했다. 스코프에는 지노의 얼굴이 드러나 있다. 거리는 417미터.

이곳은 장례식장이 보이는 고원 위쪽의 바위 틈. 저격에 유리한 위치다. 이곳에서 어제부터 기다리고 있었던 것이다. 바트라는 저격 2조. 수크라와 2명이 1조가 되어서 장례식장 서쪽 고원에서 자리 잡고 있다. 그때 망원경을 눈에 붙이고 있던 관측병 수크라가 말했다.

"30분이면 식이 끝날 거야. 길어져도 35분이야."

그 순간 수크라가 숨을 들이켰다.

"보스다!"

그때 딴 곳을 보던 바트라가 스코프를 돌렸다.

"무슨 말이야?"

"지노 옆에 선 것이 보스야!"

바트라도 숨을 멈췄다. 보스, 마르코가 지노와 함께 걸어오고 있는 것이다. 마르코를 본 사만타의 경비대도 술렁거리고 있다. 멀리서도 둘씩, 셋씩 모여서 웅성거리고 있는 것이 드러났다. 그때 바트라가 잇새로 말했다.

"이거, 어떻게 된 거야?"

"어젯밤 캄바스가 데리고 나갔다던데, 캄바스는 어디 있지?"

수크라가 소리치듯 물었다.

"그래도 지노를 쏴야 하나?"

사만타가 다가오는 지노와 마르코를 보면서 몸을 굳히고 있다. 들어선 명사들도 웅성대고 있다. 이제 지노, 마르코 일행은 20미터쯤 거리로 다가오고 있다. 그때 옆쪽에서 과타르치가 소리치며 다가갔다.

"오, 마르코, 아프다던데 나왔군."

두 손을 벌린 과타르치의 목소리가 고원 위를 울렸다. 과타르치를 본 마르코도 얼굴을 펴고 웃었다.

"오, 과타르치, 와줘서 고맙네."

"내가 안 올 수가 있나?"

마르코의 등을 안은 과타르치가 귀에 대고 속삭였다.

"마르코, 오늘부터 다시 시작하세."

"둘 다 딸을 버려야겠군."

과타르치의 귀에 대고 말한 마르코가 쓴웃음을 지었다. 몸을 뗀 둘은 사만타에게 다가갔다. 둘의 앞장을 선 사내가 지노다. 사만타에게 먼저 다가간 지노가 앞에서 멈춰 섰다.

"사만타."

"지노."

서로 이름을 부른 둘의 시선이 마주쳤다. 둘 다 무표정한 얼굴이다. 고개를 끄덕인 지노가 발을 뗐고 이번에는 마르코가 다가왔다. 그러나 멈춰 서지는 않고 시선을 준 채 고개만 끄덕였다. 그때 사만타가 숨을 들이켰다. 가슴이 답답해졌기 때문이다.

이곳은 제1 저격팀이 자리 잡은 고원 서쪽의 언덕 위. 엎드린 사수 카이크가 스코프에 눈을 붙이고 말했다.

"마르코 님이 나타났어. 이건 어떻게 되어가는 거야?"

그때 관측병 아론이 투덜거렸다.

"계획대로 지노만 쏴. 마르코 님은 나중에 지시받으면 돼."

"캄바스는 어디 간 거야? 보타도 보이지 않는데? 어젯밤에 같이 나갔다던데."

그 순간 옆에 놓인 핸드폰이 울렸기 때문에 카이크가 집어 들었다. 그때 수화기에서 산톤의 목소리가 울렸다.

"식이 끝나고 나서 바로 작전개시야. 준비하도록."

"지시해 줄 거지?"

"그래. 너희들이 먼저다."

저격 순서다. 1번 팀 카이크가 쏘고 나서 2번 팀이다. 실수할 경우에 대비해서 2번 팀까지 배치시킨 것이다.

장례식이 진행되는 동안 사만타는 앞쪽 미카엘 신부만 쳐다보았다. 페르난도의 관은 아래쪽 땅 속에 들어간 상태에서 신부의 예식이 진행되고 있다. 사만타 옆에는 마르코가 서 있었는데 숨소리도 들리고 있다. 그러나 술 냄새는 나지 않는다. 술을 마시지 않은 것이다.

신부의 목소리는 점점 높아졌고 둘러선 조문객들의 분위기도 더 엄숙해졌다.

사만타가 고개를 들었을 때 문득 신부 뒤쪽에 서 있는 지노와 시선이 마주쳤다. 모두 둥그렇게 서 있었기 때문이다. 지노와의 거리는 10미터 정도. 밝은 햇살 아래에서 지노의 검은 눈동자가 똑바로 이쪽을 응시하고 있다.

그 순간 사만타는 어금니를 물었다. 온몸에 한기가 덮였고 그제야 자신이 함정에 빠진 것 같다는 불안감이 들었다. 그러자 신부의 목소리도 귀에 들리지 않았다. 눈도 흐려졌기 때문에 앞쪽 신부도 잘 보이지 않는다.

"10분 남았어."

저격 2조의 관측병 수크라가 시계를 보고 말했을 때다.

"퍽!"

옆에서 뭔가 부서지는 소리가 들렸기 때문에 고개를 돌렸다. 사수 바트라가 엎어져 있다. 거리는 1미터 정도였는데 뒷머리가 부서져서 흰 뇌수가 흘러나오고 있다. 놀라 벌떡 일어선 수크라가 주위를 둘러보았을 때다.

"퍽!"

다시 발사음이 울리더니 얼굴이 부서진 수크라가 뒤로 벌떡 넘어졌다.

5분 후.

체르넨코가 핸드폰의 진동음을 듣고는 귀에 붙였다. 그때 수화기에서 버트의 목소리가 울렸다.

"저격팀 2개 조를 다 제거했어."

"수고했어."

체르넨코는 장례식장에서 30미터쯤 떨어진 막사 앞에 서 있다.

"여기도 준비 다 되었어."

핸드폰에 대고 말한 체르넨코가 주위를 둘러보았다. 그때 사만타의 경호대를 이끌고 온 산톤과 시선이 마주쳤다. 산톤은 식장 아래쪽 30미터 지점에 서 있었는데 주위에 7, 8명의 부하들이 둘러서 있다.

산톤이 이미 저격조들의 위치를 모두 알려준 것이다. 그때 산톤의 시선을 받은 체르넨코가 고개만 끄덕였다.

식이 끝났을 때 사만타는 이제 한 걸음 물러서도 되었다. 마르코가 상주 대표가 되어서 방문객들의 인사를 받았기 때문이다. 그래서 경찰청장, 부시장 등 관리들한테만 인사를 하고 마르코하고 떨어졌다.

이제 조문객들은 50미터쯤 완만히 경사진 길을 내려가 길가에 주차된 차량으로 다가가는 중이다. 먼저 관리들이 내려갔고 그 뒤를 일반 조문객이 따른다.

"사만타."

뒤에서 부르는 소리에 사만타가 걸음을 멈췄지만 바로 고개를 돌리지는 않았다.

지노다. 그때 발자국 소리가 다가왔고 사만타가 몸을 돌렸다. 앞에 선 지노가 사만타를 내려다보았다.

"사만타, 같이 내려가자."

지노가 눈으로 아래쪽을 가리켰다. 아래쪽에 가로로 뻗친 길에는 차들이 나란히 주차되어 있다. 길까지의 거리는 30미터가량. 사만타가 고개를 끄덕였다.

"그러죠."

사만타가 발을 떼었고 지노가 옆에서 걷는다. 그때 지노가 입을 열었다.

"사만타, 이제 아버지가 다시 가문을 이끌게 될 거다."

"그렇게 될까?"

사만타가 쓴웃음을 지었을 때 지노가 말을 이었다.

"사만타, 경호대를 맡은 산톤이 돌아섰어. 부하들에게 마르코 님을 보호하라고 지시했다."

"……."

"그리고 과타르치 님의 경호병들이 주변을 청소했어."

둘은 어느덧 차가 주차된 도로로 내려왔다. 그때 지노가 고개를 돌려 사만타를 보았다.

"지금쯤 저격 조한테 신호를 보냈을 거다."

눈만 치켜뜬 사만타를 향해 지노가 말을 이었다.

"나를 쏘라고 했겠지?"

"……"

"잘 가거라, 사만타."

그 순간이다. 사만타가 뒤로 벌떡 넘어졌다. 따라온 경호대가 놀라 사만타를 둘러쌌지만 지노는 땅바닥에 넘어진 사만타의 상반신을 보았다. 사만타의 머리가 부서져 있다. 머리 위쪽이 부서진 사만타는 반듯이 누운 채 움직이지 않는다.

2시간 후.

메데인의 저택 안. 2층 응접실에 10여 명의 사내들이 둘러앉았다. 그 중심에 마르코와 지노가 앉았고 주위에 가문의 간부들과 함께 과타르치 가문의 보좌관인 체르넨코, 그리고 용병 헨리와 버트까지 모여 있다. 그때 지노가 먼저 입을 열었다.

"이제 다시 마르코 보스를 중심으로 가문이 뭉쳐야 될 것이다. 나는 더 이상 언급하지 않겠다."

고개를 든 지노가 마르코를 보았다.

"보스가 한 말씀 하시죠."

마르코가 고개를 들었다.

"결국 사만타가 죽어서 이 사건이 끝났지만 나는 이번에 내 자식 둘을 잃었다."

마르코의 얼굴에 일그러진 웃음이 떠올랐다.

"사만타에 의해 경호대장으로 승진했던 캄바스는 나를 죽이려다가 미수에 그쳤다. 자식들이 부모를 죽이려다가 천벌을 받은 것이지."

길게 숨을 뱉은 마르코가 간부들을 둘러보았다.

"나는 다시 시작하겠지만 달라질 것이다. 나는 이제 예전의 마르코가 아니다."

지노가 고개를 끄덕였다. 이제 콜롬비아의 양대 가문은 한 번씩의 내란을 겪은 후에 다시 원점으로 돌아왔다. 그렇게 만들어 준 주역은 바로 지노다.

마르코 주위에 보좌관으로 헨리와 버트를 남겨둔 지노는 다음 날에 키토로 돌아왔다. 콜롬비아를 평정하고 돌아온 셈이다.

오후 3시 반.

키토 중심부의 앰버서더 호텔 라운지에서 지노가 마이클 우드워드와 마주 보고 앉아있다. 마이클은 웃음 띤 얼굴이다.

"이제 콜롬비아 마약 관리는 너한테 맡겨진 셈이야, 지노."

마이클이 말을 이었다.

"우리 CIA 본부뿐만 아니라 정부에서도 안심하고 있어."

"이제는 미국의 안정적인 부수입이 확보된 셈인가?"

"뭐, 그런 셈도 있지."

"내 계산으로는 1년에 15억 불 정도인가? 아니면 20억 불?"

마이클은 웃기만 했고 지노가 말을 이었다.

"내가 미국 정부로부터 훈장이나 표창장이라도 받아야 되는 것 아닌가?"

"비꼬지는 말고."

마이클이 지노를 흘겨보았다.

"이젠 키토에서 기반을 좀 굳혀줘."

"키토의 군소 조직까지 소탕해달라는 말인가?"

"그놈들이 해외로 빼돌리는 헤로인이 10억 불가량이야. 그놈들만 막으면 남쪽 시장은 평정되는 셈이지."

"이곳은 내 적성에 안 맞아, 마이클."

고개를 든 지노가 마이클을 보았다.

"난 언젠가는 떠날 거다."

마이클이 고개를 끄덕였다.

"이해한다, 지노."

정색한 마이클의 눈이 가늘어졌다.

"조금만 더 기다려줘."

지노는 용병이다. 지금 지노는 대통령의 역할을 맡고 있다. 헤로인 대통령.

"올리비아, 갈수록 아름다워지는구나."

지노가 감탄한 표정을 짓고 올리비아를 보았다. 이곳은 키토의 대저택 안. 3층의 침실에서 지노가 올리비아를 바라보고 있다.

"아유, 그렇게 보지 마세요."

올리비아가 몸을 비틀었는데 얼굴도 상기되어 있다. 올리비아는 진주색 실크 가운을 입었다. 지노가 사람을 시켜 준비시킨 것이다. 이곳 침실의 옷장에는 수십 벌의 가운, 옷이 걸려 있다.

오후 10시 반.

올리비아는 오늘 처음으로 저택에 온 것이다. 저택 식당에서 저녁을 먹고 침실로 들어온 지 10분밖에 되지 않았다. 창가의 의자에 앉은 올리비아가 지노를 보았다.

"공주가 된 것 같아요."

"왕비지."

지노의 얼굴에 웃음이 떠올랐다.

"이곳에 있는 동안에는 넌 왕비야."

"꿈만 같아."

"이건 내 집이 아냐."

지노가 말을 이었다.

"조직의 저택이다. 난 임기제 왕이나 같아, 올리비아."

"여긴 몇 명이나 살아요?"

"1백 명쯤 되나?"

올리비아에게 다가간 지노가 어깨에 손을 얹었다.

"방이 50개가 넘는다는군."

"건물이 4동이나 있던데."

"창고도 있으니까."

"차도 많던데."

"차고에 30대쯤 있을 거야."

자리에서 일어선 올리비아가 지노의 허리를 껴안더니 나란히 섰다. 지노가 올리비아의 어깨를 감싸 안고 창가로 다가갔다. 3층 침실 창에서 정원과 부속동이 내려다보인다. 그러나 저격 표적이 되지 않으려고 시야는 정원수와 담장으로 둘러싸여 있다.

"헤수스가 승합차를 직접 운전하지 않고 운전사를 고용했어요."

올리비아가 정원을 내려다보면서 말했다.

"회사에 승합차가 2대 있었는데 7인승인 데다 낡아서 손님들이 안 탄대요."

"……."

"그래서 사장이 헤수스한테 승합차를 회사용으로 이전시키면 부장으로 진급시켜 준다고 했다는군요."

"……."

"헤수스가 어리지만 화기 났어요. 사장이 거저먹으려고 하는 거죠."

그때 지노가 올리비아를 보았다.

"그 회사 직원이 몇 명이지?"

"운전사까지 8명."

"……."

"헤수스는 차를 가져온 바람에 회사 지분 10퍼센트를 갖는 과장이 되었어요."

"……."

"헤수스는 돈을 모아서 회사를 차리고 싶대요. 10년쯤 후에는 15만 불쯤 모아서 회사를 차릴 수 있을 것 같다고 해요."

"……."

올리비아가 지노의 허리를 두 손으로 감싸 안았다.

"그때는 동생들도 다 커서 회사 일을 할 수 있을 테니까요."

그때 지노가 올리비아의 어깨를 당겨 몸을 돌렸다. 침대로 이끈 것이다.

라파엘이 고개를 들고 앞에 선 가르샤를 보았다. 이곳은 키토 시내의 산도스 클럽, 밀실 안이다.

"무슨 말이야? 레오날드가 배신을 하다니?"

"레오날드가 지노 측을 만나고 있습니다."

방 안에 둘뿐이었지만 가르샤가 목소리를 낮췄다.

"그 증거를 잡았습니다."

가르샤가 주머니에서 봉투를 꺼내 라파엘 앞에 내밀었다.

밤 11시 반.

클럽의 홀은 손님들이 내는 소음으로 떠들썩했지만 방 안은 조용했다. 라파엘이 봉투에서 사진을 꺼내 보았다. 10여 장이다. 사진을 한 장씩 보던 라파엘의 얼굴이 굳어졌다. 레오날드가 지노 측의 간부인 호타크, 로렌스와 만나는 사진이다. 고개를 든 라파엘이 가르샤를 보았다.

"네 정보원이 찍은 거냐?"

"그렇습니다."

"레오날드가 언제부터 이놈들을 만난 거야? 언제부터 의심을 한 거야?"

"한 달쯤 전부터 정보를 들었지요. 그래서 정보원을 붙인 겁니다. 뒤에 날짜가 적혀 있습니다."

사진 뒤쪽의 날짜를 본 라파엘이 어금니를 물었다. 20일 전, 10일 전, 그리고 3일 전이 마지막이다. 세 번에 걸쳐 두 명을 만난 것이다. 이윽고 고개를 든 라파엘이 가르샤를 보았다.

"알았다. 수고했다."

클럽을 나온 가르샤 옆으로 동생 모카가 다가왔다.

"뭐라고 해?"

"알았다는군."

"그럼 곧 레오날드 사냥이 시작되겠군."

"그건 봐야지."

둘은 곧 길가에 주차된 차에 올랐다. 운전석에 앉은 모카가 힐끗 백미러를 보았다. 뒤쪽에 주차된 승용차의 전조등이 켜졌다. 부하들이 탄 차다. 차를 발진시키면서 모카가 혼잣말을 했다.

"레오날드가 경솔한 대가를 받는 거지."

다음 날 오전 8시 반.

3층 거실로 나온 지노가 호타크의 보고를 받는다.

"오늘 오전 2시경에 라파엘파의 고위 간부 레오날드가 자택에서 피살되었습니다. 경호원과 가족까지 몰살되었는데 사망자는 18명입니다."

지노는 시선만 주었고 호타크가 말을 이었다.

"가르샤의 보고를 들은 라파엘이 특공대를 보낸 것이죠. 레오날드의 구역은 라파엘이 흡수해서 직접 관리하기로 했습니다."

"가족까지 죽이다니 잔인한 놈이군."

"라파엘은 배신자 가족까지 죽인다는 소문이 나 있었습니다."

호타크가 입맛을 다셨다.

"레오날드를 고발한 것이 가르샤인데 둘이 경쟁관계입니다."

고개를 끄덕인 지노가 호타크를 보았다. 지금까지 호타크가 레오날드를 만나온 것을 알고 있었던 것이다.

"라파엘을 제거해."

그러고는 덧붙였다.

"가르샤도 함께."

오후 3시 반.

레오날드의 사업장인 부르노 클럽을 둘러보고 나오던 라파엘이 몸을 돌려 가르샤를 보았다. 가르샤도 따라온 것이다.

"가르샤, 당분간은 네가 여기를 맡아야겠다."

"예, 보스."

"레오날드의 부하들을 잘 관리해."

"알겠습니다, 보스."

어깨를 편 가르샤가 말을 이었다.

"제가 7년쯤 전에 이곳을 맡았다가 레오날드에게 넘겼지 않습니까?"

"그렇지, 여기가 네 사업장이었지."

34

쓴웃음을 지은 라파엘이 길가에 주차된 벤츠로 다가갔다. 벤츠 주위에는 10여 명의 부하가 대기했고 차량 4대가 나란히 주차되어 있다. 라파엘의 주위에도 10여 명이 둘러싸고 있다.

이곳은 시내 중심부, 클럽 입구여서 통행인도 많다. 몸을 돌린 라파엘이 문이 열린 벤츠 뒷좌석으로 한 걸음 내딛는 순간이다.

"퍽!"

마른바가지 깨지는 소리가 들리더니 라파엘의 머리통이 산산조각이 되어서 흩어졌다.

"으앗!"

놀란 경호원 하나가 얼굴에 흰 뇌수를 뒤집어쓰고 비명을 질렀다. 주위의 경호원 모두 머리통 파편과 살점, 피를 뒤집어썼다. 그때 머리통 없이 서 있던 라파엘이 비틀거리다가 뒤늦게 뒤로 자빠졌다. 그때다.

"퍽석!"

이번에는 뒤에서 주춤거리던 가르샤의 머리통이 부서졌다.

다음 날 오후 5시.

키토 서북방 교외의 저택 마당에는 10여 대의 승용차가 주차되어 있다. 저택 주변에는 수십 명의 경호원이 둘러섰기 때문에 삼엄한 분위기다.

이곳은 저택의 응접실 안. 50평도 넘는 넓은 응접실 소파에 10여 명의 사내가 둥그렇게 둘러앉아 있다. 그 중심에 앉은 사내가 지노다. 지노가 부드러운 시선으로 주위를 둘러보았다.

어제 오후에 라파엘과 가르샤까지 저격을 당해 머리통이 없어진 후에 라파엘 조직의 간부들이 모두 이곳에 모인 것이다. 라파엘파는 레오날드까지 포함해서 최고위급 간부들이 사라진 셈이다. 그때 지노가 입을 열었다.

"이제부터는 로간이 관리한다."

지노가 옆에 앉은 로간을 보았다.

"로간이 새 보스다."

지노의 시선을 받은 로간이 쓴웃음부터 지었다.

"난 죽은 라파엘이란 놈처럼 추잡한 욕심쟁이가 아냐. 너희들은 사업장에서 발생한 이익금 절반을 갖게 된다."

모두 숨을 죽였고 로간이 말을 이었다.

"절반만 상납하면 돼, 알겠나?"

그때 모두 숨을 내뿜으면서 대답했다. 그야말로 십구동성이다.

"예, 보스."

지금까지 라파엘은 이익금 90퍼센트를 가져간 것이다. 그때 지노가 얼굴을 펴고 웃었다.

"너희들은 위대한 보스를 맞게 되었어."

그러자 모두 따라 웃었다. 바로 어제 무참한 사건이 일어났다는 것을 모두 잊은 얼굴이다. 그때 간부 하나가 재빠르게 아부를 했다.

"모두 위대한 총보스 덕분이지요."

아첨꾼은 어느 시대, 어느 곳에도 존재하는 법이다. 지노는 이제 총보스가 되어있다.

충성 맹세까지 한 간부들이 모두 돌아갔을 때 로간이 지노에게 말했다.

"이틀 후에 마르셀과 협상이야."

지노는 고개만 끄덕였고 로간이 말을 이었다.

"마르셀이 라파엘의 종말을 보았을 테니 어떻게 나올지 궁금하군."

지금까지 마르셀은 공존을 주장하고만 있었던 것이다. 지노 측은 대리인을 통해 헤로인의 독자 공급을 요구했다. 대신 안전과 유통을 책임져 준다는 조건이다. 그런데 그것이 마르셀에게는 불필요한 '강압조건'으로 보였던 것 같다. 고개를 든 로간이 지노를 보았다.

"지노, 어떻게 하지?"

"통보를 해."

지노가 말을 이었다.

"마르셀이 은퇴하면 현재의 재산을 보호해준다고 해."

"아마 오늘 라파엘파 간부들이 소문을 냈을 거다. 수익금의 절반을 갖게 된다는 소문 말야."

"……"

"마르셀이 은퇴하면 간부들은 모두 영업장 수익금의 절반을 갖게 될 거다."

그때 로간이 고개를 끄덕였다.

"알았다. 미리 그렇게 소문을 내지."

이렇게 마르셀의 협상 내용이 결정되었다.

그날 밤.

군소 조직 중 하나인 단톤이 지노의 간부인 로렌스를 찾아왔다. 시내 '크라운클럽'의 밀실 안. 단톤은 40대 중반의 메스티소로 마약 사업 경력이 20년도 더 되는 전문가다. 휘하 조직원은 2백여 명. 소 조직이지만 기반이 든든하고 특히 정보력이 강하다.

단톤이 번들거리는 눈으로 로렌스를 보았다. 단톤과 로렌스는 지난 파사테 시절부터 알고 지내던 사이다.

"로렌스, 내가 그대로 내 사업을 계속하면서 이익금의 절반을 상납하면 안 될까?"

거두절미하고 단톤이 물었을 때 로렌스가 풀썩 웃었다.

"과연 '키토의 여우'답군, 단톤."

"지노 님한테 말해봐."

"내일 마르셀에게 은퇴하라고 최후통첩을 할 예정이야."

"라파엘의 머리통이 박살난 것을 들었을 테니까 대번에 항복하겠지."

단톤이 정색하고 로렌스를 보았다.

"내가 은퇴하는 것보다 지노 님의 휘하에서 간부로 활동하는 것이 이로울 거야, 내가 시장상황도 잘 아니까."

"내가 당신 선전을 하란 말인가?"

"부탁해, 로렌스. 네가 날 잘 알고 있지 않아?"

"날 무시했을 때는 언제고?"

"지난 일 아닌가? 네가 이렇게 클 줄 누가 알았겠나?"

"기가 막히는군."

"내가 사례를 하지."

"그만둬, 단톤. 그랬다가 내가 죽어."

정색한 로렌스가 단톤을 보았다.

"그럼 지노 님한테 이야기해보지."

다음 날 오전.

로렌스의 보고를 들은 지노가 옆에 앉아있는 로간에게 말했다.

"네가 만나보고 결정해."

"그러지."

로간이 고개를 끄덕였다.

"마르셀을 만나기 전에 결정하는 것이 낫겠다."

"그렇지. 다른 조직도 영향을 받을 거다."

지노가 로렌스에게 말을 이었다.

"오후에 로간을 만나러 오라고 해."

"예, 보스."

로렌스가 서둘러 방을 나갔을 때 지노가 로간에게 말했다.

"기브라스, 오레곤 조직이 남아있지만 마르셀, 단톤이 흡수되면 투항해올 거다."

"거부하면 없애버리는 거지."

로간의 얼굴에 웃음이 떠올랐다. 자신만만한 표정이다. 고개를 든 로간이 지노를 보았다. 생각이 났다는 표정이 되어있다.

"지노, 여긴 나한테 맡기고 콜롬비아로 갈 생각이야?"

콜롬비아는 다시 마르코, 과타르치 체제로 돌아간 것이다. 그러나 모두 지노가 장악한 것이나 같다. 지노가 고용한 용병 체르넨코, 헨리가 각각 과타르치, 마르코의 보좌관이 되어서 조종하고 있기 때문이다. 로간의 시선을 받은 지노가 되물었다.

"넌 어떠냐? 키토의 지배자로 만족한 거냐?"

그때 로간이 고개를 끄덕였다.

"난 만족해. 여기서 살겠어."

"좋아, 휘하에 들어가지."

마르셀이 고개를 끄덕이며 말했다. 항복 선언이다. 고개를 든 마르셀이 로렌스를 보았다.

"내가 수익금의 절반을 내놓겠어. 그렇게 전해."

"알았어."

로렌스가 웃음 띤 얼굴로 마르셀을 보았다.

"욕심이 화근이야. 라파엘이 그러다가 당했거든."

자리에서 일어선 로렌스가 말을 이었다.

"내가 로간 님한테 전하지."

지노가 다가오는 올리비아를 보았다.

오후 4시 반.

이곳은 키토 중심부의 쉐라톤 호텔 로비 라운지 안. 밀실 소파에는 지노를 중심으로 세 사내가 둘러앉아 있다가 일어섰다. 올리비아의 뒤를 따라 들어선 헤수스는 잔뜩 긴장한 표정. 몸도 굳어져서 걸음이 부자연스럽다.

올리비아는 웃음 띤 얼굴로 다가와 지노의 옆자리에 앉았는데 기다리고 있던 사내들이 예의바르게 뒤를 따라 앉는다. 헤수스가 지노에게 고개를 숙여 보이면서 앞쪽 자리에 조심스럽게 앉았다. 헤수스의 시선을 받은 지노가 고개를 끄덕이며 웃었다.

"헤수스, 너한테 할 말이 있어서 불렀다."

헤수스는 숨도 죽였고 이제는 옆자리에 앉은 올리비아도 긴장했다. 올리비아도 헤수스를 데리고 나오라는 말만 듣고 온 것이다. 밀실에서 사내들이 모여 있을 줄은 몰랐다. 그때 지노가 말을 이었다.

"네 여행사를 만들어 놓았어."

지노가 옆에 앉은 사내를 눈으로 가리켰다. 40대쯤의 메스티소. 왜소한 체격에 안경까지 끼어서 사무직처럼 보이는 사내다.

"여기 있는 곤잘레스가 여행사를 운영해본 경험이 있어. 몇 년 전에 부도가 나서 망했지만 성실해. 네 회사의 관리 상무로 적당한 인물이다."

그때 곤잘레스라고 불린 사내가 다시 일어서더니 헤수스를 향해 허리를 꺾어 절을 했다. 당황한 헤수스가 일어나 뒤늦게 답례를 했다. 그때 지노의 시선이 다른 쪽 사내에게 옮겨졌다.

"마리오는 영업 상무로 일할 거다. 여행사 영업을 맡기면 잘할 거야. 이 둘이 네 부하 중역이고."

지노가 왼쪽 사내를 가리켰다.

"이 사람 스테판은 무슨 일이 있으면 도와줄 거다. 네가 언제든지 연락을 하면 달려올 거야. 내 친구 로간의 부하지."

마리오와 스테판이 자리에서 일어나 헤수스에게 인사를 했다. 그때 지노가 말을 이었다.

"로마리오 거리의 3층 건물을 빌렸고 여행사용 승합차 10대도 준비해놓았다. 이제 사원을 모집하고 사업을 시작하는 거야. 네가 여행사 경험이 있으니까 곧 익숙해질 거다. 이 사람들도 널 보좌해줄 거고."

지노가 말을 이었다.

"자본금은 150만 불을 예치해놓았으니까 충분할 거다. 네가 사주가 된 거야."

헤수스는 그저 숨만 가쁘게 쉴 뿐 눈도 흐려져 있다.

"어떻게 해요?"

놀란 올리비아가 그렇게 물었을 때는 이야기를 마치고 셋이 남았을 때다. 지노, 올리비아, 헤수스 셋이다. 곤잘레스, 마리오, 스테판은 인사를 하고 돌아간 것이다. 셋과 헤수스는 내일 다시 만나야만 한다. 그때 지노가 웃음 띤 얼굴로 입을 열었다.

"헤수스는 일을 배우면서 회사를 경영할 수 있을 거야. 회사 이름도 정해놓았어. '올리비아 헤수스 여행사'다."

올리비아와 헤수스의 얼굴이 동시에 상기되었다. 지노가 말을 이었다.

"회사 등록도 마쳤으니까 헤수스는 몸만 옮겨오면 된다."

지노가 탁자 밑에 있던 서류봉투를 꺼내 앞에 내려놓았다.

"올리비아 헤수스 여행사의 지분은 올리비아가 60퍼센트, 헤수스가 40퍼센트야. 경영은 헤수스가 하지만 대주주는 올리비아인 것을 명심하도록."

지노가 앞에 앉은 둘을 번갈아 보았다. 그동안 '올리비아 헤수스 여행사' 준비를 다 해놓았던 것이다. 그때 올리비아가 고개를 들고 지노를 보았다. 두 눈이 번들거리고 있다.

"지노, 고마워요."

"잘될 거야, 올리비아."

지노가 웃음 띤 얼굴로 말을 이었다.

"내가 배경을 단단히 만들어 놓았어."

그렇다. 스테판은 로간 직속 부하로 앞으로 '올리비아 헤수스 여행사'를 보호해줄 것이다. 여행사는 키토의 조직과는 별개로 운영되면서 자립해 나갈 때까지 적극적인 지원을 받게 된다.

단톤이 찾아와 충성 맹세를 한 것은 그다음 날 밤이다.

마르셀에 이어서 단톤이 로간에게 충성 맹세를 했고 서약서를 써 바쳤다. 로간의 휘하로 들겠다는 서약서다. 지노는 키토의 구(舊) 파사테 조직을 로간에게 맡겼기 때문에 이제는 지노부터 '로간 조직'으로 부른다.

단톤이 서약서를 쓴 다음 날.

이번에는 기브라스, 오레곤 둘이 같이 찾아왔다. 둘은 단톤이 어떻게 서약서를 썼는지도 아는 터라 이번 만남은 그 절반 시간밖에 안 걸렸다. 그러나 쉽게 끝난 것이 아니다. 그 반대다.

기브라스, 오레곤 둘이 저택으로 들어섰을 때는 오후 8시 반.

각각 호위병 셋씩을 데리고 들어온 둘이 로간에게 서약서를 바쳤을 때다. 3층에 있던 지노가 내려왔다. 키토 군소 조직과의 협상을 로간에게 맡겼던 지노가 모습을 보인 것이다. 기브라스와 오레곤은 지노를 처음 본다. 파사테를 죽인 지노와 첫 대면이다.

지노가 로간의 옆자리에 앉았을 때 앉아있던 로렌스와 호타크가 일어났기 때문에 분위기가 어수선해졌다. 그때 로렌스가 말했다.

"인사해. 지노 보스야."

놀란 둘이 일어나 지노에게 고개를 숙였다. 기브라스와 오레곤은 둘 다 30대 후반으로 각각 2백여 명의 부하를 거느리고 있다. 키토 서북지역, 시장지역에 기반을 두고 마약 도소매업을 하는 중이다. 둘의 인사를 받은 지노가 자리에 앉으면서 말했다.

"질서를 지키도록 해. 욕심 부리지 말고, 신사 여러분."

둘이 제각기 계면쩍은 웃음을 흘렸을 때 지노가 말을 이었다.

"욕심 부리다가 모아놓은 돈이 딴 놈들 주머니로 들어가는 꼴을 수없이 보았어. 우리가 절반씩 뗀 이익금으로 너희들의 안전과 신분 보장까지 해주는 거야."

이제는 몸을 굳힌 둘을 지노가 정색하고 보았다.

"속이지 말고 배신하지 마라, 신사 여러분."

"예, 지노 님."

둘이 동시에 대답했을 때 지노가 자리에서 일어섰다.

"너희들이 신의를 지킨다면 안정과 행복을 누릴 것이고 그러지 않는다면 파멸이다. 명심해라."

"예, 지노 님."

따라 일어선 둘이 다시 대답했고 지노는 몸을 돌렸다. 호타크와 로렌스도 따라 일어선 지노의 뒷모습을 본다. 로간만 자리에 앉아 숨을 고르고 있다.

그날 밤.

저택의 1층 바에서 지노와 로간이 나란히 앉아 어둠에 덮인 정원을 바라보고 있다. 바 안에는 둘뿐이었고 정원 건너편의 경호대 숙소에서 떠들썩한 웃음소리가 들려왔다. 그때 술잔을 든 로간이 지노를 보았다.

"지노, 기브라스와 오레곤한테 한 말이 작별 인사처럼 느껴지던데. 나한테는 말야."

"그래?"

쓴웃음을 지은 지노가 한 모금에 위스키를 삼켰다. 기브라스와 오레곤을 보내고 나서 둘은 1층 바로 내려온 것이다. 고개를 든 지노가 로간을 보았다.

"네가 잘 본 거다, 로간."

"떠날 거야?"

"그래."

"그러려고 서둘러서 '올리비아 헤수스 여행사'를 설립해줬군."

"그래."

"언제 떠날 거야?"

"내일."

"뭐?"

"다 너한테 맡기고 간다."

"이런 젠장."

"난 빈손으로 왔으니까 빈손으로 떠나는 거야. 자금이고 뭐고 다 너한테 넘기고 간다."

지노가 말을 이었다.

"CIA의 연락관 마이클 우드워드가 널 도와줄 테니까."

"……"

"콜롬비아의 마르코, 과타르치 가문에 박아놓은 헨리, 체르넨코가 너하고 손발을 맞춰줄 거야. 이젠 그곳도 안정되었어."

"지저스, 지노."

"네가 관리만 하면 돼, 로간."

지노가 손을 뻗어 로간의 손을 쥐었다.

"로간."

"뭐야?"

"부탁이 있다."

"닥쳐, 지노. 올리비아 이야기 하는 거지?"

"그래. 올리비아를 부탁한다."

"내가 살아있는 한."

어깨를 늘어뜨린 로간이 흐린 눈으로 정원을 보았다.

"지노, 이 개자식."

그러나 로간이 지노의 손을 맞잡았다.

오전 10시 반.

키토의 산마리노 성당 옆의 '라도' 카페 안. 지노와 마이클 우드워드가 마주 보고 앉아있다. 마이클이 쓴웃음을 짓고 말했다.

"예상은 했어, 지노. 본부에서도 놀라지는 않을 거야."

"로간이 잘 할 거야, 마이클."

"젠장. 네가 다 만들어놓고 가는 건데."

"로간이 이런 일에 어울려."

"그것 참."

고개를 든 마이클이 지노를 보았다.

"수억 불을 버리고 가는군, 지노."

"돈?"

지노의 얼굴에 다시 웃음이 떠올랐다.

"네가 로간하고 상의해서 잘 써라."

"과연 용병 대통령이군."

"대통령의 용병이었지."

지노가 손을 뻗어 악수를 청했다.

"마이클, 잘 부탁한다."

마이클의 손을 잡은 지노가 말을 이었다.

"좋은 인연이었어, 마이클."

"어디로 갈 거야?"

손을 쥔 마이클이 묻자 지노의 눈이 흐려졌다.

"내가 용병을 시작한 곳."

뉴욕. 오후 3시 반.

부룩클린의 오덴 빌라는 지하철 옆이어서 5분에 한 번씩 방이 흔들린다. 그래서 3층 건물 이상은 짓지 못한다. 장지선이 주방에서 그릇을 씻고 물을 잠갔을 때다. 문의 벨소리가 났기 때문에 장지선이 벽에 붙은 응답기의 버튼을 눌렀다.

"누구세요."

2층이어서 벨은 빌라 현관에서 눌러야 한다. 그때 응답기에서 사내의 목소리가 울렸다.

"어머니!"

그 순간 장지선이 비명 같은 탄성을 뱉었다. 그것은 이름이다.

"진호야!"

잠시 후에 둘은 문 앞 복도에서 껴안고 있다. 장지선이 계단 위까지 달려왔기 때문이다.

"어머니."

장지선의 머리끝에 턱을 밀착시킨 지노가 힘껏 껴안았다.

"내 아들."

지노의 허리를 부둥켜안은 장지선의 목소리가 잠겨 있다. 지노가 가벼운 장지선의 몸을 안은 채로 발을 떼었다. 더 이상 말이 필요치 않다.

집 안.

빌라는 30평형으로 장지선이 혼자 살기에는 넉넉한 편이다. 침실 2개에 각각 욕실이 딸렸고 응접실과 주방도 제대로 갖춰졌다. 한 평쯤 되는 베란다에서 보이는 골목도 깨끗하다.

지노와 장지선이 소파에 나란히 앉아있다. 지노가 이라크로 떠나기 전에 만났을 때가 1년 전이다. 그동안 지노는 곡절을 겪었지만 어머니 장지선은 약간 여위었다. 그러나 여전히 고혈압, 당뇨 투병 중이다. 지노가 장지선을 보았다.

"어머니, 날씨가 좋은 서쪽 캘리포니아 쪽으로 옮겨가는 것이 어때?"

"가기 싫어."

장지선이 고개를 저었다.

"여기가 익숙해서 좋아. 이젠 네가 준 돈으로 친구도 만나고 가끔 여행도 다녀. 여기서 떠나기 싫어."

"여행은 어디로 다녔는데?"

"뉴욕 근처 바닷가. 지난달에는 나이아가라에 다녀왔어."

"누구하고?"

"이웃에 사는 마리, 케니스, 그리고 윤 씨, 박 씨."

"친구가 많아?"

"클럽에서 많이 만났어. 독서 클럽, 봉사 클럽, 그리고 한인 클럽도 다닌단다."

"한인 클럽?"

"그래. 한국 교민 클럽. 내가 한국말을 다시 써."

장지선이 환하게 웃었다.

"다 네 덕분이다."

이라크에서 지노가 장지선에게 1백만 불을 보내주었던 것이다. 그 돈을 받고도 장지선은 마켓 알바를 다니다가 반년 전에야 그만두었다고 했다. 장지선이 말을 이었다.

"내가 버스하고 전철만 타고 다니다가 차도 샀어. 중고 포드야. 몇십 년 만에 운전을 했는데도 금방 익숙해지더라."

"차가 있으면 편하지."

"그럼. 내가 뉴욕 지리는 눈 감고도 다니니까. 차가 막히는 곳도 다 알아."

"약은 계속 먹지?"

"헬스를 다니니까 약도 줄어졌어."

"잘되었네."

"저녁때 뭘 해줄까?"

"김치찌개."

"시장 보고 와야겠다."

장지선이 일어나려는 것을 지노가 팔을 잡아 앉혔다.

"시간 많아, 어머니."

오후 4시다.

장지선이 다시 앉으면서 지노의 눈치를 보았다. 지노는 숨을 들이켰다. 어머니는 내가 언제 떠난다는 말을 듣는 것이 두려운 것이다. 그래서 얼른 자리를 피하려고 한다.

맛있게 김치찌개로 저녁을 먹은 지노가 소파로 물러나 만족한 숨을 내쉬었다.

어제까지만 해도 키토의 저택에서 마약 조직을 다스렸던 지노다.

현실이 꿈처럼 느껴졌다. 이곳은 다른 세상이다.

키토에서 떠날 때 무기도 버렸기 때문에 비무장으로 다니는 것이 아직 어색하다.

그때 저녁상을 치운 장지선이 지노의 앞에 커피 잔을 내려놓았다.

"너 오기를 기다렸어."

앞쪽에 앉은 장지선이 웃음 띤 얼굴로 지노를 보았다.

"너, 여자 친구 없지?"

"갑자기 그건 왜 물어?"

"지난달 전화했을 때 여자 친구 없다고 했지?"

"그건 그런데."

"내가 교민 모임에 나간다고 했지? 거기서 만난 윤 여사 딸이 있어."

"……."

"뉴욕대학 강사인데 콜롬비아에서 박사를 받았단다. 27살. 내가 만났는데 예쁘고 똑똑하고, 상냥해."

"……."

"내가 아들이 있다고 했더니 소개시켜 달라고 했어. 윤 여사가 말야."

"어머니."

"내가 걔가 마음에 들어서 네 사진을 보여줬단다. 그랬더니 걔도 좋다고 했어."

"어머니, 박사 딸하고 나는……."

"난 네가 군인 출신 사업가라고 했어. 군 관계 일을 하고 있다고. 그렇게만 말했단다."

"어머니, 도대체……."

이제는 지노가 가라앉은 시선으로 장지선을 보았다.

그때 지노의 시선을 받은 장지선이 고개를 끄덕였다.

"그래. 난 네가 떠나더라도 네 여자, 며느리라도 가까운 곳에서 보고 싶어. 거기에다……."

장지선이 서두르듯 말을 맺는다.

"네 자식이 있다면 더 바랄 것이 없지."

지노는 마침내 외면했다.

어머니의 말이 사무쳤기 때문이다.

깊은 밤, 오전 2시쯤 되었다.

휴대폰을 든 지노가 버튼을 누르자 신호음 세 번 만에 사내의 목소리가 울렸다.

"오, 지노. 기다리고 있었어."

굵은 목소리에 반가움이 배어 있는 느낌이다.

지노의 얼굴에도 쓴웃음이 떠올랐다.

"장군."

그렇게 불렀더니 사내의 목소리가 더 밝아졌다.

"그럼 난 보스라고 불러줘야 하나?"

"이젠 거기도 정리하고 나왔으니까 다시 용병입니다."

"반갑네, 소령."

50

사내는 바로 그 죽고 죽였던 아르카디 용병단의 본부장 에드워드 깁슨이다.

지노가 입을 열었다.

"장군, 나는 이제 다 씻었습니다. 어떻게 생각하십니까?"

"물론이지, 소령. 다 끝난 일이야."

"일을 하다 보니까 그렇게 되었습니다."

"그렇지, 소령."

깁슨이 말을 이었다.

"소령, 내가 만나자고 한 이유가 있네."

지노가 잠자코 휴대폰을 고쳐 쥐었다.

키토에서 떠나기 전에 깁슨이 CIA를 통해서 접촉해 왔던 것이다.

깁슨이 말을 이었다.

"이라크 문제야, 소령."

"아직도 끝나지 않았습니까?"

"더 아수라장이 되었어."

깁슨이 혀 차는 소리를 냈다.

"IS 놈들이 닥치는 대로 암살을 해대는 통에 미군 지휘관 손실이 전쟁 때보다 2배나 많아졌어."

"……."

"우리 용병단도 12명이나 짐승처럼 허무하게 저격을 당했다네. 이건 전쟁도 아냐. 쓰레기 같은 놈들한테 우리 값비싼 전력이 당했다니까."

목소리를 높였던 깁슨이 스스로도 멋쩍은지 길게 숨을 뱉었다.

"소령, 언제 시간 있나?"

"며칠 쉴 작정입니다."

"내가 워싱턴에 일이 있어. 열흘쯤 후에 만날 수 있겠지?"

"그때는 만날 수 있겠지요."

"그럼 열흘 후에 보지."

그러더니 깁슨이 덧붙였다.

"이젠 같이 일했으면 좋겠어."

로어맨해튼은 미드타운의 남쪽, 맨해튼의 최남단 지역이다.

이곳의 볼거리는 역시 자유의 여신상이었다. 그러나 2001년 9월 11일, 세계무역센터가 테러로 붕괴된 후 그곳이 역사적 장소가 되었다.

로어맨해튼 남쪽 끝에 위치한 배터리파크는 뉴욕에서 바다를 보기에 가장 좋은 장소다.

그 배터리파크 안에 '한국 전쟁비'가 세워져 있다.

오후 3시 반. '한국 전쟁비' 건너편의 벤치에 앉아있던 지노가 이쪽으로 다가오는 여자를 보았다.

동양인. 170에 가까운 키. 흰색 운동화를 신었는데 지저분했다. 검은색 셔츠에 회색 바지. 그러나 날씬한 체격이다. 짧게 자른 머리.

7월 중순의 햇살이 강한 날씨다.

50미터쯤의 거리에서 여자는 곧장 이쪽으로 다가왔는데 지노를 알아본 것 같다.

주위에는 관광객, 놀러 나온 시민들이 많았기 때문에 시선이 여러 번 차단되고 있다.

서정은. 미국명 서제니.

서제니하고 이곳에서 만나기로 한 것이다.

여자와 점점 가까워지고 있다.

주위에 동양인, 특히 중국인이 많았는데도 여자는 곧장 이쪽으로 다가온다.

그때 여자가 5미터 거리로 다가왔을 때 지노가 벤치에서 일어섰다.

"제니?"

"지노?"

여자가 그렇게 되묻더니 이를 드러내고 웃었다.

맑은 웃음이다.

자연스러워서 여러 번 만난 사이 같다.

이제는 둘이 나란히 앉았다.

50센티쯤 간격을 두었기 때문에 둘은 벤치 하나를 다 차지했다.

그때 지노가 고개를 돌려 제니를 보았다.

"난 예비역 군인입니다. 들으셨죠?"

"네, 들었어요."

제니가 부드러운 시선으로 지노를 마주 보았다.

"지금도 군 관계 일을 하신다구요."

"어머니가 제니 씨를 아주 좋아하시던데요."

"저도 아주머니를 좋아해요."

제니의 목소리는 맑고 약간 울림이 있다.

"어머니끼리 사이도 좋으시구요."

"그런데, 제니."

지노가 웃음 띤 얼굴로 제니를 보았다.

"무엇을 전공했습니까?"

"동양사죠. 박사 학위도 중국사와 관련된 연구를 해서 받았어요."

"동양에 관심이 많으시네."

둘은 지금 한국어로 대화하고 있다.

제니가 밝은 표정으로 지노를 보았다.

"나도 미국에서 태어나 한 번도 조상의 고향인 한국에 가보지 않았거든요. 부모님도 미국에서 태어났기 때문에 한국에 두 번밖에 가보지 못했다고 해요."

"그렇군. 우리 어머니는 한국에서 태어나셨는데."

"알고 있어요. 그래서 아주머니한테서 한국 이야기를 많이 들었어요."

제니는 이민 3세다. 부모는 2세이고.

지노의 어머니 장지선과는 다르다. 그리고 지노는 반쪽 한국인이다. 아버지가 백인이기 때문이다. 어머니를 버리고 간 그 사내는 이제 이름도 잊었다. 그래서 지노의 이름이 어머니의 성을 붙인 지노 장이다.

그때 제니가 지그시 지노를 보았다.

"정말 이렇게 멋있는 남자가 아주머니 아들일 줄 몰랐어요."

"나, 참."

쓴웃음을 지은 지노가 제니를 보았다.

"제니, 실망하게 될 거요. 어린애처럼 겉모습에 쏠리다니."

"아주머니는 지노가 어렸을 때부터 군에 간 이야기, 그리고 생활비를 보내준 이야기까지 다 해주셨어요."

"저런, 어머니는 부끄러운 줄도 모르고."

"감동 받았어요."

지노의 시선을 받은 제니가 눈웃음을 쳤다.

"지노 씨의 생에 대한 용기, 어머니에 대한 애정, 그리고 그 능력까지……."

"제니 씨는 내가 무슨 일을 하고 있는지는 압니까?"

"어머니는 군 관계 일을 하신다던데요."

"제니 씨, 난 용병입니다."

"용병이라면……."

"말 그대로 고용되어서 싸우는 병사죠."

눈만 깜빡이는 제니를 향해 지노가 말을 이었다.

"어머니한테는 비밀입니다, 제니 씨."

그때 제니가 자리에서 일어섰다.

"우리, 바닷가로 나가요."

오후 8시 반.

지노와 제니가 바다가 내려다보이는 식당에 앉아있다.

자유의 여신상이 보이는 위치. 저녁을 먹자고 제니가 이곳으로 이끌었던 것이다.

"참, 그 이야기 안 했구나."

샴페인 잔을 든 제니가 웃음 띤 얼굴로 지노를 보았다.

술기운으로 얼굴이 상기되어 있다.

"우리 부모는 이혼했어요. 내가 15살 때였으니까 10년도 더 전인데."

"……"

"아버지는 저한테 한 달에 한 번쯤 전화를 해요. 지금 시애틀에서 재혼해서 살고 있는데 아이가 둘이라는군요."

한 모금 샴페인을 삼킨 제니가 말을 이었다.

"일본 여자하고 재혼했어요. 회사에서 만난 여자라는군요."

"……"

"우리 어머니는 그 후로 혼자 살면서 저하고 여동생을 키웠죠."

"……"

"그래서 우리 어머니하고 아주머니가 잘 통하신 것 같아요."

지노가 잔에 든 술을 한 모금에 삼키고는 제니를 보았다.

"어머니가 일을 하셨어요?"

"일은 안 하셨죠. 위자료를 좀 받았기 때문에, 우리 양육비도."

"다행이네."

"지노 씨 어머님은 아닌가요?"

"그 사람이 도망가서……."

지노의 얼굴에 웃음이 떠올랐다.

"다행히 난 어머니의 외모와 DNA를 물려받은 것 같습니다. 지금까지 책임회피는 한 적이 없거든."

"그렇군요."

제니가 따라 웃었다.

식당 안은 조용했고 은근한 재즈 음악이 흘러나오고 있다. 손님은 서너 테이블뿐이었는데 종업원이 소리 없이 오고 있다. 고급 식당이다.

그때 제니가 고개를 들었다.

"용병 일에 대해서 말해주세요."

지노의 시선을 받은 제니가 정색했다.

"제 대학 강사 일은 잘 아실 테고, 용병은 무슨 일을 어떻게 하는 거죠?"

"……."

"지노 씨에 대해서 알고 싶어서 그래요."

잔에 샴페인을 채운 제니가 말을 이었다.

"하지만 싫으면 안 해도 돼요."

"난 1년 전에 후세인 대통령의 용병이었지요."

놀란 제니가 숨을 들이켰고 지노가 말을 이었다.

"후세인의 육성 테이프를 들은 적 있어요? 미군의 이라크 침공은 음모라는."

"네, 들었어요."

"그건 내가 후세인의 지시를 받고 이라크에서 유출한 겁니다."

"……"

"CIA의 방해를 받았죠."

"……"

"그러고 나서 후세인과 딸 카밀라를 이라크에서 탈출시켰지요."

"엄청나요."

정색한 제니가 지노를 보았다.

"상상도 못 했어요."

"그 후, 후세인과 카밀라하고 다시 이라크로 침투했다가 일이 끝났습니다."

지노의 두 눈이 번들거렸다.

"후세인, 카밀라가 죽었기 때문이죠."

"저런."

제니가 흐린 눈으로 지노를 보았다.

"일이 그렇게 끝났군요."

그때 지노가 다시 술잔을 들고 말했다.

"자, 두 영혼을 위해서 건배."

식당을 나왔을 때는 오후 10시가 되어갈 무렵이다.

그때 제니가 지노의 팔짱을 끼면서 물었다.

"괜찮죠?"

지노가 고개만 끄덕였을 때 제니는 몸을 딱 붙였다.

발을 뗀 지노가 제니를 보았다.

"제니, 난 한국 여자는 처음이야."

"나도 한국 남자는 처음 만나요."

제니가 웃는 얼굴로 말을 받았다.

"집안 이야기를 자연스럽게 털어놓은 것도 처음이고."

"……"

"내 어머니가 무척 당신을 좋아해."

"그것을 나도 느꼈어요, 지노."

"하지만 난 아직 한군데 정착할 생각이 없어요, 제니."

바닷바람이 불어와 알코올 기운으로 달아오른 피부를 스치고 지나갔다.

비린 물 냄새가 맡아졌다.

그때 제니가 두 손으로 지노의 팔을 감으면서 말했다.

"알아요, 지노. 하지만, 마음을 두는 곳이 있어야 돼요."

제니가 고개를 들고 지노를 보았다.

"이곳, 어머니가 계신 곳에."

"제니, 집은 어디야?"

"난 집이 미드타운인데 오늘은 어머니 집에서 자려고."

제니가 지노의 팔을 더 세게 감았다.

"하지만 당신하고 같이 있어도 돼."

"오늘 처음 만났는데, 빠르네."

"난 공원의 벤치에 앉았을 때 바로 호텔로 들어갈 수 있었어."

"보기와는 다르군, 제니."

"당신이 좋아, 지노."

제니가 머리를 지노의 어깨에 붙였다.

"다시 참고로 말하는데 이런 경우도 처음이야, 지노."

지노가 갑자기 걸음을 멈췄다.

이곳은 로어맨해튼의 맨 끝 바닷가. 늦은 시간이어서 한두 명씩 남녀가 오가고 있다.

가로등이 멀리 떨어져 있지만 제니의 눈이 반짝이고 있다.

지노가 고개를 숙이자 제니의 반짝이는 눈이 감겼다.

대신 입이 반쯤 열렸다.

미드타운 이스트의 고층빌딩 사이에 긴 10층 건물 앞에 섰을 때는 오후 11시 반이다. 제니의 숙소는 5층이다. 현관 앞에 멈춰 선 제니가 지노의 손을 잡았다.

"집에 들어가 술 한잔해요."

내일은 토요일, 휴일이다. 그때 지노가 한 걸음 다가서서 제니의 이마에 입을 맞췄다.

"제니, 오늘은 이만."

"지노."

제니가 손을 뻗어 지노의 허리를 감싸 안았다.

"부담 느끼지 말아요. 난 그냥 당신이 좋아서 그래."

"나도 당신이 좋아, 제니."

"그럼 내 집에 가, 지노."

"오늘은 안 돼, 제니."

다시 제니의 이마에 입을 맞춘 지노가 한 걸음 물러섰다.

"내일은 점심때 만나, 제니."

"그래, 알았어."

제니가 고개를 끄덕이더니 지노의 팔을 쥐었다.

"키스해줘, 지노."

"지금까지 같이 있었던 거야?"

밤 12시 반.

그때까지 기다리고 있던 장지선이 지노에게 물었다. 지노가 웃기만 했고 장지선이 다가와 다시 묻는다.

"어때? 좋았니?"

"응, 좋았어."

재킷을 벗은 지노가 소파에 앉으면서 장지선을 보았다.

"참 좋은 여자야, 제니가. 나한테 과분할 만큼."

"오, 그래?"

활짝 웃은 장지선이 옆에 앉았다.

"지금까지 함께 있었던 걸 보면 제니도 널 좋아한 것 같구나."

"멋진 여자였어."

"또 만나기로 했니?"

"내일."

"아이구."

두 손을 모은 장지선이 지노를 보았다.

"내 소원이 이루어지나 보다."

지노가 소리죽여 숨을 뱉었다. 그러나 입을 열지는 않았다.

2장 용병 재계약

밤. 주위는 조용하다. 오전 2시쯤 되었다.

침대 옆 창가에 앉은 지노가 창밖의 거리를 내려다보았다. 인적이 끊긴 골목을 고양이 한 마리가 천천히 가로질러 가더니 어둠 속으로 사라졌다.

올리비아는 로간한테서 연락을 받았을 것이다. '지노는 일 때문에 떠났고 당분간 연락이 안 될 것이다'라는 내용이다. 그리고 지노는 에콰도르에서 쓰던 핸드폰을 버렸기 때문에 연락할 방법도 없다. 그렇게 끝낸 것이다.

'올리비아 헤수스' 여행사는 날로 번창할 것이고 올리비아는 학교에 근무하면서 여행사 대주주로 일할 수도 있을 것이다. 그렇게 세월이 간다. 한 달, 두 달, 반년, 일 년. 그러면 올리비아에게 지노라는 인연은 잊히게 된다, 지노가 1년 전의 카밀라를 잊은 것처럼.

그런데 다시 뉴욕에서 인연을 맺을 수가 있겠는가? 종마처럼 씨를 뿌리고 다닐 수는 없는 노릇이다. 그것이 어머니의 소원일지라도.

한동안 골목을 내려다보던 지노가 문득 고개를 들었다. 이 순간 자신을 노리는 저격수가 있었다면 가장 좋은 조건이었을 것이라는 생각이 들었기 때문이다. 저격에 적당한 장소가 최소한 10개는 넘는다.

주위를 둘러본 지노의 얼굴에 쓴웃음이 번졌다. 이윽고 몸을 일으킨 지노가 창문의 블라인드를 내렸다.

"블라인드를 내렸어."

372미터 거리의 센트럴빌딩 7층 창가에서 오크먼이 말했다.

스코프에서 눈을 떼자 눈 주위에 둥그런 스코프 마크가 드러났다. 오크먼이 거치한 저격 총은 베레타 스나이퍼다. 나팔 모양의 소염기가 특색인 베레타 스나이퍼는 오크만이 아끼는 저격 총으로 지금까지 12번을 한 번도 빗나간 적이 없다.

최대 사거리 950미터, 장탄 수는 6발이지만 저격 총에 장탄 수가 많을 필요는 없다. 그때 옆에 엎드린 관측수 코헨이 말했다.

"눈치챈 것 같지는 않은데."

"그래, 맞아."

오크먼이 커다랗게 입을 벌리고 하품을 했다.

"천하의 용병 지노가 방심한 모습을 보이다니. 마치 악마가 옷을 벗은 것을 본 느낌이야."

"그런데 지휘부는 어쩔 작정이야? 이렇게 지노 얼굴을 겨누고만 있으라는 거야?"

"기다려 봐야지."

오크만이 다시 스코프에 눈을 붙였지만 블라인드가 내려진 창은 불까지 꺼놓아서 벽과 구분이 힘들었다.

둘은 아르카디 용병단의 저격팀이다. 지휘부의 명령으로 지노를 겨누고 있는 것이다.

"좋아. 교대로 자자구."

오크만이 말하더니 시계를 보았다. 오전 2시 반이다.

"지노가 적격이야."

오전 8시 반.

워싱턴의 메모리얼 호텔 라운지에서 깁슨이 보좌관 카터에게 말했다.

"이라크 상황을 잘 아는 데다 반군의 우상이 되어 있고 첫째로 능력이 출중해."

깁슨이 말을 이었다.

"무하마드에게는 지노가 천적이야."

카터가 고개를 끄덕였다.

무하마드는 IS의 지도자로 전에 탈레반의 이라크지부 지부장이었던 인물이다. 성격이 치밀하고 잔인해서 심복이라고 해도 가차 없이 처단하는 것으로 유명해졌다. 고개를 든 깁슨이 카터를 보았다.

"지금 지노가 어머니하고 둘이 지내고 있어. 알고 있지?"

"압니다."

"내가 저격수를 배치시켜 놓았어. 그것도 아나?"

"그건 모르고 있었는데요."

눈썹을 모은 카터가 깁슨을 보았다.

"지노가 알면 문제가 되지 않을까요?"

"되겠지."

정색한 깁슨이 말을 이었다.

"하지만 그것도 의식하지 못한다면 내가 평가하는 지노가 아니야."

"어떻게 하실 겁니까?"

"일주일쯤 후에 지노하고 만날 거야."

커피 잔을 쥔 깁슨이 카터를 보았다.

"내 제의를 받아들이지 않는다면 그날로 저격을 당하는 거야."

한 모금 커피를 삼킨 깁슨의 얼굴에 웃음이 떠올랐다.

"지노가 이라크에서 분탕질을 치는 바람에 우리가 얼굴에 똥칠을 했지만 이젠 그것을 지노가 만회시켜 줘야지."

이번에는 된장찌개로 쌀밥을 두 그릇이나 먹은 지노가 의자를 뒤로 물리면서 말했다.

"어머니, 이러다가 내가 돼지 되겠어."

"애 좀 봐."

장지선이 커피 잔을 지노의 앞에 내려놓으면서 웃었다.

"몇 끼에 돼지 되지는 않는다."

오전 9시다.

오늘은 토요일이어서 장지선은 11시에 교민 모임이 있다. 지노가 한 모금 커피를 삼키고는 장지선을 보았다.

"어머니."

"왜?"

대답하면서 장지선이 부지런히 식탁을 치운다.

"참, 너도 오늘 낮에 제니 만나기로 했다면서? 몇 시냐?"

"내가 전화하면 돼."

"그런데 왜?"

주방으로 가면서 장지선이 물었다.

"난 오후 5시쯤 돌아와. 넌 늦겠지?"

"아마도. 그런데 어머니."

"왜?"

"어머니 통장에 1백만 불을 더 넣었어."

"아이구."

놀란 장지선이 그릇을 개수대에 쏟아놓더니 몸을 돌려 지노를 보았다. 눈을 치켜뜨고 있다.

"1백만 불이냐? 난 네가 준 1백만 불에서 1만 불도 안 썼는데, 또?"

"그냥 은행에 넣어 놓았으니까 쓰고 싶은 곳에 써. 남한테 사기는 당하지 말고."

"아이구, 그 돈이 어떤 돈인데?"

장지선이 다가와 옆자리에 앉았다.

"난 돈 냄새는 전혀 풍기지 않아. 윤 씨 아줌마한테도. 제니도 내가 백만장자 인지 모른단다."

장지선의 얼굴에 웃음이 떠올랐다.

"그건 너하고 제니가 결혼하기 전까지 비밀이야."

"결혼?"

"그냥 한 말이다."

숨을 고른 장지선이 지노의 손을 쥐었다.

"너, 그 돈, 목숨값으로 번 돈이지?"

지노의 시선을 받은 장지선의 눈이 번들거렸다.

"내가 다 알아. 그런 돈인데 내가 돈 자랑 하겠니?"

"아끼지 말고 쓰란 말야."

"알아. 잘 쓸게."

"병원비 아끼지 말고."

"그건 물론이지."

그때 지노가 고개를 들고 장지선을 보았다.

"어머니, 나 출장을 좀 다녀올게."

장지선의 눈이 금세 흐려졌지만 놀라지는 않는다. 느낌이 있었던 모양이다. 어디, 이런 헤어짐이 한두 번이어야지.

"제니."

지노가 부르자 제니의 목소리가 높아졌다.

"지노."

단 한마디였지만 반가움이 가득 차 있다. 그때 지노가 말했다.

"제니, 나 지금 떠나."

순간 제니가 입을 다물었고 지노는 말을 이었다.

"다음이 언제가 될지 모르겠어. 그래서 작별 인사를 하는 거야."

"지노."

제니가 이제는 낮지만 부드럽게 지노를 불렀다.

"놀랐지만 금방 진정이 되네. 당신한테서 그런 분위기가 전염되어 있었나 봐."

"그런가?"

"어젯밤 집에 들어와서부터 전염이 되었나 봐, 지노."

"난 지금까지 여러 번 이별을 했어."

이제는 지노의 목소리도 가벼워졌다.

"몇 명은 죽어서 이별했고 그다음부터는 이렇게 떠나."

"나도 그중 하나야?"

"그래, 제니."

"좀 서운하지만 좋았어, 지노."

"넌 훌륭한 여자야."

"참, 그거 알아?"

제니의 목소리에 웃음기가 띠어졌다.

"말해줄까, 지노?"

"말해봐."

"당신하고 결혼해서 아이 낳고 사는 상상을 했어."

"저런."

"남자를 만난 첫날에 그런 상상을 하다니, 내가 미쳤지."

"그러니까 말야."

"기다릴게, 지노."

제니가 말을 이었다.

"기다리는 사람이 있다는 걸 기억해줘."

그러고는 통화가 끊겼기 때문에 지노는 심호흡을 했다. 과연 훌륭한 여자다. 그렇다면 나도 제니하고 아이 낳고 사는 상상으로 보답하리라.

다음 날 오전 11시.

이곳은 워싱턴의 메모리얼 호텔 라운지. 깁슨과 카터가 지노와 마주 보고 앉아 있다. 셋은 처음 만났지만 악수도 하지 않았다. 지노가 기다리고 있던 둘 앞에 다가와 눈인사만 했을 뿐이다. 지노가 잠자코 자리에 앉았을 때 깁슨이 입을 열었다.

"지노, 후세인은 어디에 묻혀있나?"

"이라크."

그렇게만 대답한 지노가 깁슨을 보았다.

"후세인은 언제 사형 집행이 됩니까?"

사담 후세인은 군사 법정에서 재판을 받고 있는 것이다. 지금 체포되어 있는 1호를 말한다. 그때 깁슨이 쓴웃음을 짓고 대답했다.

"몇 년 걸리겠지."

"세상 사람들의 관심이 멀어질 때쯤 해서 처형하겠군요."

"다 그런 것 아닌가?"

주위를 둘러본 지노의 시선이 이제는 카터에게 옮겨졌다.

"당신이 보좌관 카터겠군."

"잘 아는군, 지노."

"내가 이곳까지 그냥 온 것 같나?"

"그럼, 뭐가 또 있나?"

이번에는 깁슨이 물었을 때 지노가 쓴웃음을 지었다.

"여기 오는 기념으로 센트럴 빌딩 7층의 저격수와 관측수의 머리통을 날려놓고 오려다가 그만둔 거요."

"갓."

따라 웃은 깁슨이 카터에게 말했다.

"거봐, 카터. 지노가 알고 있을 것이라고 했지?"

카터가 눈만 껌벅였을 때다. 지노가 말을 이었다.

"장군, 에릭 홈스 씨한테 연락을 해보시지요. 지금 기다리고 있을 겁니다."

"누구?"

깁슨이 숨을 들이켰다.

"에릭 홈스라니? CIA 대외전략국장 말인가?"

"다른 사람이 또 있습니까?"

지노가 주머니에서 쪽지를 꺼내 내밀었다.

"전화번호가 여기 있습니다."

"내가 왜 에릭한테 전화를 한단 말야?"

"이 일 때문이죠."

"이 일이라니?"

공허한 목소리로 물었던 깁슨이 마침내 쪽지를 펴더니 핸드폰을 꺼내 버튼을 눌렀다. 그러자 신호음 3번 만에 응답 소리가 울렸다.

"여보세요, 에릭 홈스요."

사내 목소리다. 에릭 홈스는 CIA의 3인자로 깁슨과는 만난 적이 없다. 그러나 예비역 준장인 깁슨 따위는 마주 앉을 신분도 되지 못한다. 깁슨이 말했다.

"예, 아르카디 용병단의 에드워드 깁슨입니다. 에릭 홈스 전략국장이십니까?"

"그렇소, 깁슨 씨. 지금 지노하고 같이 있습니까?"

"예, 국장님."

"그렇다면 내가 왜 통화를 하자고 했는지 짐작이 가시지요?"

순간 깁슨이 숨을 들이켰다. 눈동자가 흐려져 있다.

그때 홈스가 다시 물었다.

"보고타 지부장 마이클하고 통화는 하셨지요?"

"예, 그렇습니다."

마이클 우드워드를 통해 지노와 접촉을 했던 것이다. 그러나 홈스 같은 거물이 직접 연락을 해 올 줄은 상상도 하지 못했다. 그때 홈스가 말했다.

"지노는 이라크 상황에 필요한 인물이오. 아르카디보다도 우리가 더 필요해요."

깁슨은 숨을 죽였고 홈스의 말이 이어졌다.

"우리가 추천해서 지노가 아르카디하고 접촉하고 있다는 것을 알아주셨으면 합니다, 깁슨 씨."

"아, 예."

"지노의 숙소를 향해 저격병을 배치시킨 것도 오만한 행동이었소. 내가 보기에는 안하무인적 행위였지요."

순간 깁슨의 얼굴이 굳어졌다. 그때 홈스가 짧게 웃었다.

"깁슨 씨, 여긴 미국이오. 아르카디는 법을 어겼습니다. 면허 취소 수준이오."

"죄송합니다."

마침내 깁슨이 억눌린 목소리로 말했다.

"무슨 일을 하려는 건 아니었습니다."

"어쨌든 그건 나중에 따지기로 하고."

"예, 홈스 씨."

"지노는 아르카디 용병으로 활동할 것이지만 우리 소속이오."

홈스의 목소리가 엄격해졌다.

"깁슨 씨는 이해하실 거요. 아시겠지요?"

"이해가 갑니다."

"물론 수당도 아르카디가 지급해야 할 것이고."

"압니다."

"아르카디는 미국 정부로부터 엄청난 금액으로 계약을 했지만 말입니다."

그러더니 홈스가 말을 맺는다.

"이것으로 정리가 된 것으로 알겠습니다."

핸드폰을 귀에서 뗀 깁슨이 앞에 앉은 지노를 보았다. 얼굴이 일그러져 있다.

"이제 정리가 되었군, 지노."

지노는 시선만 주었고 깁슨이 말을 이었다.

"지노, 네 소속은 CIA로 두고 아르카디 용병에 파견된 입장이 된 거야."

"들었습니다, 장군."

"우리로서도 자네를 통해 CIA의 협조를 받을 수 있을 테니까 나쁘지는 않아."

"서로 이용하는 거죠."

"CIA의 책임 회피도 되고. 문제가 일어나면 우리가 덮어쓰거든."

"나 때문에 정부와의 계약이 더 단단해지지 않습니까? 용역비도 마음대로 타낼 것이고."

"잘 아는군."

"CIA 평계를 대면 군(軍)이나 국무부에서는 두말없이 예산을 내줄 테니까."

"그런데 얼마로 계약하면 되겠나?"

정색한 깁슨이 지노를 보았다.

"우리 아르카디 특A급 연봉이 50만 불이야. 물론 무기, 숙식비, 출장비 제공하고 말이지."

"……"

"커크 배링턴한테서 연봉 5만 불을 받았던가?"

카터가 힐끗 시선을 주었지만 깁슨이 말을 이었다.

"50만 불 이상은 무리야, 지노. 우리가 지금 이라크에 80여 명을 투입시켰는데 예산이 2800만 불이야. 용병 평균 연봉이 20만 불이라네. 인건비만 1,700만 불이야."

"……"

"특급 10명의 연봉이 30만 불이라니까."

지노가 지그시 깁슨을 보았다. 깁슨은 이제 군인이 아니다. 장사꾼인 것이다. 아르카디 용병단의 사장은 벨라미였지만 실제로 운영하는 것은 깁슨이다. 정부에서 오더를 따는 것에서부터 용병단 운영까지 깁슨이 맡고 있는 것이다. 그때 지노가 말했다.

"내가 용병단에서 팀원을 고르도록 해주시죠."

"그거야 물론이지."

반색을 한 깁슨이 대번에 승낙했다.

"자네는 용병단 전체를 지휘하도록 해주겠어, 그럴 자격이 있으니까."

"다 필요 없어. 내 팀원 셋만 고를 테니까 말요."

"좋아. 소모되면 계속 셋을 충원시켜 주지."

"그리고 포상금 말인데."

그러자 깁슨의 눈이 가늘어졌다. 카터는 외면했다. 지노가 정색하고 깁슨을 보았다.

"50퍼센트를 지급할 것."

"안 돼."

대변에 거부한 깁슨이 머리까지 저었다.

"지금까지 15퍼센트였어. 너한테만 특별대우를 하면 안 돼."

"나는 이미 특별한 경우 아니오? 그렇게 안 된다면 그만둡시다. 용병대가 아르카디만 있는 것도 아니고."

지노가 자리에서 일어섰다.

"그럼 커크 배링턴한테 찾아가지요."

몸을 돌린 지노의 등에 대고 깁슨이 입을 벌렸지만 말을 내놓지는 않았다. 그때 카터가 깁슨에게 말했다.

"장군, 받아들여야 할 것 아닙니까?"

깁슨은 숨이 가빠졌다. 자존심이 크게 손상되었기 때문이다.

오후 6시 반.

워싱턴 유니언역 근처의 캐피털 호텔 라운지 안. 작은 라운지는 텅 비었고 창가의 테이블에 세 사내가 앉아있다. 지노와 CIA 대외전략국장 에릭 홈스, 그리고 바그다드 지부장 제임스 칸이다. 지노는 홈스, 칸과 초면이다.

홈스는 48세. CIA 경력 22년. 해외 작전국장 출신이어서 분쟁 지역만 떠돌았다. 검은 머리의 백인. 장신에 각진 얼굴.

72

제임스 칸은 42세. 중동지역 전문가로 지금도 콧수염을 길러서 아랍인 같다. 그때 홈스가 말했다.

"뭐, 깁슨에게 밉보였겠지만 그냥 아르카디에서 일하는 게 나을 것 같아. 그쪽은 스페어타이어가 많거든."

홈스가 웃지도 않고 말을 잇는다.

"아르카디 용병단을 소모품으로 쓰란 말이네. 커크 컴퍼니는 이라크에 용병 네 놈을 보냈을 뿐이야. 거지 같은 회사야."

지노가 깁슨과의 상담 내용을 말해준 것이다. 홈스가 눈을 가늘게 뜨고 지노를 보았다.

"지노, 돈이 필요한가?"

"아닙니다, 홈스 씨."

쓴웃음을 지은 지노가 의자에 등을 붙였다.

"깁슨의 돈에 대한 집착에 짜증이 났을 뿐입니다."

"그렇다면 내가 깁슨한테 조정을 하지. 포상금 50퍼센트를 지급하도록 하겠네."

"그러지요."

지노가 선선히 고개를 끄덕였을 때 칸이 앞에 서류봉투를 내놓았다.

"지노, 여기 IS 수배자 명단이야. 미리 한번 읽어보게."

칸이 말을 이었다.

"간부급만 모두 27명이고 특징과 가족 관계까지 다 기록해놓았어."

봉투를 쥔 지노가 칸을 보았다.

"칸, 깁슨의 적극적인 협조가 필요합니다. 단단히 주의를 주는 것이 나을 겁니다."

"염려 마, 지노."

칸이 어깨를 부풀리며 웃었다.

"자네는 CIA 파견 특공대야. 비협조적으로 나온다면 당장에 용병단 허가를 취소시킬 수도 있어."

파하드.

지노가 손에 쥐고 있는 구겨진 쪽지를 폈다. 파하드의 전화번호다. 파키스탄 출신의 탈레반. 지노와 함께 카밀라의 시신을 묻고 카라치까지 따라왔던 심복. 카라치에서 두 달 동안 함께 생활하다가 마지막으로 헤어졌던 인연.

파하드를 떠올리면 카밀라가 따라오지만 어쩔 수 없다. 파하드만 한 용사가 드물었기 때문이다. 브라운이 훈련시킨 탈레반이지만 지노와 함께 이라크를 누비면서 전사가 되었다. 무엇보다도 지노의 분신처럼 행동했던 전력이 있다.

지노가 핸드폰의 버튼을 누르자 신호음 5번 만에 응답 소리가 났다.

"여보세요."

지노는 새 전화기를 썼기 때문에 파하드는 누군지 모를 것이다. 그때 지노가 말했다.

"파하드, 나다."

"앗, 주인님."

금세 지노의 목소리를 알아들은 파하드가 와락 소리쳤다.

"지금 어디십니까?"

"워싱턴이야."

"거기가 어딥니까?"

파하드가 다시 묻자 지노의 얼굴에 쓴웃음이 떠올랐다.

"미국, 워싱턴이다, 대통령이 있는 곳."

"아!"

탄성을 뱉은 파하드가 이해했다.

"주인, 별일 없으시지요?"

"파하드, 지금 어디냐?"

"페샤와르에 있습니다!"

"뭘 하고 있어?"

"놉니다."

파하드가 다시 소리쳤다.

"주인님이 그립습니다!"

"파하드, 나하고 다시 일할 수 있나?"

"정말입니까?"

펄쩍 뛰듯이 놀란 파하드의 목소리가 높아졌다.

"가지요, 주인님."

파하드가 숨 쉴 틈도 없이 소리쳤다.

"어디로 갈까요?"

"내가 그쪽으로 가지."

지노가 그렇게 결정을 했다.

오전 10시 반.

깁슨과 지노의 2차 상담. 같은 장소인 메모리얼 호텔 라운지. 카터까지 셋이 둘러앉아 있다. 깁슨이 먼저 입을 열었다.

"좋아. 포상금 절반을 지급하기로 하지. 계약서에 명시하면 되겠지?"

지노가 고개만 끄덕이자 깁슨의 말이 이어졌다.

"언제 출발할 건가?"

"내일. 페샤와르를 거쳐 들어갈 겁니다."

"페샤와르는 왜?"

"내 병사 하나를 데려가려고."

지노가 웃음 띤 얼굴로 둘을 보았다.

"내가 고용한 사병(私兵)이오."

"그건 마음대로 하고."

"페샤와르에서 바그다드까지는 미군기를 이용할 겁니다."

"그렇군."

용병대도 그런 특전은 기대할 수가 없다. 바그다드는 지금도 전시 체제여서 민항기는 철저히 검문을 통과해야 하는 것이다. 깁슨이 말을 이었다.

"나도 내일 바그다드로 들어가 준비할 테니까 거기서 보지."

"바그다드에서 만나지요."

"그런데, 지노."

정색한 깁슨이 지노를 보았다.

"어제 IS의 테러로 우리 요원 둘이 또 당했어. 놈들은 자살 테러로 덤비고 있어."

깁슨이 말을 이었다.

"놈들의 머리를 잡는 일이 시급해. 서둘러야 돼."

지노가 시선만 주었다. 깁슨은 물론이고 CIA가 지노에게 요구하는 것은 분명해졌다.

그것은 저격이나 암살 따위가 아니다. IS와 같은 수준으로 테러, 집단 학살을 하는 것이다. IS 간부가 주위를 민간인 방패로 둘러싸고 있다면 같이 폭사시켜 버린다. 그러기 위해서 지노는 IS와 적대적인 이라크 반군 행세를 해야 하는 것이다.

지노가 이번에도 먼저 일어서며 웃었다.

"이제는 이라크 반군이 되는군."

워싱턴 근교의 제274 공군기지에서 이륙한 C-140 수송기 탑승객은 지노 혼자 뿐이었다. 물론 승무원 5명은 제외다.

수송기는 포르투갈 리스본을 거쳐 시실리아의 팔레르모, 사우디 젯다를 거쳐 24시간 만에 파키스탄의 페샤와르에 도착했다. 페샤와르에 도착했을 때는 승무원들과 친해져서 지노는 한 사람씩 포옹을 했다.

오후 5시 반.

페샤와르 시내의 오리엔트 클럽 안. 지노가 들어서자 안쪽에 앉아있던 파하드가 두 팔을 쳐들고 다가왔다.

"주인."

홀에 사람이 가득 차 있었는데도 파하드가 지노의 양 볼에 번갈아서 세 번이나 입을 맞추더니 손바닥을 제 가슴에 붙여 경의를 표했다.

"파하드, 다시 만나는구나."

지노가 파하드의 어깨를 움켜쥐고 감동했다. 파하드는 로브 차림으로 그동안 수척해졌다. 두 눈은 더 번들거리고 있다. 자리에 앉은 둘은 서로의 얼굴을 보았다. 종업원이 둘 앞에 맥주병을 놓고 돌아갔다. 지노가 맥주병을 들고 파하드에게 물었다.

"파하드, 네 가족은?"

"결혼한 형님이 하나 있습니다. 지금 카라치에 살고 있지요."

파하드가 말을 이었다.

"주인님과 헤어진 후에 페샤와르로 돌아와서 방황했습니다. 일이 손에 잡히지 않아서요."

번들거리는 눈으로 파하드가 지노를 응시했다.

"주인님이 주신 돈은 모두 형님한테 줬습니다. 형님이 어머니를 모시고 있어서요. 이제 내 가족 걱정은 없습니다."

파하드는 독신이다. 28세. 탈레반으로 아프간, 이라크 전장을 헤맨 지 6년 반이 되었다. 역전의 용사다. 그때 지노가 지그시 파하드를 보았다.

"파하드, 이번에는 내가 살아서 이라크 땅을 벗어나지 못할지도 모른다."

"이라크는 제 고향이나 같습니다. 파키스탄, 아프간은 제 훈련장이었을 뿐입니다, 주인."

파하드가 말을 이었다.

"그곳에서 주인과 함께 겪었던 나날이 꿈속에도 떠올랐습니다."

"파하드, 나를 너한테 맡긴다."

"주인."

파하드가 똑바로 지노를 보았다.

"저는 주인과 함께 있을 것입니다."

"우리는 이라크에서 테러를 일으킬 거다. 물론 IS에 대한 테러지."

파하드가 고개를 끄덕였고 지노가 말을 이었다.

"IS는 이라크 해방군에 대한 적이기도 하다. 해방군의 뒤에는 돌아가신 후세인 각하의 혼이 떠 있는 거다."

지노가 숨을 들이켰다. 후세인의 뒤에 떠 있는 카밀라의 얼굴이 떠올랐기 때문이다.

바그다드.

수송기가 공항에 착륙했을 때 SUV 앞에 서 있던 사내들이 다가왔다.

"어서 오십시오."

군복 차림의 용병이다. 앞에 MP-5 기관총을 메었고 허리에는 권총, 방탄조끼까지 걸친 차림이다. 지노와 파하드가 다가서자 앞장선 용병이 경례를 했다.

"존입니다, 지노 씨."

"저는 프랭크입니다."

뒤쪽의 사내가 따라서 인사했다. 둘 다 수염이 덥수룩한 백인. 거구여서 비슷하게 보인다. 잠자코 둘과 악수를 나눈 지노가 파하드와 함께 SUV에 올랐다.

오후 3시 반.

한낮의 태양이 땅에 부딪쳐 흰 반사광을 뿜어내었다. 뒤쪽에 앉은 지노에게 존이 몸을 돌리고 말했다.

"본부는 바그다드 호텔을 빌려 쓰고 있습니다. 지금 거기로 가는 중입니다."

"본부장은 오셨나?"

"예, 어젯밤에 도착하셨습니다. 지금 기다리고 계십니다."

존이 말을 이었다.

"당장 작전을 시작하실 수 있도록 준비하고 있습니다."

"지노, 여기 용병대 리스트가 있어."

카터가 지노에게 두툼한 서류를 내밀었다. 바그다드 호텔의 상황실 안. 깁슨과 카터에게 인사를 마친 지노가 상황실에 앉아있다. 카터가 말을 이었다.

"현재 가용할 수 있는 병력은 54명이야."

그 54명의 신상기록이다. 고개를 끄덕인 지노가 서류를 집었다.

"이 중에서 셋만 고르지요."

팀원을 고르는 것이다.

존 카펜터. 공항으로 마중 나온 털보. 28세. 그린베레 출신. 용병 경력 3년 포함 군 경력 9년.

마크 톰슨. 27세. 네이비실 출신. 군 경력 7년. 용병 2년.

카일 후드. 27세. 육군 특공대 출신. 군 경력 6년. 용병 2년이다.

지노가 고른 팀원이다.

오후 4시 반.

호텔 10층의 회의실에 파하드까지 다섯이 둘러앉았다. 지노가 존과 마크, 카일을 훑어보면서 말했다.

"일단 겪어보기로 하지. 서로 모르는 사이니까 너희들도 날 겪어야 될 것이고."

지노의 얼굴에 웃음이 떠올랐다.

"우린 오늘부터 안가로 옮겨가서 별동대로 뛸 테니까 지금 준비를 하도록."

"알겠습니다."

셋 중 선임인 존이 고개를 들고 지노를 보았다.

"무기하고 장비 챙기러 가시지요."

호텔 지하실이 무기 창고인 것이다.

알 하마드 클럽은 미군 전용 클럽으로 오후 3시부터 손님이 몰려들기 시작한다. 군인과 용병, 군 관계자들이 벅적대는 클럽 안쪽 자리에 지노와 파하드, 존이 앉아있다. 셋 다 후줄근한 작업복 차림으로 옆에 AK-47을 내려놓았는데 테이블 위에는 위스키 병이 놓여있다.

오후 7시 반.

클럽 안은 이미 만석이다. 소음으로 가득 차서 모두 목소리를 높이고 있다. 그때 사내 하나가 다가오더니 지노 옆자리에 앉았다. 역시 군복 차림의 용병 행색이다. 수염으로 덮인 얼굴이 아랍인 같다. 그때 사내가 지노에게 말했다.

"IS의 정보원을 찾았습니다."

사내가 소리치듯 말을 잇는다.

"이라크군 정보부 대위 출신인데 IS에 붙어서 정보 장사를 하는 놈이지요."

지노가 고개를 끄덕였다. 이렇게 시작하게 되는 것이다. 사내가 지노를 보았다.

"지금 가시겠습니까?"

사내는 CIA의 정보원인 것이다.

"이곳에서 차로 20분 거리입니다. 지금 집에 들어왔습니다."

사내가 말했을 때 지노가 자리에서 일어섰다.

무하마드 살라이는 탈레반 간부로 아프간, 시리아 지역을 전전하던 선동가였다.

이라크가 갑작스럽게 멸망했을 때 무하마드는 기회를 포착했다. 탈레반과 반군들을 규합해서 이라크에 이슬람 국가(IS)를 세우겠다는 야심을 품은 것이다. 그리고 그 계획은 미군의 소극적인 이라크 점령지 관리 덕분에 대성공을 거두었다.

반군 대부분이 IS에 편입되었고 북부지방은 물론이고 바그다드까지 테러로 위협받는 상황이 된 것이다.

"바그다드에서 몇 번 더 테러를 일으켜야 돼."

무하마드가 앞에 앉은 도투락에게 말했다.

"살람에게 큰 건을 몇 번 터뜨리라고 해."

"예, 지도자님."

도투락이 고개를 끄덕였다.

"바로 연락하겠습니다."

이곳은 이라크 중서부 안바르 주의 도시 아나. 주택가 안의 안가에서 무하마드가 작전지휘를 하고 있다. 무하마드가 쓴웃음을 지었다.

"부시는 이라크에서 미군 전상자가 발생하면 엄청난 스트레스를 받게 될 것이다. 이미 이라크를 침공하려고 핵이 있다는 증거를 조작했다는 사실이 탄로난 상황이야. 엉덩이에 불이 붙은 거지."

"……."

"미군이나 시민이 테러로 수십 명씩 죽게 되면 곧 철수하게 될 거다. 그땐 이라크가 IS 국가가 되는 거지."

이미 IS는 2개 사단의 군대를 보유한 반(半) 국가 체제가 되어 있는 것이다.

눈을 뜬 하지드가 숨을 들이켰다. 눈앞에 사내 하나가 서 있다. 눈의 초점을 잡은 하지드가 이제는 자신의 코에 붙여진 총구를 보았다. 그때 목소리가 울렸다.

"조용히 일어나, 하지드."

가라앉은 목소리다. 온몸이 차가워진 느낌이 든 하지드가 상반신을 일으켰다. 팔에 힘이 들어가지 않아서 후들거리고 있다.

오후 11시 반.

바그다드 서북쪽의 하비단 모스크 뒤쪽 주택가. 안쪽의 단층집 앞에 서 있던 쿠지가 다가오는 바크란을 보았다. 주위는 조용했고 골목 안은 짙은 어둠에 덮여 있다.

"뭐야?"

"담배 한 대만."

다가온 바크란이 손을 내밀었다.

"이런 젠장."

투덜거린 쿠지가 주머니에서 담뱃갑을 꺼내 내밀었다. 손에 AK-47을 쥐고 있

82

었기 때문에 총을 바꿔 쥐어야 했다. 담배를 꺼내 입에 문 바크란이 다시 손을 내밀었다.

"라이타."

쿠지가 다시 주머니에 손을 넣었을 때다.

"퍽, 퍽, 퍽."

둔탁한 발사음이 울리면서 둘은 그 자리에 구겨진 종이상자처럼 쓰러졌다.

"안에 가족 10여 명하고 함께 삽니다."

CIA 정보원 무크람이 눈으로 담장 안을 가리키며 말했다.

"칼리프는 가족들을 방패로 삼고 있는 것이지요. 안에 칼리프 부하 7, 8명이 있습니다."

이곳은 IS의 간부 칼리프의 거처다. 칼리프는 바그다드에 파견된 테러 팀 중 하나로 지금까지 2건의 테러를 성공시켰다. 이미 영웅이다. 지노가 옆에 선 존과 마크, 카일을 둘러보았다.

"5분 후에 동시 진입한다."

셋이 일제히 몸을 돌려 어둠 속으로 사라졌다.

알 칼리프는 예맨 출신으로 IS의 지도자 무하마드의 심복이다. 성격이 치밀하고 냉혹해서 지금까지 작전에 실패해본 적이 없는 테러 전문가다. 35세.

칼리프는 요란한 총성에 눈을 떴다. 침대에서 소스라쳐 일어선 칼리프가 허둥거리며 벽에 걸린 AK-47을 쥐었을 때다.

"타타타타타타."

이번에는 총성이 더 요란해지더니 집 안의 소음이 더 커졌다. 방의 불은 꺼놓았기 때문에 칼리프는 문 쪽을 향해 소리쳤다.

"무슨 일이냐!"

그때다.

"꽝!"

응접실에서 폭음이 울리면서 문짝이 홀떡 날아갔다. 폭풍이 몰려와 칼리프의 몸이 뒤로 벌떡 넘어졌다.

수류탄으로 응접실이 폭발하자 불길이 일어났다. 지노가 본채 옆쪽 부속동에 붙어 서서 총구를 부속동 입구로 겨눴다. 그 순간 부속동 안에서 사내 셋이 뛰어나왔다. 모두 손에 AK-47을 쥐었다.

"타타타타타타."

지노가 내갈긴 헤클러 앤 코흐제 MP-5 총탄이 셋의 몸 위로 쏟아졌다.

"타타탕, 타타탕."

옆쪽에서 내갈긴 총성은 존과 마크다.

"꽈꽝!"

다시 폭음이 울리더니 본채의 중심 부근이 폭발했다. 첫 번째 폭발로 불길이 솟아오르던 본채는 지붕이 폭삭 가라앉더니 비명이 울렸다. 여자들이다.

"타타타타타타."

그러나 총성은 그치지 않는다.

"꽈꽝!"

다시 수류탄이 폭발했는데 이번에는 왼쪽 부속동이 무너졌다.

"타타타탓."

응접실 안쪽 침실에서 총탄이 쏟아져 나왔을 때 파하드는 땅바닥에 몸을 굴렸다. 총탄이 옆쪽 벽에 맞아 튀었고 머리칼 타는 냄새가 났다. 총탄이 스친

84

것이다.

그때 파하드는 주머니에서 수류탄을 꺼내 이로 안전핀을 물어뜯었다. 그러고는 문이 부서져 열린 침실을 향해 수류탄을 던졌다. 거리는 10미터도 되지 않는다.

"꽈아앙!"

안전핀을 뽑은 채 2초쯤 들고 있다가 던진 수류탄이다. 침실 안으로 들어가자마자 폭발해버린 것이다.

"됐다."

그때 뒤에서 지노의 목소리가 울렸다.

"놈들 사진이나 찍고 나서 철수"

진입 3분도 되지 않는다. 어느덧 주위의 총성은 딱 그쳐 있었고 여자들의 비명도 들리지 않는다. 본채, 부속동 2채는 모두 무너졌고 산 사람의 기척은 들리지 않는다. 그때 뒤쪽에서 존의 외침이 울렸다.

"1번 이상무!"

"2번 이상무!"

이것은 마크의 목소리.

"3번 이상무!"

카일이 맞받아 소리쳤을 때 파하드가 마지막으로 대답했다.

"본부 이상무!"

오전 9시 반.

깁슨과 카터가 테이블 위에 놓인 사진을 체크하고 있다. 그들 옆에는 아르카디의 정보담당 요원이 사진을 정리하고 있다.

"이놈이 칼리프는 맞고."

카터가 사진 한 장을 옆으로 밀어놓으면서 말했다.

"칼리프 부하 11명입니다. 모두 12명입니다."

깁슨은 사진만 보았고 카터의 말이 이어졌다.

"지노가 바그다드 도착 사흘 만에 폭탄 테러 전문가 칼리프와 그 부하들을 몰살시켰습니다."

"······."

"그런데 헌병대는 폭파된 저택 잔해에서 민간인 시신 17구를 찾아내었습니다. 아이까지 포함되었다는군요."

그때 깁슨이 고개를 들었다. 눈이 흐려져 있다.

"반군 소행이야. 우리는 모르는 일이라구."

세릴 워싱턴이 바그다드 호텔에 찾아왔을 때는 오전 11시 반이다. 세릴 워싱턴은 뉴욕타임스 기자로 닉 윌링의 후임이다. 단발머리에 군복 차림의 세릴은 카메라맨 워크를 동행하고 있었는데 거침없이 깁슨의 방으로 들어섰다.

"아이구, 세릴 워싱턴."

신음을 뱉은 깁슨이 어깨를 부풀렸다가 내렸다. 깁슨은 카터와 함께 있다가 세릴을 맞은 것이다. 방 안을 둘러본 세릴이 털썩 앞쪽 의자에 앉더니 물었다.

"어젯밤의 폭파 사건, 그거 아르카디 소행이죠?"

"폭파 사건이라니?"

먼저 카터가 이맛살을 찌푸리고 세릴을 보았다.

"어디서 일어난 일 말요?"

"시치미 떼지 마시고, 카터 씨."

세릴의 화장기 없는 얼굴에 쓴웃음이 번졌다.

"내가 생존자 인터뷰를 하고 온 길이오, 카터 씨."

"생존자?"

카터와 깁슨이 서로의 얼굴을 보았다. 생존자가 없다는 보고를 받았기 때문이다. 그때 깁슨이 나섰다.

"세릴, 넘겨짚지 말고. 어젯밤 일은 우리하고 무관하니까 그런 말 묻지 마."

"깁슨 씨, 우리 이러지 맙시다. 아르카디가 시민을 무차별 학살했다는 기사는 내지 않을 테니까 말요."

"아니, 도대체."

"이웃집으로 놀러갔던 그 집에 사는 남자가 다 들었다는 겁니다."

세릴이 정색하고 둘을 보았다.

"영어를 썼고 1번, 2번, 3번 팀의 복창을 했다는군. 담장 틈으로 보았더니 백인 용병이었다는 거요."

"모르는 일이야."

고개까지 저은 깁슨이 세릴을 노려보았다.

"세릴, 이라크 반군 중에서 영어 모르는 놈들이 있어? 다 헬로, 오케이, 원투쓰리를 해."

"반군에 백인도 끼어있다는 낼을 할 참이군, 깁슨 씨."

세릴이 빈정대었다.

"어쨌든 어젯밤은 민간인 대학살의 밤이었어. 죽은 놈들은 반군인지 테러범인지 모르지만 말야."

자리에서 일어선 세릴이 깁슨을 노려보았다.

"탁 털어놓고 말해주면 난 입을 다물 수도 있어요, 깁슨. 나도 미국인이니까 말요. 그런데 당신은 날 믿지 못하는 것 같군."

"세릴, 쓸데없는 기사는 안 내는 게 좋아, 잘못하면 추방당할 수도 있으니까."

이제는 깁슨도 정색하고 말했다.

"그리고 다시 말하는데 어젯밤 사건하고 우리 아르카디는 전혀 관계가 없어."

그러나 세릴은 대꾸도 않고 방을 나갔다. 문이 닫혔을 때 깁슨이 카터를 보았다.

"웬 생존자야?"

카터는 고개만 비틀었고 깁슨이 잇새로 말을 이었다.

"저년을 지뢰 사고라도 당하도록 해야겠군."

"존, 넌 연봉이 얼마라구?"

지노가 묻자 삶은 양고기를 먹던 존이 고개를 들었다. 입술 끝에 밥알이 묻어있다.

오후 6시 반.

안가에서 팀원들이 둘러앉아 쟁반의 양고기와 쌀밥을 먹는 중이다. 옆에 앉은 마크와 카일의 시선이 모였다. 그때 존이 대답했다.

"20만 불입니다, 대장."

손에 쥔 양고기를 입 안에 넣은 지노가 고개를 끄덕였다.

"2년째니까 돈 좀 모았겠다."

"천만에요."

손등으로 입을 닦은 존이 정색했다.

"술값, 여자로 다 날렸습니다."

"굿."

"전처한테 5만 불쯤 보내준 것이 다입니다."

"굿."

"세 살짜리 아들이 있는데 다행히 새아버지 되는 놈이 병신같이 착해서 다행이죠."

"굿."

씹던 것을 삼킨 지노가 마크를 보았다.

"마크, 넌 술값이 얼마나 나가는 거냐?"

"술값보다 여자한테 좀 더 나갑니다."

마크 톰슨이 쓴웃음을 짓고 지노를 보았다.

"이라크는 여자 값이 비싸거든요."

"넌 결혼 안 했어?"

"다행히 존처럼 아들도 없습니다."

"이 자식이."

존이 물 묻은 손을 마크에게 뿌렸다. 마크가 수염에 묻은 물기를 손으로 닦으면서 말을 이었다.

"난 여기 있는 카일처럼 돈 모으려고 용병이 된 것도 아닙니다. 사람 죽이는 일을 가장 잘했기 때문에 지원한 거죠. 돈은 모을 필요도 없고 쓸 만큼만 있으면 되죠."

"이 자식은 가족이 없어요."

카일이 나섰다. 카일은 셋 중 체격이 작은 편이지만 폭발물 전문가에 저격수다. 눈으로 마크를 가리킨 카일이 쟁반에서 물러났다.

"그냥 사는 거죠. 내가 보기에는 빨리 죽으려고 일하러 나가는 것 같아요."

"맞다."

마크가 웃음 띤 얼굴로 대답했다.

"내가 우리 팀 중에서 가장 먼저 죽을 테니까 뒤처리 부탁한다."

지노가 카일에게 물었다.

"넌 취미가 뭐냐?"

"내 고향에 농장을 사서 어머니한테 넘겨드리는 거죠. 지금 15만 불쯤 모았습니다."

카일이 술술 대답했다.

"내 생명보험이 70만 불짜리니까 죽으면 그 돈이 어머니한테 갑니다. 그럼 어머니가 농장으로 돌아가는 거죠."

"본래 그게 카일 집안의 농장이었는데 은행이 압류했답니다. 1백만 불만 내면 찾는다는군요."

존이 설명했다.

"그래서 저 자식은 여자도 안 삽니다. 돈 아끼느라구요."

"이 자식, 악담하고 있어."

카일이 성을 냈다.

"마음에 드는 여자가 없기 때문이지 내가 여자를 안 산단 말이냐, 이 돼지야?"

"좋아. 그럼 이따 바에서 보자."

존이 눈을 부릅떴다. 그때 지노가 입을 열었다.

"자, 조용히."

손을 들어 시선을 모은 지노가 입을 열었다.

"이번 알 칼리프의 사살로 현상금이 얼마 나오는지 아나?"

"그놈들도 현상금이 있습니까?"

존이 되물었고 카일이 눈을 가늘게 떴다. 고개를 갸웃거리고 있다.

"IS 놈들한테 현상금이 붙었다는 건 처음 듣는데요? 지난주에 우리 팀 하나가 IS 놈들 셋을 사살했는데 별일 없었단 말입니다."

그때 지노가 말했다.

"CIA가 책정한 가격표가 있어. 알 칼리프는 B급 테러범으로 현상금 75만 불이야."

모두 숨을 들이켰고 카일은 아예 지노를 향해 돌아앉았다. 지노가 말을 이었다.

"거기에다 부하들도 가격을 친다. 모두 11명, 두당 5만 불로 계산이 된다. 그럼 모두 얼마냐?"

그때 카일이 바로 대답했다.

"칼리프 75만 불에 부하가 55만 불, 그래서 130만 불이 됩니다."

"거기서 50퍼센트는?"

"65만 불이죠."

"그 65만 불이 우리 몫이다."

"무슨 말씀입니까?"

존이 묻자 지노가 쓴웃음을 지었다.

"나하고 계약을 했어."

정색한 지노가 말을 이었다.

"현상금의 절반을 내가 먹는 것으로 말이다."

"그렇군요."

그때 지노가 카일을 보았다.

"카일."

"예, 대장."

"네가 돈을 좋아하니까 내 팀의 경리를 맡아라."

"경, 경리를 말씀입니까?"

"그래. 이번 작전으로 나오는 현상금을 네가 받아와."

"예, 그러지요."

"그리고 그 현상금을 5등분해서 각각 분배할 것. 네가 분배해."

"5등분을 합니까?"

"그렇다. 정확히 5등분."

지노가 손가락으로 셋을 가리켰다.

"우리들 넷하고 파하드까지 5등분이야."

그러고는 덧붙였다.

"내 몫은 경리인 네가 맡고 있어. 가끔 꺼내 쓸 일이 있으니까."

"살람, 어떻게 된 거냐?"

무하마드가 묻자 살람은 시선을 내렸다. 이곳은 아나 주택가의 안가 안. 칼리프가 갑자기 기습을 받아 부하들과 함께 몰살되고 나서 살람이 이곳으로 온 것이다. 물론 무하마드가 호출했기 때문이다. 살람이 입을 열었다.

"방심했습니다. 안가를 자주 옮겼어야 했습니다."

살람이 바그다드에 파견된 테러단 책임자인 것이다. 칼리프의 조(組)도 그중 하나다. 그때 무하마드가 옆에 앉은 도투락에게 물었다.

"누구냐? 아르카디 용병단인가?"

"3사단 특공대나 수색중대 병력일 수도 있습니다."

도투락이 말을 이었다.

"지금 알아보고 있습니다."

어깨를 부풀렸다가 내린 도투락이 무하마드를 보았다.

"현상금이 걸려있기 때문에 현상금 수령인을 체크하면 바로 알 수 있습니다."

"찾아내."

"예, 지도자님."

"그리고, 살람."

고개를 든 무하마드가 살람을 보았다.

"크게 터뜨려라."

"예, 지도자님."

"칼리프의 복수를 해."

무하마드의 눈빛이 강해졌다. IS의 위상에 관계된 사건이다.

세릴이 자리에서 일어서자 모두의 시선이 모였다.

오후 1시 반.

이곳은 바그다드 중심부에 위치한 3사단 사령부 안. 기자실에는 30여 명의 기자가 모여 있다. 앞쪽 단상에 선 사내는 사단 공보장교 피터슨 중령. 일어선 세릴이 피터슨을 보았다.

"중령, 이번 학살 사건을 일으킨 것이 반군이 아니라는 증인이 있어요."

피터슨이 이맛살을 찌푸렸다. 방금 피터슨은 사흘 전에 일어난 주택가의 학살 사건에 대한 브리핑을 한 것이다. 그것은 반군(反軍) 세력이 주택가에 숨어있는 다른 반군을 기습, 민간인과 함께 학살했다는 것이다. 피터슨이 밝힌 사망자는 반군 18명, 민간인 11명이다. 피터슨이 세릴을 노려보았다.

"증인이라니? 현장의 증인은 없습니다. 경고합니다, 세릴 씨. 증인 조작은 범죄요. 당신의 추방으로 끝나는 것이 아닙니다."

"사건 은폐는 더 큰 범죄라는 거 모르시나, 중령?"

세릴이 피터슨을 노려보았다.

"지금 나한테 협박하는 거요? 사람 잘못 본 것 같은데."

"이봐요, 세릴."

"내가 종군기자 8년째야. 당신이 교육대, 대학원으로 돌아다닐 때 나는 전장에서 뛰었다구. 어디다 대고 협박질이야?"

"아니, 이것 봐."

주위 기자들이 박수를 치고 함성을 뱉는 바람에 회견장이 소란해졌다.

맞는 말이다. 피터슨은 미국에서 신병교육대상까지 지내고 국방대학원 교수

93

였다가 이번에 바그다드 주둔 3사단 공보장교로 부임했다. 해외 근무 반년째다.

그때 세릴이 손을 들어 주위를 진정시키고는 피터슨을 보았다.

"좋아요. 난 그대로 학살 사건으로 기사 보내겠어. 그 주체가 반군인지 3사단 특공대인지 또는 아르카디인지는 독자들이 판단할 테니까."

다시 함성, 박수가 일어났다. 그때 피터슨 옆으로 장교 하나가 다가오더니 귓속말을 했다. 그러자 피터슨이 기자들에게 인사도 않고 서둘러 기자실을 나갔다.

3사단장 로니 캐슬은 바그다드 지역 군사령관 겸 이라크에 주둔한 연합군 사령관이다. 미군은 티크리트 북부지역에 주둔한 7사단까지 2개 사단 병력을 주둔시키고 있다. 로니가 방으로 들어선 피터슨을 노려보았다.

"이봐, 중령, 아직도 시끄럽나?"

"예, 장군."

'학살 사건'을 묻고 있는 것이어서 피터슨이 어깨를 부풀렸다.

"뉴욕타임스가 끈질기게 덤비고 있습니다. 곧 조치하겠습니다."

"어떻게 조치를 하겠단 말이냐?"

"예, 입을 막겠습니다."

"어떻게?"

"예, 일단 사령부 출입을 금지하고 나서……."

그때 손을 들어 말을 막은 로니가 옆에 선 정보참모 맥마흔 대령을 보았다.

"이봐, 맥, 어떻게 생각하나?"

"안 됩니다."

거구의 맥마흔이 고개를 저었다.

"피터슨으로는 막을 수 없습니다."

"갓댐."

로니의 시선이 피터슨에게 옮겨졌다.

"피터슨, 넌 오늘부터 공보관 그만둬."

피터슨이 눈만 껌뻑였고 로니가 말을 이었다.

"맥, 네가 당분간 브리핑을 맡아라."

"그러죠."

맥마흔이 고개를 끄덕였다.

"일단 주모자인 세릴을 잡겠습니다."

"그년이 보통이 아냐."

로니가 말을 이었다.

"내 말도 안 듣는 년이야. 특별한 수단을 써야 돼."

"알고 있습니다."

"우리가 아르카디 대신 뒤집어쓸 이유는 없지만 국익을 위해서다."

로니의 목소리가 낮아졌다.

"이 방법밖에 없어."

지휘관들은 이것이 아르카디 특공대의 소행인 것을 알고 있는 것이다.

현상금은 아르카디 경리부에서 지급한다. 카일이 경리부 책임자 오거스를 만났을 때는 오후 4시다. 오거스가 현금이 든 자루를 밀면서 투덜거렸다.

"염병, 내 돈 주는 것처럼 아깝네."

경리부 사무실 안이다. 자루를 받은 카일이 지퍼를 열고 안에 든 돈뭉치를 보더니 놀란 듯 숨을 들이켰다. 얼굴에 웃음이 떠올라 있다.

"고마워, 오거스 씨."

"그 돈 다 지노한테 갖다 줄 거야?"

"그래야지."

"어쨌든 여기 사인이나 해라."

영수증을 내민 오거스가 다시 투덜거렸다.

"지노가 금방 부자 되겠다."

"그러겠지."

사인을 한 카일이 돈뭉치를 세기 시작했다.

"부자 되는 건 금방이야, 오거스 씨."

"지노가 좀 나눠준다더냐?"

"아니. 혼자 다 먹을 거야. 지노 씨는 돈 욕심이 많은 것 같아."

"지저스. 다른 팀장들은 팀원들한테 10퍼센트쯤 떼어주던데."

"그건 그놈들 마음이고."

"넌 잘못 걸렸구나, 카일."

"그런 것 같아."

돈뭉치를 세고 난 카일이 자리에서 일어섰다.

오후 7시 반.

이곳은 바그다드 중심부의 알 하마드 클럽. 이 시간의 클럽은 그야말로 발 디딜 틈도 없는 상태가 된다. 손님들을 노리는 콜걸들도 떼로 몰려오기 때문에 곳곳에서 여자들의 비명 같은 교성이 터지고 있다.

술과 마약을 섞어 마신 군인, 용병들이 떠들어대지만 싸움은 일어나지 않는다. 싸움이 일어나면 바로 신고가 되고 엄격한 처벌을 받기 때문이다. 그러나 클럽 안은 싸움만 제외하고 거의 다 허용되는 셈이다.

세릴과 워크도 이곳 단골이 되었는데 세릴은 주로 술을 마신다.

"세릴, 난 안쪽으로 갈게."

워크가 눈으로 앞쪽을 가리키더니 자리에서 일어섰다. 여자들이 모여 있는 곳이다. 이맛살을 찌푸렸던 세릴이 고개를 끄덕였다.

"이봐, 장화 신고 일해."

"알았어."

건성으로 대답한 워크가 인파 속으로 사라지자 세릴이 위스키 병을 쥐었다. 그때 앞쪽 자리에 사내 하나가 오더니 털썩 앉았다. 군복 차림의 아랍인이다.

아랍인이 이곳에 오려면 용병대 관계자거나 미군 소속 정보원, 군 관계자라는 증명서가 있어야 된다. 그때 사내가 세릴에게 말했다.

"500불은 안 돼. 1천 불은 받아야겠어."

"선오브비치."

이맛살을 찌푸린 세릴이 사내를 노려보았다.

"아말, 나한테 사기쳤다가는 자격증, 신분증 다 빼앗길 줄 알아. 너, 내가 그럴 수 있는 사람인 걸 알지?"

"알아. 1천 불."

이제는 사내가 손까지 내밀었다.

"현상금을 빼앗긴 영수증을 복사해왔어. 이만하면 1천 불은 받아야 돼."

"이거, 영수증이오."

하시미가 내민 영수증은 카피였다. 복사한 것이다.

오후 8시 반.

이곳은 바그다드 북서쪽 교외의 허름한 민가.

방에는 기름 등을 켜 놓아서 불꽃이 흔들렸다. 방 안의 그림자가 흔들리며 앉아있는 세 사내. 그 중앙에 앉은 사내는 살람, 그 옆에 보좌관 가타드가 앉아 있다.

살람이 하시미가 내민 영수증을 쳐다보았다.

'아르카디 용병단'의 경리책임자 오거스의 사인이 적혀 있다.

고개를 든 살람이 번들거리는 눈으로 가타드를 보았다.

"역시 아르카디였군."

요즘 '바그다드의 학살자'로 불리는 범인이 드러난 것이다.

그 시간에 알 하마드 클럽을 나온 세릴은 숙소인 후세인 호텔방에 들어와 있다.

후세인 정권이 멸망했어도 특급 호텔 '후세인 호텔'은 영업이 잘되고 있다. 기자들, 사업가들이 장기 체류하고 있기 때문이다.

전화기를 든 세릴이 버튼을 누르자 발신음 5번 만에 응답 소리가 났다.

뉴욕타임스 편집국장 프랭크 이스트우드다.

"아, 세릴."

바그다드는 오후 9시 반. 뉴욕은 오후 1시 반이다.

프랭크가 대뜸 묻는다.

"찾아냈어?"

'집단 학살자'를 묻는 것이다.

그때 세릴이 대답했다.

"아르카디예요, 프랭크. 오늘 아르카디가 소속 용병대에 지급한 현상금 영수증 사본을 받았어요."

"지저스. 아르카디가 범인이란 말인가?"

"놀라지 말아요, 프랭크."

"뭐야?"

"아르카디 용병대에 지노가 있어요, 지노 장이."

순간 프랭크가 침묵했고 세릴이 말을 이었다.

"영수증 수취인은 카일 후드라는 아르카디의 용병인데 동료 셋과 함께 지노 팀이 되었더군요."

"……"

"그놈들이 이번 사건을 일으킨 거죠. 주민이 들었던 1번, 2번, 3번 본부라는 외침과 맞습니다."

"……"

"지노가 '바그다드의 학살자'로 화려하게 귀환한 셈이지요."

"……"

"프랭크, 지금 당장 기사 보낼게요."

"잠깐."

그때 프랭크가 말했다.

"오늘 밤만 보류해, 세릴."

무크람이 주머니에서 접힌 종이를 꺼내 지노에게 내밀었다.

오후 11시 반.

바그다드 남쪽 빈민가 지역의 집 안이다.

전기가 들어오지 않아서 방 안에는 촛불을 켜 놓았다.

이곳이 CIA 정보원 무크람과의 접선지다.

"이것이 살람의 테러단 중 하나인 칸탐의 은신처 약도입니다."

"칸탐?"

종이를 받은 지노가 이맛살을 찌푸렸다.

"들은 이름인데, 그놈이 혹시 이라크군 출신 아닌가?"

"맞습니다. 하지드 소장 휘하의 반군 장교로 활동하다가 IS에 가담했습니다."

"내가 반군 출신들을 IS 테러단으로 만나게 되는군."

"칸탐은 이번에 죽은 칼리프보다 더 알려진 놈입니다. 지금까지 4번 미군을 공격했고 아르카디 용병단도 2번 당했지요. 주로 저격을 합니다."

그때 지노를 따라온 존이 고개를 끄덕였다.

"칸탐 이야기 들었습니다. 두 달 전에 열흘 간격으로 저격을 받았는데 3명이 죽었지요. IS 놈들이 선전을 해대는 바람에 소문이 다 났습니다."

그때 지노가 함께 온 카일에게 말했다.

"카일, 정보비를 줘라."

좁은 방 안에는 넷이 둘러앉아 있다.

밖에는 파하드와 마크가 경비를 서고 있었는데 이쪽은 무법지대였기 때문이다.

카일이 점퍼 주머니에서 종이에 싼 돈뭉치를 꺼내 무크람에게 내밀면서 말했다.

"1만 불이야."

"고맙습니다."

쓴웃음을 지은 무크람이 돈을 받더니 재빠르게 주머니에 집어넣었다.

"나도 정보원한테 떼어줘야 해서요. 정보원이 셋이나 됩니다."

무크람은 CIA 정보원이다. CIA로부터도 정보비를 받는 것이다.

무크람과 헤어져 골목으로 나왔을 때 카일이 투덜거렸다.

"돈 버는 놈은 저놈뿐인 것 같은데요, 대장."

"저놈도 목숨을 걸고 있는 거다."

지노가 골목을 빠져나가면서 말했다.

"저놈 덕분에 또 한 놈을 찾았지 않나?"

"하긴, 그렇습니다."

옆을 따르던 존이 주위를 둘러보면서 대답했다.

"나는 대장 덕분에 금세 부자가 되었습니다."

카일이 잠자코 앞장을 섰다.

이번 칼리프의 현상금으로 각각 13만 불씩을 받은 것이다. 그리고 오늘 무크람에게 준 정보비는 카일이 보관한 지노의 몫에서 떼어 준 것이다.

그때 뒤를 따르던 파하드가 지노 옆으로 바짝 붙어 섰다.

"주인, 카터한테서 연락이 왔습니다."

카터가 지노의 부관 격인 파하드에게 연락한 것이다.

오후 10시 반.

휴대폰을 귀에 붙인 지노가 물었다.

"카터, 무슨 일이오?"

카터는 중령 출신으로 43세. 깁슨의 부관으로 지난번 지노의 추적 대장이었던 인물이다.

그때 카터가 대답했다.

"이번 칼리프 문제로 뉴욕타임스에서 끈질기게 추적하고 있어. 민간인 학살로 끌고 들어가려는 것 같아."

"……."

"기자가 그 주택에 살았던 주민의 증언까지 받아놓고 있어. 작전 중일 때 마침 옆집으로 놀러 갔던 놈인데 다 보고 들었다는 거야. 1번, 2번, 점호하는 것까지 말야."

"……."

"그런데 조금 전에 사단 쪽에서 연락이 왔어. 기자의 통화를 도청했는데 네가 현상금 받아긴 깃을 편집장한테 보고한 거야. 이세 뉴욕타임스는 네가 사건의 주역이라는 걸 알게 되었어."

"……."

"편집장이 내일 아침까지 기사 보내는 것을 보류시켰는데 아마 고위층과 상의하려는 것 같다."

"없애버려야겠군."

지노의 목소리는 낮았지만 카터는 금세 알아들었다.

"후세인 호텔, 707호실이야."

"방에 강도가 들어간 것으로 하지."

"그건 네가 알아서 해."

지노가 잠자코 휴대폰을 귀에서 떼었다.

세릴이 서늘한 기운을 느끼고는 눈을 떴다.

방은 어둡다. 그리고 창밖의 차량 소음도 들리지 않는다.

어젯밤 방에서 위스키를 다섯 잔쯤 마셨기 때문에 아직 술기운은 좀 남아 있다.

시트를 끌어당기려던 세릴이 무언가 걸렸기 때문에 힘을 주었다.

그때다. 가슴에 찬 물체가 닿았다. 묵직한 감촉, 쇠뭉치.

숨을 들이켠 세릴이 몸을 일으킨 순간이다.

시트가 머리 위로 덮이더니 몸이 젖혀졌다.

억센 힘.

놀란 세릴이 소리를 질렀지만 침대에 얼굴이 박혀서 버둥거리기만 할 뿐이다.

세릴은 자신의 팔다리가 묶이는 동안 제대로 저항도 하지 못했다.

한 사내가 아니다. 둘이 넘는다.

이윽고 머리가 쳐들리더니 입에도 테이프가 붙여졌다. 그리고 몸이 제대로 눕혀지면서 방 안의 불이 켜졌다.

그때 세릴은 눈앞에 서 있는 사내를 보았다.

뒤쪽에도 사내들이 있었지만 가려서 앞쪽 사내만 보인다.

계급장 없는 군복 차림, 장신, 동양인 같기도 하고 아랍인 같기도 한 용모.

그 순간, 세릴의 눈이 커졌고 코로 숨이 들이켜졌다.

지노인가?

지노가 누워있는 세릴을 바라보았다.

헐렁한 셔츠에 팬티 차림이어서 배꼽과 매끈한 하반신이 다 드러났다. 손은 뒤로 묶였기 때문에 셔츠 깃 사이로 젖가슴 반쪽도 드러났다. 입은 테이프로 붙여졌지만 미모다. 짧은 머리칼이 어지럽게 이마 위로 흩어졌고 치켜뜬 눈동자는 짙은 하늘색이다. 백인의 피부는 거칠고 솜털이 많았는데 이 여자는 대리석처럼 미끈하다.

여자가 지노의 시선을 느끼고는 몸을 꿈틀거렸다.

발목이 묶여 있었기 때문에 허리를 비틀었는데 흰색 팬티 사이로 검은 부분이 드러났다.

그때 지노가 허리춤에 끼워놓은 권총을 빼 들었다. 소음기가 끼워진 총신이 길다.

그러고는 세릴의 가슴을 겨누었다.

사내가 총을 꺼내 가슴을 겨누었을 때 세릴은 숨을 들이켰다.

치켜뜬 눈이 사내와 마주쳤다.

그때 사내가 말했다.

"이제는 내가 누군지 짐작할 거다."

사내가 억양 없는 목소리로 말했다.

"내가 왜 왔는지도."

"……"

"널 죽여 없애려고 온 거야."

그때 뒤쪽에서는 사내들이 왔다 갔다 하면서 세릴의 짐을 뒤지는 중이다. 이미 노트북, 지갑, 가방 속에 넣었던 비상금 등은 다 자루에 넣어졌고 지금은 서랍을 뒤지는 중이다.

사내가 말을 이었다.

"넌, 강도한테 당한 거야. 주변에서 의심을 하겠지만, 네 말대로 증거가 없으면 끝나는 거지."

사내의 얼굴에 쓴웃음이 번졌다.

"1년 전 생각이 나는군. 난 케이트 워크만이란 시카고 포스트 여기자가 고용한 용병으로 이곳에 왔지."

"……"

"케이트는 암살당했어. 그것이 내가 후세인 대통령의 용병이 된 계기가 되었지만 말야."

"……"

"내가 여기자하고 운이 안 맞는 것 같다."

그러고는 지노가 총구를 세릴의 심장에 조준했다.

1미터 거리밖에 안 된다.

"고통 없이 보내주마, 세릴."

그때 세릴이 몸부림을 쳤다. 사지를 버둥거렸고 머리까지 좌우로 흔들었다.

눈에서 눈물이 흘러내리고 있다.

그때 지노가 권총을 겨눈 채 세릴의 입에 붙인 테이프를 벗겼다.

뒤쪽에 서 있던 카일, 마크가 다가와 함께 세릴을 내려다보았다.

그때 세릴이 헐떡이며 말했다.

"살려줘."

지노가 쓴웃음을 지었다.

"정신 나간 소리. 이 상황에서 어떻게 살려주겠나?"

"약속할게."

"약속? 무슨 약속?"

지노의 총구가 다시 세릴의 심장을 겨누었다.

"널 어떻게 믿고?"

"케이트를 잘 알아. 나하고 예일대 동창이야. 기자도 같은 해에 시작했어."

"그래서?"

"케이트 장례식에도 갔어. 내 지갑에 그 사진도 있어."

세릴이 다시 눈물을 쏟았다.

"살려주면 다 버릴게. 솔직히 내 목숨하고 바꿀 만한 일도 아냐."

"……."

"내가 기자 정신이 투철한 인간도 아니라구. 이렇게 죽기는 싫어."

세릴이 흐느끼며 말했다.

"살려줘. 기사 다 없애고 없던 일로 할게."

돌아오는 차 안. SUV에는 넷이 탔다.

지노, 존, 카일, 그리고 파하드. 팀원 중 마크만 안가를 지키고 있다.

핸들을 쥐고 있던 존이 고개를 돌려 지노를 보았다.

"대장, 후환이 없을까요?"

세릴은 살려두고 온 것이다.

지노의 얼굴에 쓴웃음이 번졌다.

"모르겠다."

"그년이 불면 우린 끝장입니다. '주민 학살'을 자인한 셈이 될 뿐만 아니라 기자를 살해하려고 했으니까요."

"그렇게 되겠지."

그때 뒤에 앉아있던 파하드가 말했다.

"그럼 그 여자도 목숨을 내놓아야겠지, 어디에 숨더라도 찾아가서 없앨 테니까."

차 안이 조용해졌고 파하드의 말이 이어졌다.

"그쯤은 알고 있을 거야."

지노는 입을 열지 않았다.

프랭크의 전화가 왔을 때는 오전 8시 반이다.

방에 있던 세릴이 전화기를 귀에 붙였다.

"네, 프랭크."

"우리가 회의를 했는데, 세릴."

"말해요, 프랭크."

"그 사건, 터뜨리기로 했다. 부시가 싫어하겠지만 말야."

"……."

"특종을 잡아야지. 넌 올해의 특종상을 받게 될 거야."

"그런데요, 프랭크."

"뭐야?"

"그거, 증인의 신빙성이 떨어져요."

"뭐라고?"

"증인이 전에 반군(反軍)의 정보를 잘못 준 전과가 있어요."

"……."

"그리고 마약을 지금도 처먹고 있고."

"이런, 염병."

"또 돈을 요구하는데 돈을 안 주면 증언을 모두 취소하겠다는데요."

"그 개자식하고 만나지 마, 세릴."

"당연하지."

프랭크가 말을 이었다.

"지금 말하지만 모리스도 찜찜한 눈치였어, 잘했다."

모리스는 사주 모리스 불룸버그를 말한다.

통화를 끝낸 세릴이 털썩 의자에 앉아 아직도 어질러진 방 안을 보았다.

지노의 얼굴이 떠올랐기 때문에 세릴은 숨을 들이켰다.

지노의 눈은 마치 권총의 총구 같았다. 지금까지 전쟁터를 수십 번 들락거렸지만 어젯밤처럼 공포를 느낀 적은 처음이다.

케이트 워크만과 예일 동창이라는 말도 거짓말이다. 만난 적도 없는 기자다. 이름만 들었을 뿐이다. 그러니 장례식에 갔을 리가 있나? 사진은 무슨.

칸탐은 용의주도한 성품이어서 목표를 세우면 꼭 세 번은 사전 답사를 했다. 그리고 주변 환경에 대해서도 철저히 조사를 해서 미심쩍은 부분이 있으면 작전을 시작하지 않았다. 거처도 3일 이상 묵지 않았는데 부하들도 최소화시켜서 4명만 거느렸다.

지금까지 칸탐의 실적은 미군 7명 사살, 미군 정보원, 부대 종사자 16명, 거기에다 용병 4명 사살이다. 최근 반년 동안의 실적인 것이다.

그러니 IS의 테러 책임자 압둘 살람은 물론 지도자 무하마드의 각별한 신임을 받는 것이다.

칸탐은 37세. 가족이 없다. 그것은 바그다드에 살던 처자식 5명이 지난번 미국 침공 때 대폭격으로 몰사했기 때문이다.

그때 이라크 제2공수사단 침투공작대 대위였던 칸탐은 항복하자는 연대장을 쏴 죽이고 반군이 되었다. 그러다가 IS에 가담한 것이다.

"그럼, 내일 아침에 옮기기로 하지."

칸탐이 아무디에게 말했다.

오후 8시 반.

아무디가 구해놓은 안가는 아무디 외사촌 저택이다. 의사인 외사촌은 병원 안채에서 거주하고 있었는데 부속채의 방을 빌리기로 한 것이다.

"이번 작전이 끝나면 아나로 가서 열흘쯤 쉬기로 했어."

칸탐이 잘 다듬은 콧수염을 손끝으로 문지르면서 말했다.

"지도자께서 유급 휴가를 주실 거다."

"그렇습니까?"

아무디가 얼굴을 펴고 웃었다.

"모두 기뻐할 것입니다. 저도 휴가를 안 간 지 두 달 반이 되었습니다."

"이번 작전은 쉬운 편이야. 불특정 다수를 죽이는 거다."

"후세인 호텔은 정문만 까다롭지 후문 근처는 경비병도 없습니다."

아무디가 말을 이었다.

"'조지아 바'가 오늘 낮에도 경비 하나만 세워놓았는데 근무시간이 밤 2시에서 밤12시까지라는데요. 밤12시 이후에는 후문 경비도 없는 겁니다."

"오늘 밤에 내가 마지막 확인을 한다."

칸탐이 손목시계를 보고 나서 말을 이었다.

"아르카디가 우리 전담팀을 구성했다는 정보도 있어. 이번에 칼리프가 당한 것도 그놈들의 소행이라는 거야."

오후 7시 반이다.

칸탐은 작전 예정지인 '조지아 바'를 어제까지 두 번 체크했는데 오늘 밤 마지막 점검을 하려는 것이다.

"집이 비었는데요."

파하드가 다가와 말했을 때는 오후 7시 45분이다.

"노인 둘만 있습니다. 집이 낡았지만 크고 방이 여러 개여서 대여섯 명이 묵을 수 있는 곳입니다."

이곳은 '알하딘' 모스크의 뒷골목. 모스크가 폭격으로 파괴되어서 폐허가 되는 바람에 근처는 쓰레기장이 된 곳이다.

지노의 팀 다섯은 시멘트 구조물 사이에 둘러앉아 있었는데 이곳에서 칸탐의 은신처까지는 직선거리로 2백 미터쯤 된다. 그때 파하드와 함께 정찰을 다녀온 마크가 말했다.

"대장, 그 정보원 놈이 사기친 것 아닙니까? 잡아서 요절을 내지요."

"옮겼을 수도 있어."

존이 말을 막았다.

"그놈이 자주 거치를 옮긴다고 했어. 우리가 한 빌 늦있는지도 몰라."

고개를 끄덕인 지노가 몸을 일으켰다.

"파하드, 나하고 다시 가서 노인을 만나보자."

70대쯤의 노인이었지만 목소리가 또렷했고 기억력이 좋았다.

"미군 관계 일을 한다고 했어. 이 근처에 작업장이 있다고 했는데. 용병이라고 하더구만."

노인이 흐린 눈으로 지노를 보았다.

"요즘은 반군, 용병 구분하기 힘들지만 우리는 방 빌려주고 돈 받으면 되지.

그렇지 않나?"

"그렇긴 합니다."

지노가 유창한 아랍어로 말을 받는다.

"반군이면 어떻고 IS 대원이면 어떻습니까? 주민들 입장에서는 피해 안 주고 잘살게 해주는 사람들이 제일이죠."

"당신들은 반군인가?"

"그렇게 보입니까?"

"미군 소속 정부군이라면 이렇게 찾아와 묻지 않겠지. 잡아가서 추궁하겠지."

"잘 아시는군요. 우린 용병입니다."

"그럼 내 집에 있던 자들은 반군인가?"

그때 지노가 주머니에서 100불 지폐 2장을 꺼내 노인 앞에 놓았다.

"영감님, 그자들이 혹시 어디로 갔는지 아십니까? 아신다면 그 돈을 집어넣고 말해주시지요."

"그건 모르겠어."

노인이 고개를 짓더니 문득 지노를 보았다.

"그런데 우연히 들었는데 그중 하나가 자랄딘 모스크 뒤쪽에 있는 아무디 병원장의 사촌이라는 거야. 거기 들러서 사촌을 만난다고 하더군."

"그만하면 2백 불 가지셔도 됩니다."

지노가 돈을 노인 앞으로 밀어놓았다. 2백 불이면 노인 내외가 2달은 살 것이다.

"세릴, 요즘 컨디션이 안 좋은 것 같은데."

CNN 기자 피터 오말리가 지그시 세릴을 보면서 말했다.

피터는 44세. 중견 앵커인데 자청해서 이라크 특파원으로 온 경우다. CNN에도 앵커가 수십 명이다. '뜨기' 위해서는 전장(戰場)에서 얼굴을 비칠 필요가 있다. 이라크에 온 지 4개월째인 피터는 요즘 '한탕'해야 한다는 강박감에 시달리는 중이다.

이번 '바그다드 민간인 학살 사건'이 피터에게 절호의 기회였는데 지금은 거의 '진'이 빠진 상태. 테이프를 보냈지만 본사에서 방영하지 않았기 때문이다.

"아냐. 내가 더위를 먹어서 그래."

세릴이 귀찮은 표정으로 말했지만 피터가 옆에 앉았다. 피터한테서 향수 냄새가 났다. 전에는 '지방시'였는데 지금은 모르겠다.

바 안은 소란하다. 오후 9시가 되어가는 시간.

이 시간의 '조지아 바'는 손님들로 가득 찬다. 후세인 호텔 후문 건너편 골목에 위치했기 때문에 트레이닝복 차림으로 나와서 마시는 놈들도 많다. 손님들의 절반은 기자, 나머지는 군납업자, 미군, 민병대, 용병, 정보원, 사기꾼 순이다.

맥주를 한 모금 삼킨 피터가 세릴을 보았다. 피터의 눈동자는 진회색이다.

"기분 전환하러 방에 갈까?"

"아니, 더 더러워질 것 같아."

"겪어보면 달라, 세릴. 넌 선입견이 너무 강해."

"난 전희를 오래 끌어줘야 해."

"내가 그래."

"지금도 전희라는 거 몰라?"

위스키 잔을 쥔 세릴이 피터를 노려보았다.

"지금도 역겹다구."

"그래, 미안."

선선히 단념한 피터가 길게 숨을 뱉었다.

"이번에 IS 놈들을 잡았디구만. 민간인들 사이에 IS 놈들이 10여 명 끼어있었어."

이미 다 알고 있는 사실이었기 때문에 세릴은 앞쪽 바텐더의 등만 보았다. 피터가 말을 이었다.

"본부에서는 당분간 정부에 협조적으로 나갈 것 같아. 민간인 학살 따위의 보도를 안 하는 거지."

"……"

"미군 사상자 발표도 크게 보도하지 말고."

"……"

"당분간 IS와의 전쟁에 집중할 계획인데, 그 주력이 아르카디야."

세실이 고개를 돌려 피터를 보았다. 피터가 빙그레 웃었다.

"세릴, 너도 알고 있었지?"

"물론."

"그리고 IS를 공격할 아르카디의 대표 전사가 지노라는 것도 아나?"

피터의 시선을 받은 세릴이 되물었다.

"당신은 어떻게 안 거야?"

"그야 현상금 수령자를 추적해서 알았지. 지노의 팀원이 수령해 갔어."

"……"

"아마 기자 대부분이 알고 있지만 입 닥치고 있는 거지. 국가를 위해서."

맥주를 다 마신 피터가 바텐더에게 보드카를 시키더니 세릴을 보았다.

"지노를 인터뷰해야겠어."

"……"

"아르카디의 카터한테 연락했더니 생각해 보자고 하더구만."

"……"

"그놈만 인터뷰하면 대박인데. 내가 당장 9시 메인 앵커로 올라갈 수도 있어."

보드카 잔을 받아 쥔 피터가 세릴을 향해 이를 드러내고 웃었다.

"너, 내가 꿈도 야무지다고 생각하는 중이지? 하지만 꿈 없는 인생은 짐승이나 같다. 그거 누가 한 말인지 알아?"

"피터 오말리."

"후세인과 딸 카밀라의 용병. 그리고 카밀라의 시신을 묻었다는 소문도 있어. 신비의 용병이야."

"······."

"그놈이 나에겐 행운의 열쇠지."

그때 세릴이 탁자 위에 20불 지폐를 내려놓고는 자리에서 일어섰다.

호텔 후문에서 50미터쯤 떨어진 담배 가게는 밤늦도록 영업을 한다. 담배 가게지만 길가에 플라스틱 의자 10여 개를 내다놓고 차와 마른 빵도 판다. 음료수도 준비해놓았기 때문에 지나는 행인들이 들르는 편의점 역할이다.

칸탐과 아무디가 의자에 앉아 차에다 빵을 적셔서 먹고 있다. 둘 다 후줄근한 로브에 양복 재킷을 걸친 차림. 잡일을 마치고 집에 돌아가기 전에 허기를 채우는 잡부다.

주위에 둘러앉아 떠들고 있는 사내들도 모두 비슷한 행색이다. 여기서 골목 안으로 들어가면 빈민 주택가가 나오는 것이다. 그때 힐끗 오른쪽을 본 아무디가 칸탐에게 말했다.

"어제는 골목 앞쪽에 경비원이 둘 있었는데 오늘은 하나입니다."

칸탄이 고개만 끄덕였다.

오후 6시 반.

이곳에서 호텔 후문까지는 60미터 정도. 후문은 길 건너편이다. 목표인 '조지아 바'는 담배 가게에서 70미터. 여기서는 '조지아 바'로 들어가는 골목 입구만 보인다.

그때 골목에서 여자 하나가 나와 길을 건너는 중이다. 일방통행로여서 차가 드문드문 다니지만 라이트에 비친 여자의 짧은 금발 머리가 드러났다. 재킷에 바지를 입었지만 여자다.

큰 키. 히잡을 벗어 머플러처럼 목에 걸치고 있다. 이윽고 여자는 호텔 후문으로 들어가 보이지 않는다. 여자는 후세인 호텔 투숙객 같다. 기자나 군 관계 사업가겠지.

칸탐이 자리에서 일어섰다. 내일 밤 결행이다.

'조지아 바'에서 폭탄이 든 가방이 폭발하는 것이다. C-4 2킬로를 폭발시킬 것이니 바는 다 날아간다. 아마 바 안의 손님은 다 폭사할 것이다. 그야말로 대학살이다.

3장 내 목표는 IS의 지도자 무하마드다

자랄딘 모스크 뒤쪽은 상가였는데 그 중심부에 아무디 병원이 있었다. 흰색 타일을 바른 2층 건물로 유리창에 붉은색 적십자가 그려져 있을 뿐이다.

현관 기둥에 '아무디 병원'이라고 적힌 플라스틱 패널이 붙어 있다. 아이를 안은 여자들이 들락이는 것을 보면 소아 전문병원 같다.

"제가 가보고 오지요."

아랍인 용모인 파하드가 말했지만 지노는 고개를 저었다.

오전 10시 반.

"서둘지 마라."

지노와 파하드는 거리 건너편의 대각선 위치에서 병원을 보는 중이다. 둘은 혼잡한 과일가게 앞에서 오가는 손님들에게 이리저리 밀리는 중이다. 지노가 파하드의 팔을 끌었다.

"제임스에게 부탁해 보자."

CIA 바그다드 지부장 제임스 칸이 와 있는 것이다.

바그다드 동남쪽 후세인 광장 왼쪽의 5층 건물은 이라크 체육회관 건물이다. 주위 건물 대부분이 폭격에 무너지고 불에 타서 폐허가 되었다. 그러나 회색 콘크리트 건물인 이곳은 다행히 벽만 불에 그을렸을 뿐 온전하게 남았다.

지금 이 건물은 '미국 평화봉사단' 간판을 붙이고 미국 정부에서 사용하고 있다.

오후 1시 반.

건물 3층의 상황실 안. 상황실 벽은 수십 개의 스크린으로 덮여 있었는데 방 안에 둘러앉은 사내들이 한곳을 주시하고 있다. 바로 지상 3킬로 지점에서 내려다보이는 알아무디 병원이다.

이 '미국 평화봉사단' 건물은 바그다드 주재 CIA 본부다. 상황실에는 CIA 지부장 제임스와 정보관 버트, 그리고 지노까지 무인정찰기에서 찍어온 알아무디 병원을 보고 있다.

"저기."

화면 담당자가 화면을 정지시켰기 때문에 모두의 시선이 모였다.

"부속채에 사내 둘이 있습니다."

지노가 담당자의 손끝을 보았다. 그 사이에 담당자가 화면을 확대했고 모두 두 사내가 마주 보고 서 있는 것을 보았다.

"아, 총이 있습니다."

버트가 말했다. 목소리가 흥분으로 떨렸다. 벽에 붙여 세운 AK-47 2정. 그때 지노는 부속채에서 나오는 또 한 사내를 보았다. 사내가 셋이다. 이곳은 알아무디 병원 안쪽의 개인 거주 공간이다. 그때 제임스가 지노에게 말했다.

"놈들이 이쪽으로 옮긴 것 같군."

부속채 밖으로 나온 칸탐이 앞에 서 있는 아무디와 바잔에게 말했다.

"작전을 마치면 이곳으로 돌아올 필요 없이 바로 떠나기로 하자."

"예, 대장."

대답한 아무디가 칸탐을 보았다.

"병원에다 알릴 필요는 없습니다. 그냥 나가지요."

"그래. 인사는 나중에 하자."

칸탐이 힐끗 지붕만 드러난 병원 쪽을 보고 나서 말을 이었다.

"얼굴도 보지 않아서 서로 다행이야."

"형은 우리가 반군인 줄 압니다."

"그렇게 생각하는 게 낫지."

요즘은 이라크 주민 대부분에게서 반군에 대한 동정심이 솟아나는 중이다. 후세인 정권이 망한 지 1년이 지난 상황이다. 후세인 시절에는 독재에 반발했던 주민들이 이제는 무정부 상태에 진저리를 치고 있다.

미군의 용병이 된 민병대는 정부군 행세를 하면서 갖은 행패를 저질렀고 반군은 소탕되면서 IS에 가담했다. 북부지역은 진즉부터 각 부족들의 영역 싸움이 시작되었고 IS는 닥치는 대로 테러를 일으키는 상황이다. 그때 칸탐이 웃음 띤 얼굴로 하늘을 보았다.

"요즘은 드론이 정찰을 하는 세상이야. 밖에 나오지 말도록 해."

"아, 저놈!"

지상 3킬로 상공의 드론이 찍은 사내의 얼굴이 화면에 확대되었다. 하늘을 향해 웃음 띤 얼굴. 잘 다듬은 콧수염 사이로 흰 이가 드러났다. 그때 제임스가 앓는 목소리로 말했다.

"으음. 하시니 칸탐이야, 저놈이."

화면을 정지시킨 상태여서 얼굴이 더 확대되었다. 지노가 화면 아래쪽에 찍힌 시간을 보았다.

오후 1시 42분이다.

오후 3시 반.

칸탐은 대원들과 점심 겸 이른 저녁을 먹는다. 오후 8시에 작전을 시작할 것이기 때문이다. 2시간 동안 소화를 시킨 후에 7시에 이곳을 떠난다. 현장에 도착할 시간은 8시 전후. 그때부터 작전개시이다.

"이봐, 폭탄은 내가 놓고 나올 거다."

칸탐이 웃음 띤 얼굴로 둘러앉은 대원들에게 말했다. 쟁반 주위에는 셋이 모였다. 아무디, 바잔, 후시딘이다. 무스탐은 창고에서 경비를 서고 있다. 부속채 건너편 창고에서는 병원 건물과 안채, 뒷담까지 보이는 것이다.

본래 바잔이 폭탄이 든 가방을 들고 들어가 바텐더 앞쪽 의자 밑에 놓고 나오기로 했다. 셋의 시선을 받은 칸탐이 양고기를 뜯으면서 말했다.

"시간을 30초로 단축시켰어. 그래서 행동이 빨라야 돼."

"그래도 제가 맡지요. 빨리 나오면 되지 않습니까?"

바 안으로 들어가기로 한 바잔이 말했을 때 칸탐이 고개를 저었다.

"바 안에서 내가 타이머를 조절할 테니까, 넌 안 돼."

물그릇에다 손을 씻으면서 칸탐이 말을 이었다.

"이번 폭발로 전 세계의 이목이 집중될 것이고 미국은 이라크 철군 압박 여론이 치솟을 거다. 우리가 그 주역이야."

"누구세요?"

접수대에서 직원이 물었지만 대답을 받지 못했다. 마크가 AK-47 개머리판으로 턱을 후려갈겼기 때문이다.

그사이에 진료실로 달려간 존이 진료 중이던 아무디와 간호사, 여자와 갓난아이를 제압했다. 영문을 모르는 갓난아이가 눈만 껌벅이는 사이에 간호사와 아무디는 방바닥에 엎드린 채 팔이 뒤로 묶였고 입에 테이프가 붙여졌다.

"넌 입 닥치고 있으면 살아."

118

총구로 아이를 안고 있는 여자를 진료실 구석으로 밀어 앉힌 존이 친절하게 설명했다.

"곧 끝날 테니까 그대로 이곳에 있어. 알았나?"

여자가 커다랗게 고개를 끄덕였고 아이는 방긋 웃었다.

그사이에 지노는 병실을 훑어본 후에 뒷문으로 다가갔다.

작은 병원이다. 의사와 간호사 둘, 진료실, 주사실, 접수실과 옆쪽에 화장실과 창고가 있는 구조다. 그때 지노 옆으로 마크가 다가왔다.

"대장, 처리 끝났습니다."

마크의 두 눈이 번들거렸다.

정면 공격조는 지노까지 셋. 병원을 통해 안쪽 부속채로 진입할 계획이다. 일차로 병원은 접수했다. 뒤쪽 담장 뒤에는 파하드가 기다렸고 카일은 옆쪽으로 250미터 떨어진 부서진 건물 안에서 이쪽을 겨누고 있다.

사각(死角)이 없다. 빈 곳이 없는 것이다.

10층이 넘는 빌딩이 폭격으로 무너졌지만 부서진 잔해의 높이는 7층 정도다. 그래서 카일은 절반쯤 기울어진 7층의 벽 밑에 엎드려 있었는데 그야말로 '안성맞춤'의 장소였다.

이무디 병원 뒤쪽 살림채가 자신의 손바닥처럼 보이는 것이다. 한바탕 둘러보았더니 부속채 건너편 창고 건물에 감시자가 있는 것도 드러났다. 본인은 조심한다고 노력했지만 화장실을 가느라고 모습을 드러낸 것이다.

그리고 그 앞쪽 부속채에 셋이 더 있다. 넷인지도 모른다. 처마 밑으로만 조심하면서 지나는 것이 상공에 떠 있는 '드론'을 경계하는 것이다.

그러나 어쩌랴? 이곳은 비스듬한 위쪽에서 옆면을 다 보는 것이다.

그래서 카일은 저격 총 총구를 창고에 맞췄다. 입구 옆쪽, 이곳에서는 옆 부분이 보였기 때문에 2번째 창문이다. 저격병의 표현으로는 '가상 표적'이다. 표적이 있을 만한 위치에다 대고 쏘려는 것이다.

그때 무전기의 푸른 등이 껌벅였다. 버튼을 누르자 곧 지노의 목소리가 울렸다.

"자, 우리가 진입한다. 카운트한다."

공격조가 병원 후문을 열고 안채로 나온다는 것이다. 카일이 대답했다.

"오케. 카운트하세요, 대장."

카일이 스코프에 눈을 붙였을 때 곧 지노의 목소리가 울렸다.

"5, 4, 3, 2, 1."

"퍽석!"

동시에 카일의 드라구노프 저격 총 총구에서 소음기를 뚫고 나오는 발사음이 울렸다. 그때 후문이 열리더니 마크를 선두로 존, 지노가 뛰쳐나갔다. 셋은 곧장 부챗살처럼 퍼져서 본채, 부속채로 달린다.

"퍽석!"

카일이 가상 표적을 향해 다시 한 발을 쏘았다.

순식간에 본채를 지난 마크가 부속채 왼쪽으로 달렸고 존은 오른쪽, 그리고 지노는 정면, 출입구다. 부속채는 단층 건물로 길이는 20미터가량. 출입구는 중앙에 하나, 창문은 오른쪽 2개, 왼쪽 하나다.

뒷문은 없고 창문만 위쪽에 3개다. 사람은 빠져나올 수 없는 크기다. 그때 지노가 열린 부속채 안으로 들어섰다. 뛰지 않고 걸어 들어갔다.

응접실에 앉아있던 아무디가 안으로 들어서는 지노를 보았다. 지노는 손에 MP-5를 쥐고 있었는데 지노가 가장 좋아하는 SMG다. 신뢰성, 정밀도가 우수한 기관총으로 바나나형 탄창에는 30발이 장탄되었고 무게는 3킬로. 발사속도는 분당 700~800발.

아무디가 입을 딱 벌린 순간.

"타타타타."

4발의 총탄이 그대로 가슴과 얼굴에 맞았다. 그 순간 옆쪽 방에서 사내 하나가 뛰어나왔다. 엉겁결에 놀라서 뛰어나온 것 같다.

"타타탓!"

세 발이 다시 발사되었고 몸통에 다 적중된 사내가 사지를 흔들면서 엎어졌다.

칸탐은 안쪽 방에서 오늘 사용할 C-4 폭탄의 점화장치를 손보는 중이었다. 첫 총성이 울렸을 때 칸탐은 자리에서 일어섰고 두 번째 총성이 울렸을 때는 벽에 세워진 AK-47을 쥐었다. 반응이 재빠르다.

두 번째 총성이 그치고 3초가 지났을 때 칸탐은 창문 쪽으로 다가가 밖을 보았다.

비었다. 그 순간 칸탐이 창문을 밀어 올리면서 놈을 밖으로 내놓았다. 상반신을 내놓은 것이다. 그 순간.

"타타타타타."

바로 옆쪽에서 총성이 울리더니 칸탐의 몸이 창문에 걸린 채로 늘어졌다. 상반신이 아래로 꺾여지면서 올려진 창문이 내려가는 바람에 몸이 끼었다. 단두대에 배가 걸린 것 같다.

"타타탓!"

다시 세 발의 총성.

이미 늘어신 칸탐의 놈이 세 발을 다 맞고 흔들렸다.

마지막 남은 대원, 후시딘. 주방에서 엽차를 끓이던 후시딘은 정보담당이다. 그래서 실전에는 참가한 적이 두 번뿐이다.

오늘 방 안에서 총성이 계속해서 울렸을 때 놀란 후시딘은 주전자를 엎지르고 주방 문 쪽까지 나갔다가 되돌아왔다. 이쪽은 출구가 앞쪽뿐이다.

총성이 울린 거실, 응접실 쪽으로 뚫려있다. 그래서 부속채 밖에서 총성이 울리는 약 30초 동안 주방 안에서 두 번 왔다 갔다 하다가 벽에 붙어 섰다.

주방 오른쪽 벽에 머리통만 한 환기 구멍이 2개 뚫려있지만 후시딘도 거구다. 한쪽 어깨도 빠져나갈 수 없다. 그때 밖에서 걷어찬 문짝이 안쪽으로 떨어지면서 열렸다. 그러고는 총을 겨눈 사내가 들어섰을 때 후시딘이 두 손을 번쩍 치켜들고 소리쳤다.

"투항! 항복합니다!"

이번에는 정리를 확실하게 하고 철수했다.

칸탑, 바잔, 아무디, 그리고 창고에서 경비하던 무스람까지 넷이 사살되었고 후시딘은 포로다. 시체의 사진을 찍고 소지품과 C-4 폭탄까지 압수한 후에 후시딘을 끌고 병원을 나왔다.

병원 앞에는 파하드가 승합차를 대기하고 기다리는 중이다. 그때 제임스가 다가왔다. 얼굴에 웃음이 떠올라 있다.

"지노, 다 끝난 거야?"

"칸탑 포함 시체 4구가 있어. 한 놈은 포로."

지노가 턱으로 병원 쪽을 가리켰다. 그때 사이렌 소리가 울리면서 미군 지프가 다가왔다. 제임스가 그쪽을 보더니 얼굴을 펴고 웃었다.

"굿. 이번 작전에 내 공적이 있다는 걸 잊지 마, 지노."

"알았어."

"저놈들은 나한테 맡기고 이따 포로는 나한테 넘겨."

제임스가 몸을 돌려 지프로 다가가면서 소리쳤다. 길 건너편에는 구경꾼들이 모였지만 제임스는 개의치 않는다. 데려온 CIA 요원들이 손을 들어 미군 지프를 막고 있다.

오후 7시.

세릴이 카터의 전화를 받는다. 호텔에서 뷔페로 저녁을 먹고 있던 참이다. 옆쪽 테이블에 CNN의 피터까지 있었기 때문에 세릴은 핸드폰을 귀에 붙이고 복도로 나왔다.

"카터, 무슨 일이에요?"

"당신한테 특종을 주려고."

"조건은?"

"조건 없어."

"그 거짓말, 피터 오말리한테나 해요."

"오늘 오후에 IS 테러범 칸탐을 사살했어, 부하 셋과 함께."

세릴이 숨을 들이켰다. 칸탐은 안다. 현상금이 150만 붙인 1급 테러빔. 그때 카터가 말을 이었다.

"세릴, 누가 사살한 것 같나?"

"지노인가요?"

"맞아."

"지노가 IS 추적자니까."

"그런데 세릴, 내가 지노를 인터뷰하게 해줄까?"

"……"

"어때? 땡기지 않아? 피터 오말리가 들으면 세 엉덩이도 주려고 할 텐데."

"조건이 뭐죠?"

"들어준다면 인터뷰하게 해주지."

"카터, 쓸데없는 수작하면 내가 인터넷에다 다 까발릴 거야."

"알아, 알아."

달래듯이 말한 카터가 헛기침을 했다.

"인터뷰 기사는 다 검열을 받겠지, 안 그래?"

"무슨 꿍꿍이야?"

"그런데 이런 기사는 그대로 검열을 통과할 거야, 세릴."

카터가 말을 이었다.

"마무리에 이렇게 써줘. '지노의 마지막 목표는 IS의 지도자 무하마드'라고. 알겠지?"

"……."

"지노가 그렇게 말했다면 더 좋고. 그렇게 안 할지도 모르겠지만 말야."

"알았다."

세릴이 카터의 말을 끊었다.

"이 비열한 인간. 지노를 미끼로 내놓고 무하마드를 끌어들이려는 수작이구만. 무하마드를 열 받게 해서 말야."

"그런 기사가 특종 아닌가? 뉴욕타임스 구독자가 환장할 기사인데."

"더러운 장사꾼이네, 이 사람이."

"애국하는 거야. 무하마드를 잡는다면 훈장까지 받을 거야."

"그래서 지노를 미끼로 내세워?"

"세릴, 왜 그러는 거야?"

정색한 목소리로 카터가 물었기 때문에 세릴이 숨을 골랐다.

"지노하고 잤어?"

"퍽큐."

"지노 본 적도 없잖아?"

"선오브비치."

"결정해, 그렇게 못 하겠다면 거기 식당에서 밥 처먹고 있는 피터를 대신 시킬 테니까."

카터의 목소리가 차가워졌다.

"그놈은 인터뷰만 따준다면 무슨 짓이든 다 할 거야, 세릴."

오전 10시 반.

전과 보고를 하려고 아르카디 본부에 들른 지노에게 깁슨이 말했다.

"이제 시작이야."

깁슨은 태연한 척했지만 호흡을 고르는 표시가 났다. 군(軍) 출신들은 감정 절제가 익숙하지 않다. 깁슨은 계속되는 전과에 신이 난 상태다.

"아직도 바그다드에 테러 조직 몇 개가 남아있어. 테러 지휘자 살람도 있고."

"앞으로는 좀 힘들어질 겁니다."

"당연하지."

깁슨이 실눈을 뜨고 지노를 보았다.

"일주일 사이에 테러 2개 조직이 전멸했으니 바짝 긴장하고 있겠지."

본부장실 안에는 카터까지 셋이 둘러앉아 있다. 깁슨이 말을 이었다.

"이젠 네가 우리 선봉대가 되어있다는 걸 세상 사람들이 다 알아."

"상관없습니다."

"그래서 말인데."

깁슨의 시선이 카터에게로 옮겨졌다.

"카터, 말해라."

125

카터가 지노를 보았다.

"지노, 뉴욕타임스에 인터뷰를 해주게."

"……."

"필요한 일이야. 아르카디 선전을 하는 것이 아니라 미국 정부, 미국군이 이라크를 평정시키고 있다는 것을 알려줄 필요가 있어서 그런 거야."

"그럼 카터, 당신이 해요."

지노도 정색했다.

"난 마이크를 내지르는 놈들을 보면 쏘고 싶은 충동을 참기 힘들어."

"지노, 이것도 업무야."

"업무 같은 소리 하고 자빠졌네."

그때 깁슨이 말했다.

"약속 잡았다, 지노."

지노의 시선을 받은 깁슨이 외면한 채 말을 이었다.

"내일 오후 5시야. 자헤드 호텔 스위트룸에서."

"……."

"상대는 뉴욕타임스 특파원 세릴 워싱턴이다. 꽤 유명한 기자야."

"……."

"네가 고용되었던 케이트도 유명했지만 얘는 더 난 애야. 얘가 기다린다."

깁슨의 표정이 간절해졌다.

"부탁한다, 지노."

자헤드 호텔은 미군 소유의 특급 호텔로 귀빈용이다.

오후 5시 5분.

지노가 스위트룸 앞으로 다가가자 문 앞을 지키고 있던 헌병이 경례를 했다.

지노를 알아본 것이다. 헌병은 둘이다.

"어서 오십시오. 안에 계십니다."

"이런."

멈춰 선 지노가 이맛살을 찌푸렸다.

"하사, 언제부터 헌병이 기자 나부랭이 경호를 섰나?"

"저도 오늘이 처음입니다, 소령님."

하사가 싱글벙글 웃었다.

"소령님이 오신다고 해서 제가 자원한 겁니다."

"내가 그렇게 인기가 좋나?"

"전설인 걸 모르십니까?"

"이따 끝나고 술 한잔하지, 하사."

"전 사단 헌병대 마빈 하사입니다. 마빈을 찾으시면 됩니다."

거구의 마빈이 비켜서면서 한쪽 눈을 감았다가 떴다.

"미인입니다, 소령님."

세릴을 말하는 것이다.

노크 소리와 함께 방문이 열렸기 때문에 세릴과 워크가 시선을 들었다.

지노가 들어서고 있다. 지노는 계급장 없는 군복 차림으로 등에 비스듬히 헤 클러 앤 코흐제 MP-5를 메었다. 상의의 방탄조끼에 탄창 4개를 꽂고 허리에는 베레타를 찼는데 모자는 쓰지 않았다. 무장한 용병 차림이다.

"오, 지노 씨."

금세 지노에게 위압당한 워크가 먼저 다가가 손을 내밀었다. 워크는 세실에게 붙은 카메라맨으로 전장 경험이 많지만 몸을 사리는 성격이다. 그때 세릴이 지노에게 말했다.

"편하게 앉아서 하시죠."

세릴이 다가섰지만 인사말도 악수도 하지 않았다. 시선이 부딪치고 있는데도 웃지도 않았기 때문에 워크가 불안해졌다. 그때 총을 내려놓고 방탄조끼까지 벗은 지노가 소파에 앉았다.

이곳은 스위트룸 응접실이다. 탁자 위에는 10여 종의 술과 음료가 가득 놓여 있고 잔도 준비되어 있다. 앞쪽 자리에 앉은 세릴이 눈으로 탁자 위의 술과 음료수를 가리켰다.

"마시면서 인터뷰를 해도 돼요."

지노가 고개를 끄덕이더니 이제는 권총 벨트도 풀었다. 그때 세릴이 손바닥만 한 녹음기를 꺼내어서 버튼을 누르고는 탁자 위에 놓았다.

"자, 시작하십시다."

지노가 위스키 병들을 살피고는 그중 하나를 집어 들었다. 둘의 주위를 맴돌던 워크가 카메라를 눈에 붙이고 셔터를 누르기 시작했다. 그때 세릴이 말했다.

"지노 씨, 먼저 자신의 소개를 해주시죠. 시간은 많으니까 길게 해주셔도 됩니다."

세릴이 표정 없는 얼굴로 말했다. 그것이 워크에게는 찜찜했지만 곧 잊었다. 그때 지노가 술잔을 들고 말했다.

"지노 장. 육군 소령이었다가 하사로 제대. 용병. 33세. 구체적으로 말할 수는 없지만 무공훈장 2개 수여. 기타 수훈장 다수. 현재는 아르카디 용병단 소속. 군 생활은 14년째. 하사관을 거쳐 장교 임관한 경우. 내 이름은 한국식으로 어머니의 성을 땄고 아버지가 미국 놈임."

한 모금에 위스키를 삼킨 지노가 다시 잔에 술을 채우고는 말을 잇는다.

"현재는 IS의 테러단 소탕을 전문적으로 맡고 있으며 칼리프는 모르겠고 칸탐을 제거한 상태. 지금까지 사살한 IS 대원은 20명 정도."

다시 한 모금에 술을 삼킨 지노가 세릴을 보았다. 차분해진 표정이다.

"나한테 듣고 싶은 말은 뭐요?"

"내가 알아서 쓸 테니까 하고 싶은 말 다 하세요."

"당신한테 할 말은 없어요, 세릴 기자."

"세상에다 할 말이 있으면 하시든지."

"알아서 편집할 텐데 보도되지도 않을 말을 왜 지껄인단 말야?"

"다 보도할 겁니다."

"모두 다?"

"그래요. 당신은 인기인이니까 독자들이 모두 듣고 싶어 할 테니까."

"그럼 물어봐요."

"묻는 말에 다 대답할 수 있어요?"

"보도해준다면."

"좋아요."

서로 경쟁하듯 주고받던 세릴이 자세를 고쳐 앉았다. 두 눈이 번들거리고 있다.

"당신이 후세인의 육성 테이프를 서방으로 가져가 퍼뜨린 장본인이죠?"

"그렇습니다."

지노가 세릴의 말이 끝나기가 무섭게 대답했다. 그러더니 덧붙였다.

"내가 후세인 각하의 용병으로 육성 녹음 현장까지 지켜보았어요."

"그 녹음은 나도 들었는데, 사실이라고 믿습니까?"

"사실이오. 명백합니다."

그때는 워크가 긴장해서 사진 찍는 것도 잊어버리고 바짝 다가와서 듣고 있다. 세릴이 다시 묻는다.

"후세인을 데리고 이라크를 탈출했지요?"

"모시고 탈출했어요, 아가씨."

"탈출했다가 다시 이라크로 돌아왔다고 하는데 사실인가요?"

"사실이오."

"왜 돌아왔습니까?"

"이라크를 다시 수복하려고. 반군을 규합하고 북부지역 부족들과 연합하려는 의도였지요."

"그러다가 후세인이 체포되었군요?"

"아니, 체포되지 않았어."

"무슨 말이죠?"

세릴이 이맛살을 찌푸렸다.

"지금 바그다드 안가에 감금되어 있지 않아요? 재판을 받으면서 말이에요."

"그 후세인은 대역 1호요."

"뭐라구요?"

"후세인 각하는 돌아가셨소. 내가 그 시신을 묻은 장소까지 압니다."

"어딘데요?"

"공식 확인을 해준다면 밝히겠소."

"왜 죽었는데요?"

"유탄에 맞아서."

"어디에서요?"

"북부지역."

"증거가 있어요?"

"증인도 있어요. 그리고 그 시신에서 DNA 확인을 해드릴 수도 있지 않겠소?"

"지금 무슨 말을 하는지 압니까?"

"압니다, 기자 양반."

"당신은 지금 이라크 정국을 뒤집을 만한 이야기를 하는 것이라구요."

"그걸 당신이 보도한다고 약속했지?"

"사실 확인이 되어야지. 들은 말을 확인도 안 하고 보도할 수는 없지."

"1호한테 확인해도 알 수 있을 텐데. 내가 1호도 잘 알거든"

"그 사람도 처음에는 자신이 대역이라고 하더니 이제는 그 거짓말이 통하지 않으니까 가만있는 것 같더구만."

혼잣소리처럼 말을 받았던 세릴이 헷갈리는지 입을 다물고는 지노를 우두커니 보았다. 그때 다시 정신을 차린 워크가 사진을 찍기 시작했다.

지노가 위스키 한 병을 다 마시더니 탁자 위의 인터폰을 눌렀다. 세릴은 쳐다만 보았을 때 곧 호텔 직원의 목소리가 스피커로 울렸다.

"네, 선생님."

"여기 룸서비스로 뭐가 되나?"

"예, 곧 메뉴판을 갖다드리겠습니다."

"고마워요."

인터폰을 끈 지노가 세릴과 워크를 번갈아 보았다.

"우리, 밥 먹고 합시다."

스테이크를 썰면서 지노가 세릴을 보았다.

이제 세릴도 포도주 잔을 들고 있다. 워크는 옆쪽에 앉아 랍스터를 발라먹는 중이다. 지노가 이것저것 푸짐하게 시켰기 때문에 셋은 식탁으로 옮겨 앉아 최상급의 저녁을 먹는 중이다.

"세릴, 당신하고 케이트는 모르는 사이더구만. 학교도 다르고."

세릴은 술만 삼켰고 지노가 말을 이었다.

"장례식 사진도 보았는데, 당신은 없었어."

워크가 '무슨 말이냐'는 표정으로 둘을 번갈아 보았지만 세릴은 태연했다.

"하긴 다급하면 무슨 말을 못 해?"

지노가 혼잣말을 했을 때 세릴이 말했다.

"자, 카밀라 후세인 이야기를 하죠."

"뭘 알고 싶은데?"

"당신이 카밀라를 탈출시킨 이야기가 영화로도 제작되는 중이에요, 알죠?"

"모르겠는데."

"아마 내년 중에 개봉될 건데 주연 여배우가 안젤리나 졸리로 캐스팅되었어요. 카밀라 역이죠."

"……."

"당신 역할은 레오나르도 디카프리오고요."

"선오브비치."

그때 워크가 나섰다.

"디카프리오보다 톰 하디가 나은데."

워크가 지노의 시선을 받더니 어깨를 움츠렸다. 그때 세릴이 물었다.

"카밀라는 어떻게 죽었죠?"

지노가 잠자코 술잔을 들었고 세릴이 다시 물었다.

"총에 맞았나요?"

"……."

"저격을 받았다는 소문도 있던데."

"……."

"지금도 살아있다는 소문도 있어요."

그때 지노가 한 모금에 술을 삼키고는 세릴을 보았다.

"다음 질문."

3시간 가까운 인터뷰 겸 식사를 마쳤을 때 지노가 일어서면서 말했다.

"후세인 각하가 이미 사망했다는 기사는 꼭 내주시오."

"그것 때문에 인터뷰에 나온 것 같군요."

따라 일어선 세릴이 쓴웃음을 지었다.

"노력해볼게요."

"꼭 내줘야 돼, 세릴 씨."

지노의 눈빛이 강해졌다.

"지금 잡혀있는 후세인은 1호야. 나를 대질시켜주면 확인해주지."

"알았어요."

"내가 시신 묻은 장소를 알려줄 수 있다고도 해줘요."

"그러죠."

"시신을 확인하면 될 테니까."

지노의 시선을 받은 세릴이 고개를 끄덕였다.

"글쎄, 알았다니까요."

"꽝!"

그 순간 폭음이 울리더니 천장의 회 조각이 우르르 떨어졌다.

"악!"

비명은 워크가 질렀다. 소파 옆에 서 있던 워크는 회 조각에 어깨를 맞아 놀란 것이다. 그 순간 세릴은 방바닥에 웅크리고 앉았는데 지노는 재빠르게 MP-5를 집어 들었다.

"꽝! 꽝!"

다시 두 번의 폭음.

이번에는 지노의 앞쪽 문짝이 부서지면서 반쪽이 방 안으로 날아왔다. 폭풍과 함께 온갖 잡동사니가 방 안으로 쏟아져 들어온 것이다.

"으악!"

다시 워크의 비명. 소파 옆에 엎드렸던 워크의 등에 천장의 전등이 떨어져 내린 것이다.

그때 지노가 쪼그리고 앉은 세릴을 물동이처럼 번쩍 안아 들더니 소파 위에 던졌다. 그러고는 세릴의 몸 위로 옆쪽 소파를 들어 뒤집어 놓았다. 그러자 세릴은 소파 속으로 들어간 꼴이 되었다.

정신없는 상황이라 세릴은 입만 딱 벌렸고 그사이에 지노가 밖으로 뛰쳐나갔다.

"타타타타탕."

총성이 울렸을 때는 그때다. 아래층이다.

"기습이다."

아래층에서 목소리가 울렸다가 그쳤다.

"타타타타타."

총성은 20여 정. 20여 명이 쏜다는 표시다.

복도는 폭파되어 반쯤 무너졌고 끝 쪽 유리창은 박살이 났다. 포탄은 스위트룸 절반을 박살내었다.

복도의 무너진 벽에 몸을 붙이고 선 지노는 이것이 대전차포인 RPG-7V라는 것을 알았다. 유효 사거리 500미터. 탄두는 PG7 HEAT탄을 썼다.

스위트룸인 7층 입구에 서 있던 헌병들은 보이지 않았다. 앞쪽 복도가 무너져 내렸기 때문에 밑으로 추락했을 것이다. 그때 요란한 총성 속에서 외침 소리가 났다. 영어다.

"7층! 7층으로 올라가!"

"꽈꽈꽝!"

다시 폭음이 울리면서 외침은 뚝 끊겼다. 오후 8시가 지난 시간이어서 주위는 어둡다.

지노가 복도로 나온 지 얼마 되지 않아서 전기가 나갔기 때문에 아래쪽 불길로 주변만 비치고 있다. 그때 지노는 부서진 계단 쪽에서 어른거리는 인기척을 보았다. 둘이다.

"타타타타타."

총성이 더 격렬해졌고 계단 쪽으로 사람 숫자가 늘어났다. 그러나 그쪽에서 외침 소리는 들리지 않는다. 이제 총성은 더 가까워졌다. 계단 쪽이다. 엘리베이터는 폭파된 것 같다. 그때다. 뒤쪽에서 인기척이 났기 때문에 지노가 총구를 돌렸다.

"이런."

지노가 혀를 찼다. 세릴이 기어 나와 있는 것이다. 지노의 시선을 받은 세릴이 말했다.

"천장이 무너졌어요."

조금 전의 폭음이 여러 번 울렸을 때 뒤쪽에서도 터진 것 같다. 지노의 옆으로 다가온 세릴이 말을 이었다.

"워크는 시멘트에 다리를 다쳤어요."

대전차포는 밖에서 쏘는 것이다. 그때 지노가 손바닥으로 세릴의 입을 막았다. 어둠 속에서 세릴이 눈만 크게 떴을 때 지노가 총구로 계단 쪽을 가리켰다.

이제 계단 아래쪽에서 어른거리는 그림자는 네 명, 다섯으로 늘어났다. 총성은 그치지 않았는데 아직도 쌍방이 대등하게 버티고 있다는 증거다. 그때 지노가 몸을 일으키며 말했다.

"여기서 기다려."

그때다.

"꽈꽝!"

이번에는 뒤쪽에서 다시 한 발 폭음이 일어났다. 폭발 열이 밖으로 뿜어 나왔는데 세릴이 안에 있었다면 당했을 것이다.

이제 분명해졌다. 밖에서는 스위트룸을 겨냥해서 쏘는 것이다. 지금까지 스위트룸에서만 4발이 폭발했다. 세릴이 잘 나온 것이다.

그 순간 지노가 앞쪽으로 달려갔다.

복도가 10미터 앞쪽 부근에서부터 무너졌기 때문에 아래층 계단이 짐승 내장처럼 드러나 있는 것이다.

"탓탓탓탓탓탓탓"

5미터쯤 달려간 지노가 선 채로 내갈긴 MP-5가 요란한 총성을 내었다.

거리는 15미터가량. 눈에 보이는 타깃은 6명. 어두웠지만 밑에서 보이는 화광으로 사내들의 윤곽은 드러났다.

반군. 그러나 현재 바그다드에서 준동하는 반군은 없다. 다 소탕되었기 때문이다.

IS군(軍)이다. 지금은 테러군으로 불리는 '악마의 자식'들.

그때 쏟아진 총탄에 셋이 사지를 흔들면서 쓰러졌다. 나머지 한두 명도 총탄을 맞았다. 1.5초간의 발사로 10발 이상이 쏟아졌으니까. 다음 순간 지노가 몸을 던지듯이 엎드렸다.

"타타타탕"

저쪽, 살아남은 두 명이 이쪽에 대고 응사한다. 둘은 제각기 계단 위에, 끝부분에 주저앉아 있다. 엄폐물이 없기 때문이다. 지노의 눈에는 그 꿈틀거리고, 응사하는 물체가 머릿속에 영상으로 박혔다.

다음 순간, 지노가 엎드려 쏴 자세로 MP-5의 바나나 탄창에 장탄된 나머지 총탄을 쏟아내었다.

"탓탓타타타타타타타."

거리는 10미터가량. 저쪽에서 이쪽을 보는 '타깃' 윤곽은 10미터 거리의 수박 덩이 정도일 것이다. 그것이 불안정한 자세였을 때는 지노 같은 '선수'도 적중률이 절반 정도다.

다음 순간, 소낙비처럼 쏟아진 총탄이 이쪽에 응사하는 둘을, 꿈틀거리는 둘을 무생물로 만들었다. 지노가 다시 바나나 탄창을 갈아 끼우면서 몸을 일으켰다. 발사 시간은 2초도 안 되었지만 총탄은 다 나갔기 때문이다. 분당 발사 속도가 700~800발이니 원.

뒤쪽에 웅크리고 있던 세릴은 지노가 일어서자 숨을 들이켰다.

이겼다.

짐승의 갈라진 내장에 붙어 있던 거머리들. 여기서는 그렇게 보인다. 그 거머리들이 모조리 박살나는 장면을 이쪽에서도 본 것이다.

계단으로 뛰어 내려간 지노가 쓰러진 사내들의 몸에서 수류탄을 빼내 주머니에 넣었다. 3개.

"타타탕!"

꿈틀거리는 사내가 있었기 때문에 냅다 머리통에 대고 갈겼다. 머리가 부서진 사내가 계단 밑으로 상반신을 늘어뜨렸다.

아래층의 총성이 약간 줄어들었다. 그때 5층 계단으로 사내 셋이 나타났다. 앞장선 사내가 이쪽을 보았는데 거리는 15미터 정도. 그 순간 지노와 사내가 동시에 총을 쏘았다.

"타타탓탓"

지노는 쓰러진 사내 하나의 몸 뒤에 엎드린 채 쏘았고 사내는 계단을 올라오면서 쏜 것이다. 총탄이 지노의 어깨를 스치면서 방탄조끼의 윗부분이 들썩였다. 그러나 앞장선 사내는 가슴과 목에 총탄을 맞았다. 뒤로 벌떡 쓰러지면서 따르는 사내의 어깨에 부딪혔다.

"타타타타타."

뒤쪽 사내가 지노를 향해 AK-47을 난사했지만 각(角)이 잡혀있지 않아서 총탄이 빗나갔다. 그때 지노가 주머니에 든 수류탄을 꺼내 안전핀을 이빨로 잡아뜯었다. 두 사내가 계단 구석으로 몸을 감췄기 때문이다.

안전핀을 뽑은 수류탄을 쥔 주먹을 폈다가 1초쯤 기다린 후에 지노가 아래쪽으로 던졌다. 폭발 시간을 줄이려는 것이다. 계단 위로 떨어진 수류탄이 한 번 튀더니 안쪽으로 사라진 순간.

"쾅!"

수류탄이 폭발했다. 그때다. 가까운 곳에서 총성이 울리더니 외침 소리가 들렸다.

"대장! 대장! 나 존이오!"

10분쯤 후에 총성이 그쳤고 7층의 반 이상 무너진 스위트룸에 팀이 모였다. 존과 파하드, 카일이다. 마크는 팔에 파편이 박혔기 때문에 병원으로 실려 갔다고 했다.

호텔을 공격한 것은 IS다. IS는 약 40명의 병력을 동원해서 7층을 목표로 공격해 온 것이다.

"대장의 예측이 맞은 셈입니다."

존이 어둠 속에서 번들거리는 눈으로 지노를 보았다. 아직 호텔에 전기가 복구되지 않아서 어둡다. 그러나 군데군데 등을 켜놓은 상태로 복구반이 분주하게 움직였다. 존이 말을 이었다.

"IS 놈들이 대장이 인터뷰를 한다는 것을 알고 공격한 것이죠. 먼저 7층에 대전차포를 갈겨댄 것만 봐도 그렇습니다."

그때 복도 쪽에서 인기척이 나더니 카터와 함께 깁슨이 다가왔다. 깁슨까지 달려온 것이다. 지노를 본 깁슨이 쓴웃음을 짓고 물었다.

"지노, 팀원을 근처에 대기 시켰나?"

"예, 인터뷰 마치고 회식을 할 참이었거든요."

지노는 팀원 4명을 이끌고 온 것이다. 4명은 로비에서 대기하고 있다가 IS의 기습을 받았다. 깁슨이 존과 카일을 둘러보면서 말했다.

"너희들은 나하고 같이 있을 때보다 얼굴에 윤기가 나는 것 같구나. 마크는 어디 있나?"

"팔에 파편이 박혀 치료하러 갔습니다."

존이 대답했다. 고개를 끄덕인 깁슨이 지노에게 말했다.

"IS가 이번에 자네를 목표로 했어. 인터뷰 정보가 샌 거야."

"40명 가깝게 죽었으니까 놈들의 공격은 실패한 겁니다."

그러나 이쪽도 호텔 경비대로 파견된 민병대 24명, 헌병 6명이 전사했다. 폭발과 총격전 과정에 민간인 3명까지 사망했기 때문에 언론에 대서특필될 것이다. 그때 깁슨이 말을 이었다.

"어쨌든 인터뷰 잘 끝내서 다행이다. 인터뷰가 이번 사건으로 더 빛이 나겠다. 세릴이 어떻게 기사를 쓸지 궁금하구먼그래."

오전 7시 반.

이곳은 아나의 민가 안. 압둘 살람이 무하마드 살라이 앞에 고개를 숙이고 앉아있다. 옆쪽에 앉은 무하마드의 고문 도투락도 입을 꾹 다문 채 시선을 내리고 있다.

이른 아침이어서 주택가는 아직 조용하다. 아이들이 깨어나지 않아서 여인들의 목소리도 들리지 않는다. 그때 무하마드가 입을 열었다.

"지노 그놈을 목표로 삼는 전술이 소극적이었다. 그래서 실패한 거야."

단조롭고 억양이 없는 목소리다. 무하마드가 흐린 눈으로 살람을 보았다.

"불특정 다수를 목표로 해라."

"예, 지도자님."

"자폭 테러로 바꿔라."

"예, 지도자님."

"너는 계속해서 IS의 얼굴에 똥칠을 했다. 가서 실추된 명예를 일으켜라."

그때 살람이 고개를 들고 무하마드를 보았다. 방에 양초를 켜놓았기 때문에 불꽃이 흔들렸고 살람의 땀에 젖어 번들거리는 얼굴이 드러났다.

"지도자님, 가겠습니다."

"알라 아크바르."

이제는 무하마드의 목소리에 억양이 들어갔다. 그러자 살람이 두 손으로 얼굴을 쓸고 나서 낮게 소리쳤다.

"알라 아크바르."

오전 8시.

바그다드가 오전 8시면 뉴욕은 밤 12시, 자정이다. 그러나 편집장 프랭크 이스트우드에게는 바쁜 시간이다. 프랭크는 맨해튼의 '골든 클럽'에서 세실의 전화를 받는다. 오늘은 공화당 의원들과 모임이 있다.

"그래, 자혜드 호텔 사건은 따로 기사를 내기로 하고."

프랭크가 술에 잠긴 목소리로 먼저 말했다.

"헌병 6명, 미국인 3명이 사망한 것도 빅뉴스야. 부시가 시달리겠어."

"그런데 프랭크, 지노 인터뷰 기사는 일면에 톱으로 내줄 건가요?"

세릴이 묻자 프랭크의 목소리가 또렷해졌다.

"그래. 그 자식이 후세인, 카밀라의 경호원이었다는 거 말했지?"

"했어요."

"굿. 오랜만에 로빈후드 같은 이야기로 써. 그 자식이 제 무용담 이야기 안 해?"

"했어요."

"당연히 했겠지. 절반은 과장이겠지만."

"그리고 이번 IS 놈들이 호텔을 기습했을 때 실제로 지노가 놈들을 잡는 걸 봤어요. 내 눈으로."

"잡았다구?"

"쏴 죽이더라구요."

"그것도 실감나게 써, 세릴."

"몸이 떨리더라구요. 내 눈앞에서 쏴 죽였어요. 그것도 10명도 넘게."

이것은 세릴이 과장했다. 세어보지는 않았지만 여러 명은 맞다. 그때 프랭크 가 짧게 웃었다.

"인터뷰 기사가 실감나겠구만. 그놈, 지노는 도살자야. 인간 백정이라구. 용병 은 대개 돼지 잡는 도축업자로 보면 돼."

"그건 그렇구, 프랭크."

"말해."

"지노가 지금 바그다드에 잡혀서 재판받고 있는 후세인은 대역 1호라네요. 그 증거를 댄다고 했어요."

"무슨 개소리야?"

"진짜 후세인은 유탄에 맞아 죽었고 그 무덤도 알고 있다네요."

"헛소리 말라고 해."

"무덤에서 시신을 꺼내 DNA 검사를 해보자고 했어요."

"후세인이 재판을 받아야 미국의 체면이 서, 세릴."

"프랭크, 내가 약속했어요."

"무슨 약속을 했다는 거야?"

"그것을 기사로 내겠다는 약속."

"지저스. 그놈이 제멋대로군."

이제는 프랭크가 또렷한 목소리로 말을 이었다.

"세릴, 어쨌든 인터뷰 기사 보내. 내가 알아서 반영할 테니까."

자헤드 호텔의 습격 사건을 계기로 바그다드는 다시 '비상상황'이 되었다.

오후 7시 이후부터 오전 7시까지 통금이 실시되었고 바그다드 주둔 전 병력이 동원되어서 테러단 색출에 돌입했다. 부대별로 담당 구역을 정해서 가택 수색을 시작한 것이다.

헌병을 포함한 미국인 9명이 죽은 대사건이다. 이번 습격으로 IS요원 42명, 민병대 24명, 민간인까지 1백 명 가까운 사상자가 난 것이다.

"IS가 대규모 보복을 한다는 정보가 있어."

CIA 바그다드 지부장 제임스가 지노에게 말했다. 이곳은 지부 사무실 근처의 물담배 가게 안. 둘은 나란히 앉아 물담배 증기를 빨아 마시는 중이다. 제임스가 말을 이었다.

"칸탐의 부하 후시딘한테서 바그다드에 와 있는 조직의 내막을 들었는데 이번 자헤드 호텔을 기습한 병력은 그 일부야."

제임스가 고개를 돌려 지노를 보았다.

"압둘 살람이 아직도 남아있어. 그놈이 그냥 떠나지는 않을 거야."

CIA는 후시딘한테서 들은 정보로 안가를 기습했지만 허탕을 쳤다. 그때 지노가 연기를 내뿜고 나서 말했다.

"무하마드가 가만있지 않을 거야. 압둘 살람보다 무하마드를 잡아야 돼."

"그놈 별명이 뭔지 아나? '밤에 다니는 뱀'이라구. 흔적을 남기지 않아."

"살모사에서 바뀌었군."

제임스의 얼굴에 쓴웃음이 떠올랐다.

"네가 이번에 세릴과의 인터뷰에서 지금 잡혀있는 후세인이 대역 1호라고 했다면서? 고위층에서도 긴장하고 있어."

"고위층도 내 말이 사실인 걸 알 텐데."

"그게 문제다."

정색한 제임스가 지노를 보았다.

"왜 자꾸 우리 정부를 건드리는 거냐? 네가 대역 1호의 사촌이라도 되는 거냐?"

"글쎄, 1호인 걸 뻔히 알면서 재판을 한다고 법석을 떠는 수작에 구역질이 나서 그런다. 후세인 각하는 이미 북부 산속에 묻혀 있어. 그 시신을 파내어서 제대로 장사지내게 해줘야 돼."

"갓."

어깨를 부풀렸다가 내린 제임스가 물뿌리를 입에서 거칠게 빼냈다.

"넌 저격도 안 해봤어? 기다리는 과정이 있어야 제대로 일이 된다는 거 몰라? 지금 후세인을 파내어서 어떻게 제대로 장사를 지낼 수 있단 말이냐?"

제임스의 목소리가 높아졌지만 물담배 가게 안에는 그들 둘뿐이다.

"그리고 후세인의 재판을 제대로 해야 미국의 이라크 침공에 대한 정당성이 선단 말이다. 다 알면서 정부에 대항하지 마."

맞는 말이지만 지노는 외면했다.

후세인의 용병으로서는 당연한 일이다. 허무하게 죽은 후세인에 대한 아쉬움에다 대역 1호가 후세인 대접을 받고 있다는 것도 마음에 들지 않는 것이다. 제임스는 오늘, 이 문제로 만나자고 한 것 같다. 그때 제임스가 말을 이었다.

"충고하는데, 지노, 입 닥치고 IS 테러단이나 잡아서 현상금이나 타먹어라."

제임스가 눈을 흘겼다.

"물론 넌 후세인 비자금 수억 불을 쥐고 있다는 소문도 났지만 말야."

"참."

지노가 옆에 놓인 검은색 비닐봉투를 제임스에게 내밀었다.

"이번에 받은 칸탐 현상금 중에서 네 몫으로 10만 불 가져왔어."

지노가 봉투를 제임스 발밑에 놓았다.

"CIA라고 땅 파면 돈 나오지도 않을 테니까 정보비로 써라. 난 수억 불짜리 자산가라 그런다."

"마이갓."

봉투를 집은 제임스가 심호흡을 했다. 정색한 얼굴이다.

"내가 이렇게 부담 없이 돈 받아먹는 경우는 이번이 처음인 것 같군."

버스가 멈췄을 때 안나가 고개를 들었다. 이곳은 시장 입구여서 언제나 차와 사람으로 혼잡하다.

"또 뭐야?"

옆에 앉은 메리가 짜증을 냈다.

오후 5시 반.

대사관에서 5시 정각에 출발한 통근버스가 퇴근한 직원들을 싣고 숙소로 가는 중이다. 안나가 밖을 내다보면서 말했다.

"차가 밀려있어."

"여긴 꼭 이러더라. 우리가 갈 때쯤 길 좀 비워놓지."

메리가 계속 불평을 늘어놓았다.

144

"아유, 위험수당도 좋지만 옮겨야겠어. 바레인이나 쿠웨이트로."

메리는 비자 담당 6급 직이다. 차 안에는 30여 명의 대사관 직원이 타고 있었는데 그중 절반이 여자다. 그때 안나는 이쪽으로 다가오는 여자를 보았다.

검은색 차도르를 걸쳐서 눈만 내놓은 여자. 체격은 큰 편이다. 창가 자리에 앉은 안나와 여자의 시선이 마주쳤다.

거리는 3미터가량. 눈이 마주친 상태로 여자는 곧장 다가온다. 버스는 아직도 멈춰 서 있다.

"아유, 지겨워."

옆쪽에서 메리의 목소리가 울렸다.

버스 옆으로 사람들이 오가고 있다. 그때 여자가 바짝 다가서더니 안나한테서 시선을 떼었다. 안나 바로 옆. 여자는 버스에 바짝 붙은 셈이다. 그 순간 여자의 몸이 쑥 들어갔다. 시야에서 사라진 것이다.

눈을 크게 떴던 안나가 아래쪽을 보았지만 보이지 않았다. 버스는 아직도 멈춰 서 있고 이제는 옆쪽으로 사람들이 가득 붙어 있다. 그 순간이다.

"번쩍!"

안나한테는 번쩍이는 섬광이 소리처럼 들렸다. 소리는 들리지 않는 대신 몸이 허공으로 치솟았고 눈앞에 하늘이 펼쳐졌다. 다음 순간 안나의 의식이 끊겼다.

지노는 대사관 버스 폭발 상황을 안가에서 연락받았다. 오후 6시경이다. 카터가 전화를 해온 것이다.

"자살 테러야. 버스 밑에서 폭발시켰어."

카터의 목소리는 격앙되어서 말끝이 떨렸다.

"이놈들이 통근버스를 노렸어. 대사관 직원 22명이 사망하고 14명이 중상이야."

"……"

"미국인 18명이 사망했다구! 그것도 그중 12명이 여직원이야!"

"……"

"IS가 복수한 건데, 이거 아무래도 우리가 대미지를 더 입은 것 같다."

카터는 지금 아르카디가 입은 상처를 말하고 있다. 민간인 22명 사망에 미국인이 18명. 그중 여자가 12명이다. 여론은 당장 책임 추궁에 들어갈 것이었고 그 타깃이 아르카디가 될 가능성이 높다. 아르카디가 IS 테러단을 자극한 것이다.

"선오브비치."

마침내 카터가 잇새로 말했다.

"지금 바그다드에 압둘 살람이 있어. 그놈부터 잡아야 돼, 지노."

"무하마드는 흔적이 없습니까?"

"북쪽에 있는 건 확실해."

카터가 말을 이었다.

"무하마드가 테러 전면전을 선포했다는 정보가 있어. 이건 시작이야, 지노."

"갓뎀."

지노는 심호흡을 했다. 누가 먼저 찾느냐로 승부가 난다. 이건 시가전이 아니다.

'바그다드 테러' 특보가 나오는 바람에 지노의 인터뷰 기사는 늦춰졌다.

세릴도 테러 보도로 바빴는데 사망한 여직원 숫자가 많았기 때문에 미국에서는 여론이 폭발했다. '테러에 대한 분노'가 아니다. '이런 상황을 만든 정부'에 대한 불만 여론이다. 그래서 편집장 프랭크는 테러가 일어난 지 만 하루 동안 두 번이나 전화를 걸어 세릴을 다그쳤다.

"무하마드의 잔인성을 부각시켜! 여직원들에게 초점을 맞추지 말란 말야! 무조건 정부 비판으로 몰고 가면 안 돼!"

"그걸 누가 모르나요?"

오후 7시 반.

후세인 호텔의 방에서 세릴이 투덜대었다.

"나도 있는 그대로 기사를 보냈다구요. 감정에 치우치지는 않았어."

"좋아. 지금부터는 여기서 좀 수정을 하지. 그런데."

프랭크의 목소리가 차분해졌다.

"지노 인터뷰 기사 말야. 그것으로 이번 사건을 덮을 수 있을 것 같다. 그래서 내일 특집으로 나간다."

"……"

"여기서 좀 손을 봤지만 네 명성에 엄청난 도움이 될 거야, 세릴."

그러더니 이쪽 대답도 듣지 않고 통화가 끊겼다.

무크람이 고개를 들고 지노를 보았다. 이곳은 알핫산 모스크 뒤쪽 시장의 향료 가게 안. 창고로 쓰이는 방이어서 향료 냄새가 짙다.

오후 3시.

라마단 기간이어서 이 시간의 시장은 북적거린다. 이곳은 무크람의 사촌 가게이다.

"이번 자살 테러를 한 여자는 전사(戰士) 아말의 처 샤나라고 합니다. 아말은 2년 전에 죽었고 6살짜리 아들이 작년에 시내에서 유탄을 맞고 죽어서 혼자 살고 있었지요."

"……"

"그러다가 살람의 자살특공대가 된 건데 악착같이 훈련을 받았다고 합니다."

147

그때 지노 옆에 앉아있던 마크가 끼어들었다.

"무크람, 제대로 된 정보를 줘. 소설 같은 소문만 전하지 말고."

"그게 무슨 말야?"

성이 난 무크람이 마크를 노려보았다. 털투성이 얼굴의 무크람은 바그다드 토박이다. 이라크 정보부대 상사 출신으로 CIA 현지 정보원이기도 하다. 37세. 지노를 두려워하지만 용병들은 대수롭지 않게 대한다.

"내가 제대로 된 정보를 안 준 거 있어?"

"칸탐을 잡았으니까 말 안 하려고 했는데."

마크가 무크람을 쏘아보았다.

"네가 말한 칸탐 안가는 비어 있었어. 우리가 수소문을 해서 칸탐이 숨은 병원을 찾은 것이라구."

"칸탐이 그곳에 묵었던 건 확실해. 일찍 옮겼을 뿐이지."

"그래서 네가 잘했단 말이냐?"

마크가 버럭 소리쳤다.

"이 자식은 끝까지 제가 잘했다고 하는구만."

"그만해라."

지노가 마크의 어깨를 손으로 눌렀고 막 입을 벌린 무크람을 눈짓으로 말렸다. 지노가 무크람에게 물었다.

"무크람, 살람이 또 자살 테러를 일으킨다는 소문이 있어. 어떠냐?"

"지노, 그 소문이 쫙 퍼졌어요."

무크람이 말을 이었다.

"IS의 인기가 이번 자살 테러로 솟아오르고 있다구요."

"살람이 바그다드에 있지?"

"매일 거처를 옮긴다는 소문입니다."

"당연히 그렇겠지. 하지만 한계가 있어. 다시 돌아오는 집도 있는 거야."

"그건 그렇습니다."

"바그다드에 정보원만 수천 명이야."

"하긴 아이들도 몇 불에 정보 장사를 하니까."

"무크람, 정보 장사를 해."

지노가 탁자 위에 묵직한 비닐봉투를 내려놓았다.

"현상금을 걸어. IS에 대한 모든 정보를 사란 말야. 5불짜리, 100불짜리, 1천 불짜리 정보를 다 사."

눈만 껌뻑이는 무크람에게 지노가 턱으로 비닐봉투를 가리켰다.

"5만 불 들었다. 그걸 현상금으로 써."

순간 숨을 들이켰던 무크람이 고개를 들었다.

"이건 아르카디에서 내놓은 현상금입니까?"

"아니, 우리가."

대답은 마크가 했다. 무크람을 흘겨본 마크가 말을 이었다.

"우리 대장이 내놓는 거야."

돌아가는 차 안에서 운전을 하던 마크가 고개를 돌려 옆에 앉은 지노에게 말했다.

"대장, 저놈이 현상금의 절반은 먹을 겁니다. 아니, 삼분의 이가 될지도……."

"……."

"고양이 앞에다 생선을 놓아준 꼴입니다, 대장."

"요즘 고양이는 날생선 안 먹더라. 인스턴트를 좋아해."

"농담할 기분 아닙니다. 저놈한테 돈 먹이는 게 아까워요. 더구나 대장 몫을 떼어주는 거 아닙니까?"

"놔둬라."

고개를 든 지노가 마크를 보았다.

"카터한테 부탁해서 민병대에서 7명쯤 지원을 받았어, 수색병 출신으로."

마크는 귀만 기울였고 지노가 말을 이었다.

"그놈들이 오늘부터 무크람을 감시할 거다."

"현상금 쓰는 걸 감시시킨 겁니까?"

그때 지노가 쓴웃음을 지었다.

"무크람이 현상금을 푼다는 소문이 금방 퍼지겠지. 그럼 어떻게 될 것 같으냐?"

그러자 잠깐 침묵했던 마크가 지노를 보았다.

"그렇군. IS의 정보원들이 달려들겠군요."

"아마 살람의 부하가 무크람을 처형하려고 접근해올지도 모른다."

"그렇다면……."

"그래서 내가 무크람에게 현상금을 준 거다. 5만 불은 미끼야."

"함정이군요."

마크가 커다랗게 고개를 끄덕였다.

"용병은 전투만 잘하면 되는 게 아니라고 어떤 놈이 말했습니다."

지노는 대답하지 않았다. 이건 배운 게 아니다. 살려는 본능이다.

다음 날 오전.

응접실로 서둘러 들어선 존이 지노 앞에 신문을 내려놓았다.

"대장, 뉴욕타임스요."

지노는 존의 손에 신문이 쥐어져 있는 것을 보고 짐작하고 있었다. 지노가 고개만 끄덕였기 때문에 입을 열었던 존이 주춤거리다가 몸을 돌려 응접실을

150

나갔다.

"용병의 영웅. 사담 후세인, 카밀라 후세인의 용병 지노 장."

이렇게 어린애 주먹만 한 타이틀이 먼저 '확' 눈에 띄었다. 신문 전면으로 2장. 펼치니까 그야말로 대문짝만 한 기사다.

"카밀라 후세인을 이라크에서 탈출시키다."

다음 타이틀이다. 이것은 글자가 엄지손톱만 했다.

그다음 타이틀.

"지노, 이어서 사담 후세인을 탈출시키다."

그리고 그 과정이 소설처럼 흥미진진하게 쓰여있다. 지노가 말한 내용에 살을 붙였는데 크게 과장한 것은 없다. 그러나 재미있다. 지노가 봐도 재미있으니 독자들은 '환장'할 것이다. 이어서.

"지노, 카밀라와 후세인을 데리고 다시 이라크 입국."

그리고는 국경을 돌파할 때의 이야기는 '소설'이다. 지노가 말하지 않았기 때문에 어설프게 쓰였지만 더 재미있다. 지노보다 '독자'들의 눈에 맞춰서 쓴 것이다. 그리고.

"카밀라 후세인의 죽음."

이 타이틀을 보면 눈을 뗄 수가 없을 것이다. 지노의 품에 안긴 카밀라가 마지막 숨을 거뒀다고 썼다. 그리고 대사까지 넣었다.

"사랑해요, 지노."

그다음에 지노의 대답이 '신문'에 쓰였는데 지노는 결국 고개를 돌려야만 했다.

"카밀라, 다음 생에서는 우리가 다른 땅에서 만나."

고개를 다시 돌린 지노가 끝 장면을 읽는다.

"안녕, 내 사랑 지노."

"안녕, 카밀라."

그리고 지노가 입을 맞췄다고 쓰였다. 그때 지노의 시선이 마지막 타이틀로 옮겨졌다.

"지노, IS의 무하마드를 잡아 처형하는 것이 용병 생(傭兵 生)의 마지막 임무다."

이 타이틀 밑에 다시 작은 타이틀.

"무하마드 살라이는 흉악범, 강간범, 변태성욕자, 알라를 이용해먹는 배신자, 무슬림의 수치다. 이 기생충을 격멸해야 된다."

지노가 이렇게 열변을 토했다고 썼다. 다른 사람이 이 기사만 읽더라도 심장이 벌떡거릴 만한 내용이다. 이러니 '순수한 무슬림'을 고집하고 금욕주의자이며 자존심이 엄청난 무하마드가 이 글을 읽는다면 혈압이 터져 죽을지도 모른다.

지노가 한동안 그 타이틀을 보면서 움직이지 않았다. 그 밑의 내용은 읽지도 않았다.

"비치."

신문을 내동댕이친 깁슨이 앞쪽에 앉은 카터를 보았다. 아르카디의 본부인 바그다드 호텔 안. 본부장 집무실에는 둘이 앉아있다.

"이년이 너무 심하게 쓴 거 아냐? 무하마드를 열 받게 하려는 의도는 알겠지만 지노가 이런 말을 할 리는 없잖아?"

"당연하지요. 의도적입니다."

카터가 이맛살을 찌푸렸다.

"너무 심합니다. IS 전체가 열 받게 생겼습니다."

"이건 우리 의도하고는 전혀 다른 양상이 되겠는데."

"칸탑까지 제거했기 때문에 무하마드는 지노를 제1의 목표로 삼은 셈인데 이젠 우리한테까지 불이 번질 것 같습니다."

"어쨌든 세릴 이년이 화근이군."

눈을 치켜떴던 깁슨이 카터를 보았다.

"이미 엎질러진 물이지만 가만있을 수는 없지. 세릴한테 연결해."

"여보세요."

깁슨의 목소리가 울렸을 때 세릴이 숨을 골랐다. 이곳은 호텔방 안. 세릴은 침대 끝에 앉아있다.

"난 그 기사 쓰지 않았어요, 깁슨 씨."

"그게 무슨 말야? 당신의 인터뷰 기사인데?"

수화기에서 깁슨의 목소리가 울렸다.

"세릴 워싱턴이 뉴욕타임스에 또 있단 말야?"

"왜 소리를 지르고 야단이에요?"

"지금 소리 안 지르게 되었어?"

"그러다가 혈압 터져요, 깁슨 씨."

"나 약 올리는 거야?"

"당신하고 싸울 시간 없어요."

"이게 무슨 수작이야? 지노가 무하마드한테 정말 그렇게 말한 거야?"

"글쎄, 그 기사는 본사에서 편집한 것이라구요. 그 개새끼들이."

이제는 세릴이 바락 소리쳤다.

"그래서 지금 편집장하고 대판 싸우고 난 참이라구요."

"본사에서 편집했어?"

깁슨의 목소리가 조금 가라앉더니 곧 혀 차는 소리가 났다.

"이봐, 세릴, 몸조심해."

"무슨 말이에요? 지금 나한테 공갈치는 거야?"

"무하마드를 조심하란 거야."

"……."

"지노 옆으로 무하마드를 끌어들이려다가 폭탄이 터졌어. 무하마드 놈이 미쳐 날뛸 거라구."

그래 놓고 전화가 끊겼기 때문에 세릴은 어깨를 늘어뜨렸다.

어쨌든 대특종은 했다. 용병 지노 장의 명성이 폭탄처럼 터졌다.

레오나르도 디카프리오? 가소롭다.

"꽝!"

엄청난 폭음과 함께 벽에 걸린 시계가 뚝 떨어지더니 숫자판이 부서졌다.

"이런."

놀란 지노가 고개를 들었을 때 밖에서 남녀의 외치는 소리가 났다. 폭발물이다. 이곳은 길에서 20미터쯤 떨어진 주택가다. 길에서 폭발물이 터진 것이다. 그때 응접실로 파하드가 서둘러 들어섰다.

"마스터, 지나던 택시가 폭발했습니다. 누가 수류탄을 던진 겁니다."

테러다. 파하드가 말을 이었다.

"안에 탄 셋이 즉사했습니다. 그중 둘이 미국인 같습니다."

"이런."

지노가 자리에서 일어섰다.

오후 2시.

뉴욕타임스 신문을 다 읽었지만 세릴에게 연락이나 조치를 할 생각은 하지 않았다. 이미 발사된 총탄이다. 흘러간 시간이나 같은 것이다. 뒤에서 투덜거리는 인간들은 한가한 족속이다.

"무하마드가 악에 받쳐있는 것 같습니다."

다가온 파하드가 말했다. 파하드도 신문을 읽은 것이다.

"아르카디가 무하마드를 내 주변으로 끌어들이려고 인터뷰를 주선한 건데 기대 이상이 되었다."

쓴웃음을 지은 지노가 파하드를 보았다.

"감시 철저히 해."

"그 세릴이라는 여기자, 제멋대로 지어낸 것 아닙니까? 카밀라 공주 이야기 같은 거 말입니다."

파하드가 말했지만 시선을 마주치지는 않았다. 파하드는 카밀라의 시신을 매장한 사람 중 하나다. 방에서 카밀라의 시신을 안고 있던 지노를 본 장본인이다. 자살한 카밀라를 총탄에 맞아 죽은 것으로 기사를 썼으니 기가 막힐밖에. 그때 지노가 외면한 채 말했다.

"놔둬라. 안젤리나 졸리가 연기하기 좋도록 썼을 거다."

그러나 다른 사람 같으면 웃었겠지만 파하드는 성을 냈다.

"그 기자 년이 당해야 합니다."

테러를 당해야 된다는 말이다. 지노의 얼굴에 쓴웃음이 떠올랐다. 세릴은 후세인의 죽음에 대해서 전혀 언급하지 않았다. 오히려 지금 감옥에 수감되어 있는 1호를 후세인으로 자연스럽게 언급하기까지 했다. 자신의 부탁은 완전히 무시되었다.

"또 터졌어."

피터 오말리가 소리쳐 말하고는 벌떡 일어섰다.

호텔의 뷔페식당 안. 피터는 점심을 먹다가 정보원의 연락을 받은 것이다. 자금이 넉넉한 CNN이어서 피터는 10명 가까운 경호원까지 거느리고 있다. 옆자리의 기자들이 모두 시선을 주었고 그중 하나가 물었다.

"어디야? 어떻게 터졌는데?"

그러나 피터는 대꾸하지 않고 뛰어나갔다. 그것을 본 기자 서너 명이 뒤를 따라 나갔다.

"저 병신은 신바람이 났군."

세릴 앞에 앉은 NBC 기자 뉴만이 투덜거렸다. 뉴만은 피터하고 앙숙이다. CNN을 쓰레기 취급하는 터라 거기서 출세하려고 날뛰는 피터가 가소롭기 짝이 없게 보이는 것이다. 뉴만이 잠자코 에그 프라이를 먹는 세릴에게 말했다.

"그거, 지노 인터뷰 말야……."

"그만해요, 뉴만."

세릴이 고개를 저으면서 말을 끊었다.

"무슨 말인지 아니까. 기사 나가고 그 이야기 수백 번 들었어요."

"내가 무슨 이야기 하려는지 알아?"

뉴만의 주름진 얼굴이 더 찌푸려졌다. 뉴만은 48세. 종군기자의 원로다. 아프리카, 중동을 비집고 다니면서 '올해의 특종상'을 5번이나 탔다. 3번이나 부상당했고 이혼도 3번이나 했다. 세릴이 뉴만의 시선을 맞받았다.

"카밀라하고 지노의 러브스토리 말이죠? 그래요, 그건 뉴욕에서 편집했어요. 나도 신문에서 읽고 소름이 돋았다구요."

"프랭크는 그쯤은 눈도 깜박 않고 만드는 인간이지. 그래서 별명이 악어야. 피부가 두꺼우면 부끄러운 줄 모르지."

"그 이야기는 그만합시다."

"난 다른 이야기야, 세릴."

물잔을 든 뉴만이 세릴을 보았다.

"지노와의 인터뷰, 무하마드를 자극하려고 만든 것이라는 확신이 들더구만."

"……."

"아르카디와 이라크 주둔군과의 작전, 거기에다 CIA도 협조는 했겠지."

한 모금 물을 삼킨 뉴만이 말을 이었다.

"세릴 워싱턴도 감을 잡았을 것이고."

"밥이나 먹어요, 뉴만."

"아마 지노쯤 되는 위인이면 몰랐을 리도 없었을 거야."

"……."

"인터뷰에서 무하마드를 씹으면 무하마드의 저격병, 테러단이 지노에게 몰려온다. 그때 함정을 파고 기다린다는 작전."

"소설 쓰지 맙시다."

"그런데 이번 기사는 도가 넘었어. 강간범, 변태성욕자는 죄수들한테도 대놓고 말하지 않는 거야. 그런데 뉴욕의 편집자들은 거침없이 지노의 입으로 그렇게 터뜨렸군."

"……."

"물론 세릴 워싱턴이 그랬을 리는 없고."

"……."

"그래서 말인데, 세릴."

식탁 위로 상반신을 기울인 뉴만이 세릴을 보았다. 눈이 흐려져서 죽은 생선의 눈 같다.

"세릴, 조심해. 내 생각 같아서는 오늘 중이라도 비행기를 타고 뉴욕으로 가. 캘리포니아로 가든지. 가서 한 달쯤 휴가를 다녀와."

"저놈입니다."

민병대원 자이락이 목소리를 낮추고 말했다. 이곳은 하자드 시장 안. 자이락이 가리킨 사내는 고기 가게 앞에 서서 주인과 이야기 중이다.

장신의 사내. 쑵 위에 낡은 양복저고리를 걸치고 손에 시장을 본 검은색 비닐 봉투를 쥐었다. 무크람의 정보원 하돈을 미행했던 놈이다. 무크람 주변에서 잠복하고 있던 민병대원 팀이 첫 성과를 올린 것이다.

"좋아, 잡자."

한동안 사내를 응시하던 존이 결정했다.

오후 5시 반.

7시에 통금이 시작되기 때문에 시장은 손님들로 북적였다. 서둘러 집에 돌아가려는 것이다.

"하돈을 미행한 저놈이 무크람 집을 보고 나서 시장에 온 겁니다. 통금에 막혀서 일단 집에 갔다가 내일 보고를 할 모양입니다."

자이락이 제멋대로 추리를 했지만 무크람 주변에서 감시하다가 첫 성과를 낸 셈이다. 자이락이 재빠르게 연락했기 때문에 존과 파하드가 놈이 집에 들어가기도 전에 꽁무니를 잡았다.

양고기를 산 아부타가 시장에서 한 블록 떨어진 주택가 입구로 들어섰다.

이곳은 빈민 주택가로 지난번 미군 공습의 피해를 입지 않았다. 그래서 오히려 후세인 시절보다 인구가 늘었는데 생활 수준은 더 피폐해졌다. 골목에서 북적대는 아이들은 거지 꼴이다.

아부타가 아이들을 헤치면서 골목을 돌아왔을 때는 6시 반경이다. 이미 주위는 어두워졌다. 통금 30분 전이었지만 이곳은 통행량이 많다. 민병대나 미군이 깊숙한 이곳까지 들어오는 경우가 드물기 때문이다.

"이봐."

뒤에서 부르는 소리에 아부타가 '흠칫'하더니 몸을 돌리려는 순간이다. 뒤통

수에 충격을 받은 아부타가 그 자리에서 허물어지듯이 주저앉았다. 주위에서 아이들 서너 명이 그것을 보았지만 눈만 말똥거릴 뿐이다.

존과 파하드가 아부타의 양쪽 팔을 어깨에 걸쳐 메고 골목을 나왔을 때도 아이들은 쳐다보기만 했을 뿐이다. 전쟁을 겪은 아이들은 눈앞에서 사람이 죽어도 놀라지 않는다.

"난 하마쉬한테 정보를 팔았습니다."

잡혀온 지 20분도 안 되어서 아부타가 술술 자백했다.

이곳은 바그다드 북서쪽 사원가. 폭파된 사원이 많았기 때문에 근처에 폐사원이 많다. 그러나 부랑자들도 폭파된 사원에서 기숙하지 않기 때문에 이곳도 비었다. 아부타가 말을 이었다.

"하마쉬는 양 시장 안의 사료 가게 주인이오. '하마쉬 가게'라고 하면 다 압니다."

앞에 선 존이 고개를 돌려 지노를 보았다. 무하마드의 정보원에게 한 걸음 다가섰는지는 하마쉬를 잡아봐야 안다. 지노가 고개를 끄덕였다.

"하마쉬를 잡아라."

오후 9시 반.

사료 가게 안채에서 오늘 사료 판 돈을 계산하던 하마쉬는 방문이 열리자 고개를 들었다. 그 순간 하마쉬가 입만 쩍 벌렸다. 사내 둘이 들어서고 있다. 둘 다 손에 권총을 쥐었는데 소음기를 끼었다.

"입 밖으로 말이 나오면 네 가족까지 다 몰살할 거다."

앞장선 사내가 총구를 하마쉬의 머리에 겨누면서 말했다. 가라앉은 목소리여서 더 소름이 끼친다. 집 안은 조용하다. 안쪽 방에 처와 23살, 20살짜리 딸이 있는데 그쪽도 조용하다. 그때 사내가 다가오더니 하마쉬의 이마에 총구를 붙였다.

"내가 묻는 말에만 대답해, 하마쉬."

"무슨 말입니까?"

하마쉬가 어깨를 늘어뜨리면서 물었다. 이미 예상하고 있는 것이다.

복도를 달려가는 피터를 보던 세릴이 마침 옆으로 다가온 뉴만에게 물었다.

"또 무슨 일이래요?"

오전 9시 반.

호텔 식당 앞 복도다. 뉴만이 다가와 쓴웃음을 지었다.

"또 정보원 연락을 받았겠지."

피터는 계단을 달려 내려가 보이지 않았다. 뉴만이 담배를 입에 물면서 말했다.

"저놈이 완전히 신바람이 났군."

어제 피터가 보낸 시내 택시 폭발 사건 보도는 CNN 뉴스로 생생하게 방영된 것이다. 타 방송사는 부서진 택시가 다 치워진 후에 도착했기 때문에 길거리만 비쳤는데 CNN은 시체까지 찍었다. 피터의 정보가 그만큼 빠른 것이다.

뉴만이 세릴의 위아래를 훑어보는 시늉을 했다.

"세릴, 좀 쉬라니까. 여기서 왜 얼쩡거리고 있는 거야?"

"걱정해줘서 고마워요, 뉴만."

세릴이 몸을 돌리면서 대답했다.

"생각 좀 해보구요."

"조나시, 몇 번째 가게야?"

피터가 묻자 조나시가 손으로 오른쪽을 가리켰다. 오른쪽은 생선 가게가 나란히 있다.

"두 번째 생선 가게요."

바그다드 서부시장 안.

오전 10시 반.

시장 안은 한산한 편이다. 지금 막 문을 여는 가게도 있고 왼쪽 빵 가게에는 사람들이 줄을 서 있다. 어수선한 분위기다. 그때 피터가 고개를 돌려 카미드와 호단을 보았다. 피터가 현지에서 고용한 민병대 출신 경호원이다.

"카미드, 네가 가봐."

"예, 피터 씨."

카미드가 AK-47을 고쳐 쥐더니 발을 떼었다. 피터 뒤에는 카메라맨 지미가 서 있고 호단은 뒤쪽을 경호하고 있다. 카미드의 등을 보면서 피터가 조나시에게 말했다.

"조나시, 이번 인터뷰가 성공하면 너한테 특별 보너스를 줄 거다."

"얼마 줄 겁니까?"

"2천 불."

"3천 불은 주셔야 합니다."

"글쎄, 2천 불이라고 진즉부터 말했지 않아? 갑자기 현장에 와서 올리면 어떻게 해?"

피터가 짜증을 내었을 때 생선 가게로 들어갔던 카미드가 손짓을 했다. 인터뷰 당사자인 한담이 가게 안에서 기다리고 있다는 표시다.

한담은 IS 요원으로 '포상금 5만 불', '미국으로의 이주'를 보장해준다면 인터뷰를 하겠다고 연락을 해온 것이다. 물론 정보원 조나시를 통해서다.

피터는 조나시의 제의를 듣고 본사와 수차례 협의를 한 후에 마침내 한담과의 인터뷰를 승인받은 것이다. 물론 바그다드 주재 미군 사령부에는 통보하지 않았다. 틀림없이 방해하고 가로챌 것이기 때문이다.

피터는 뒤에 카메라맨과 경호원을 이끌고 가게로 다가갔다. 정보원 조나시는 가족을 미군 측에 인질로 맡긴 상태인 것이다. 배신은 꿈도 못 꾼다.

50미터쯤 뒤쪽의 시장 입구에는 승합차 2대에 탄 경호원 넷이 대기하고 있다. 피터는 공명심에 충만한 사내지만 어설픈 사내는 아니다. 나름대로 대비를 하고 있다.

생선 가게 안으로 들어선 피터는 안에 서 있는 사내를 보았다. 주인은 마침 손님 하나와 흥정 중이다. 그때 안에 들어와 있던 카미드가 턱으로 사내를 가리켰다.

"한담, 맞습니다."

고개를 끄덕인 피터가 손을 내밀었다. 웃음 띤 얼굴이다.

"반갑소, 한담."

그때 손님과 거래를 끝낸 주인이 고개를 돌려 그들을 보았다. 가게 안에는 호단, 조나시, 카미드까지 여섯이 붙어 서 있다.

"뒷문으로 나가면 안채가 있어."

주인이 손으로 쪽문을 가리켰다.

"거기서 이야기해."

쪽문으로 한담, 카미드, 조나시, 피터, 지미, 호단의 순서로 안채에 들어섰다. 10평쯤 되는 정원이 있고 그 뒤쪽이 낡은 시멘트 저택이다.

앞장서 가던 한담이 고개를 돌려 피터를 보았다. 한담은 수염투성이의 장신이다. 마른 체격. 쑴 위에 낡은 양복저고리를 걸쳤고 두 눈이 번들거리고 있다.

"안으로 들어갑시다."

한담이 열린 저택 문을 가리켰다. 안은 검은 동굴 속 같다. 피터가 고개만 끄덕였고 카미드가 앞장서서 안으로 들어섰다.

"빈집이야?"

뒤를 따르면서 피터가 물은 순간이다.

"퍽, 퍽, 퍽."

둔탁한 발사음이 울렸고 막 집 안으로 들어서던 피터가 소스라쳐 몸을 돌렸다. 그때 피터는 저택 옆에서 나오는 사내들을 보았다.

세 명. 모두 손에 소음기가 낀 총을 들었다.

"퍽, 퍽."

다시 총성이 저택 안에서 울렸다. 눈의 초점을 잡은 피터의 시야에 땅바닥에 쓰러진 사내들을 보았다. 정보원 조나시, 호단이 쓰러져 있다. 안에 먼저 들어간 카미드도 당한 것 같다.

"피터가 납치되었어."

뉴만이 소리치듯 말했을 때는 오전 11시 40분.

세릴이 호텔을 나서려고 로비로 내려왔을 때다. 놀란 세릴이 눈만 크게 떴을 때 다가온 뉴만이 말을 이었다.

"IS 요원하고 인터뷰하기로 약속을 잡았다가 함정에 빠진 거야. 생선 가게로 들어갔는데 정보원하고 경호원 둘의 시체만 발견되었어."

주위에 기자들이 몰려 있었는데 그중 하나가 물었다.

"어디서 납치된 겁니까?"

"중부시장."

뉴만이 고개를 저으면서 쓴웃음을 지었다.

"피터의 경호원들이 신고했는데 생선 가게 주인 놈도 사라졌어. 그놈도 일당인 거야."

그렇다면 취재를 할 곳도 없다. 곧 군사령부에서 발표가 있겠지만 그것을 기다릴 바보들은 없다. 기자들이 순식간에 사라졌다. 그때 뉴만이 로비에 혼자 남은 세릴에게 물었다.

"기사 안 보내?"

"뉴욕은 오전 4시에요. 2시간쯤 후에 보내도 지금 보내는 것하고 마찬가지예요."

"과연 침착하군."

뉴만이 세릴의 팔을 끌고 커피숍으로 데려갔다. 순순히 따라가던 세릴이 팔을 흔들어 뉴만의 손을 털어내었다. 그러자 쓴웃음을 지은 뉴만이 안쪽 자리에 앉으면서 물었다.

"결벽증이야?"

"아뇨. 다른 사람의 호의가 익숙하지 못해서 그래요."

"정신과 의사가 그래?"

"성관계에는 이상이 없다고 하더군요."

다가온 종업원에게 커피를 시킨 뉴만이 이맛살을 모으고 세릴을 보았다.

"나도 정보원이 있어, 세릴."

"정보원 없는 기자가 있어요?"

"난 CIA에서 받아."

"퍽큐, CIA."

"IS가 곧 여기를 자살 테러로 부순다는 정보가 있어."

뉴만이 엄지를 굽혀 땅바닥을 가리켜 보였다.

"여기가 '붐' 하고 터지면 투숙한 기자 30~40명은 당하겠지."

"……."

"그러면 부시는 망하는 거야. 가뜩이나 이라크 전쟁 이미지가 나빠지고 있는 상황에 기자들이 몰살해봐."

"……."

"9.11 버금가는 대사건이야."

커피가 앞에 놓이는 동안 숨을 고르던 뉴만이 말을 이었다.

"그렇게 되면 다른 데다 대고 화풀이를 해서 국민 불만을 잠재울 방법도 없어, 카다피와 후세인을 다 잡았으니까."

"……."

"시리아의 아사드? 그랬다간 러시아하고 전쟁이야."

"그래서 어쨌다는 거죠?"

커피 잔을 든 세릴이 뉴만을 보았다.

"이 호텔에서 얼른 도망치자는 건가요?"

"이 호텔이 아니라 이라크를 떠나라는 거야, 세릴."

뉴만이 찌푸린 얼굴로 세릴을 보았다.

"네가 지노와 함께 IS의 타깃이 되었다는 말이야, 세릴 워싱턴."

"……."

"네가 떠나면 기자들의 생존 가능성이 50퍼센트는 높아질 거야."

"돈을 받아야겠는데."

한 모금 커피를 삼킨 세릴이 뉴만을 보았다.

"뉴만 당신이 말해서 기자들한테 돈을 거둬줘요. 내가 떠나는 대가로."

"지금 호텔 주변에 사복한 민병대 1개 중대가 깔려 있어."

뉴만이 말을 이었다.

"사령부와 아르카디, 그리고 CIA까지 너를 미끼로 삼아서 무하마드를 잡으려는 거야. 그리고."

한숨을 쉰 뉴만이 목소리를 낮췄다.

"사령부에서 기자들한테 은밀하게 이곳을 옮기라는 조언을 하고 있어. 나한 테도 말야, 세릴."

뉴만이 흐린 눈으로 세릴을 보았다.

"넌 그런 연락 못 받았지?"

"……"

"하긴, 낚시꾼이 미끼를 떼어낼 수는 없는 법이지."

그때 세릴이 자리에서 일어섰다.

"나, 방에서 좀 쉴게요."

압둘 살람이 방으로 들어온 쿠르카를 보았다.

오후 12시 15분.

이곳은 바그다드 서북부의 공장지대. 폭격으로 폐허가 된 데다 미군이 진 입한 후에 '핵'과 '화학무기'를 찾는다면서 온전한 건물도 다 폭파한 바람에 묘지처럼 변했다. 살람은 어제부터 이곳을 은신처로 삼고 있다. 그때 쿠르카가 말했다.

"지금 바그다드 사령부에서는 북부지역의 7사단에서 2개 연대 병력을 투입 해 피터의 수색을 강화했습니다. 시내 전역에 검문소를 세웠고 가택 수색을 하 고 있습니다."

앞에 선 쿠르카가 이마의 땀을 손등으로 닦았다. 쿠르카는 어깨에 대위 계급 장을 붙인 민병대 장교 차림이다. 실제로 민병대 대위인 것이다. 쿠르카가 말을 이었다.

"지금까지 실시한 비상 검문 조치 중에서 가장 강력한 단계입니다, 살람 님."

"그렇겠지."

살람의 얼굴에 웃음이 떠올랐다.

"지금 영상작업 중인데 오늘 중으로 끝난다. 그것이 배포되면 아마 후세인 테이프보다 더 폭발력이 있을 거다."

그때 옆에 서 있던 보좌관 가타드가 고개를 끄덕였다.

"이번 대사관 직원 버스 테러보다 10배는 더 충격적일 것입니다."

쿠르카가 부대로 돌아왔을 때는 오후 3시 반 무렵이다. 쿠르카가 지휘하는 민병대 중대는 시내 중심부의 2개 구역을 맡고 있었는데 주택가다. 살람의 은신처 한 곳도 이곳에 있다.

"중대장님, 동생분한테서 전화가 왔습니다."

부관 보이르 상사가 쿠르카에게 보고했다.

"1시간쯤 전인데 곧 다시 연락한다고 했습니다."

그때 전화벨이 울렸고 당번병이 전화기를 들었다.

쿠르카는 핸드폰이 있지만 사적 용도로 사용하지 않는다. 미군 사령부의 지시로 민병대는 장교를 불문하고 핸드폰의 사적 사용을 금지시킨 것이다. 정보유출을 방지하기 위해서다. 이틀에 한 번 핸드폰을 점검하는데 숨길 수가 없다. 칩을 분해하면 다 나온다.

동생 전화였고 쿠르카가 곧 전화기를 바꿔 쥐었다.

"나야, 형."

곧 수화기에서 동생 아말의 목소리가 울렸다. 보이르 상사나 당번병도 아말의 목소리에 익숙하다.

"응, 웬일이냐?"

"형, 어머니가 집에 올 때 양파 2킬로만 사 오라고 했어."

아말이 또 어머니의 시장 심부름 전화를 했다.

오후 7시 반.

쿠르카가 알핫산 모스크 옆쪽 골목으로 들어섰다. 통금이 된 골목은 인적이 없지만 쿠르카는 민병대다. 손에 시장에서 산 양파 자루를 들고 어깨에는 AK-47 을 멘 차림이다.

골목 왼쪽 두 번째 집 앞으로 다가간 쿠르카가 슬쩍 대문을 열었다. 나무문이 소리 없이 열렸다. 안은 집은 어둠에 덮여 있다. 빈집이다.

이곳은 쿠르카가 확보한 안가 중 하나. 이곳에서 정보원과 접선하는 것이다. 그리고 이곳에서 쿠르카의 집은 가깝다. 골목을 20미터쯤 더 갔다가 오른쪽으로 꺾어지면 세 번째 집이 쿠르카의 집이다.

그때 어둠 속에서 사내의 모습이 드러났다. 하마쉬일 것이다. 하마쉬가 아까 전화로 부른 것이다. 양파 2킬로는 2번째 안가에서 만나자는 암호다. 쿠르카가 다가서며 물었다.

"그래, 무슨 일이냐?"

그 순간 하마쉬 뒤에서 두 사내가 나타났다. 놀란 쿠르카가 양파 봉투를 떨어뜨리고 어깨에 멘 AK-47을 잡았지만 늦었다.

"퍽!"

둔탁한 발사음과 함께 쿠르카는 어깨에 충격을 받고 뒤로 벌떡 넘어졌다.

"윽, 하마쉬."

땅바닥에 넘어진 쿠르카가 신음처럼 말을 뱉었을 때 발길질이 날아와 턱을 찼다.

잠시 후, 집 안.

불을 밝힌 거실로 끌려 들어간 쿠르카는 숨을 들이켰다. 골목 안쪽의 본가에 있어야 할 가족이 모두 구석에 모여 있는 것이다. 어머니, 처, 그리고 12살, 8

살, 5살짜리 자식들도. 다섯 명이 모두 팔을 뒤로 묶인 채 입에 테이프가 붙여져 있다.

그것을 본 쿠르카의 눈이 뒤집혔다. 어깨에 총을 맞아 지금도 피가 흘러나오지만 뒤로 묶인 팔을 풀려고 몸부림을 쳤다. 그것을 본 세 자식이 입이 막혀 소리는 못 내고 눈물만 줄줄 흘렸다.

어머니는 연신 허리를 굽혔다 펴면서 웅얼거리고 있다. 살려달라고 하는 시늉이다. 넋이 나간 쿠르카의 처는 흐린 눈으로 우두커니 앉아있을 뿐이다. 그때 쿠르카를 방바닥에 넘어뜨려 앉히면서 마크가 말했다. 마크는 팔의 파편 찰과상이 다 나았다.

"이 개자식아, IS에 충성하고 네 처자식 부모를 다 죽여라. 자, 하나씩 죽여주마."

4장 이라크 침공의 진실

"끝났습니다."

보좌관 가타드가 말하고는 테이프를 영사기에 넣었다. 공장의 지하실 안. 안에는 살람과 가타드, 그리고 편집 작업을 한 부하들까지 들어와 있다. 부하 하나가 앞쪽의 양초 불을 껐기 때문에 하나만 뒤쪽에 남았다. 방 안이 어두워진 것이다.

그때 가타드가 버튼을 누르자 앞쪽의 흰 커튼에 화면이 비쳤다. 선명하다. 앞아있는 피터 오말리의 상반신이 드러났다. 일그러진 얼굴. 그때 피터가 입을 열었다.

"나는 CNN 바그다드 특파원 피터 오말리입니다."

피터가 부릅뜬 눈으로 화면을 응시했다.

"나는 침략자 미국의 죄상을 전 세계에 고발하려고 합니다. 나는 이것이 내 본의이며 강압에 의한 것이 아님을 먼저 설명드립니다."

피터의 목소리가 시멘트 벽에 부딪쳐 울림 소리가 커졌다.

"미국은 9.11 테러에 대한 미국인의 분노와 관심을 돌리려고 이라크를 침공했습니다. 그리고 무슬림을 적으로 규정하는 무차별 학살을 감행했습니다."

피터의 눈이 치켜떠졌고 목소리가 더 커졌다.

"그동안 미군은 수만 명의 무고한 무슬림 민간인을 학살했으며 그것을 은폐했습니다. CNN 특파원인 나는 그 현장을 수십 번 목격했으나 당국의 탄압에 보도하지 못했습니다. 항복한 이라크 군인 대부분은 처형하고 소각시켰으며 그 숫자는 15만 명이 넘습니다."

그때 살람이 손짓을 했기 때문에 부하 하나가 버튼을 눌러 화면이 정지 상태가 되었다. 살람이 편집 책임자에게 물었다.

"저거 수정할 수 있지?"

"어떤 것 말씀입니까?"

"15만 명 말야. 너무 많아."

"예, 그럼 몇 명으로?"

"5만 명으로 해."

"알겠습니다. 다시 녹음하지요."

고개를 끄덕인 살람이 다시 화면을 보자 부하가 시작 버튼을 눌렀다. 피터의 목소리가 울렸다.

"이것은 모두 미국 대통령 부시의 지시입니다. 나는 부시가 직접 지시하는 것을 들은 사람입니다."

핸드폰이 진동했기 때문에 지노가 화면을 보았다. 세릴 워싱턴이다.

뉴욕타임스 인터뷰 기사가 나온 후로 나흘이 지났다. 그러나 지노는 연락하지 않았고 세릴은 모른 척했다. 항의나 사과, 둘 다 무시한 것이나 같다. 그동안 테러, 피터 오말리 납치 사건 등이 연달아서 터졌기 때문에 그럴 여유가 없었기도 했다.

오후 9시 40분.

늦은 시간이다. 지노가 핸드폰을 귀에 붙였다.

"무슨 일이야?"

"역시 감정을 속이지 못하는군요, 지노 씨."

세릴의 목소리는 가라앉아 있다. 그때 지노가 옆에 붙어 선 파하드에게 손짓으로 가만있으라는 시늉을 했다. 지금 지노는 공단 안의 폐허가 된 공장 담장에 붙어 서 있다. 그때 지노가 낮게 말했다.

"지금 말장난할 상황이 아냐. 용건을 말해, 세릴 씨."

"이 말은 해줘야 할 것 같아서."

"빨리 말해."

"인터뷰 끝마무리는 내가 쓴 게 아냐. 편집장 프랭크가 직접 쓴 것 같아."

"어쨌든 됐다, 너나 그놈이나 같은 부류니까."

"카밀라하고 당신 이야기, 그것도 내가 쓴 것이 아니지만 잘 썼다는 생각이 들어."

"……."

"읽으면서 몸이 좀 오글거렸지만 사실과 비슷할 것 같아서."

"……."

"그것이 죽은 카밀라에 대한 마지막 서비스 같다고 생각해."

"……."

"사람들에게 아름답고 가슴 아픈 기억, 좋은 기억으로 새겨지게 했으니까."

"이만 끊는다."

"미안해, 지노 씨."

그때 핸드폰의 전원을 끈 지노가 파하드를 보았다.

"5분 전이라고 연락해."

3사단장 로니 캐슬 소장이 전화기를 귀에 붙이고 응답했다.

"예, 로니올시다."

오후 9시 50분.

172

뉴욕은 오후 1시 50분이다. 그때 합참의장 존 크리스토퍼의 목소리가 울렸다.

"이봐, 로니, 피터는 어떻게 되었나?"

"예, 수색 중입니다."

로니가 바로 대답했다.

"바그다드 전체를 가택 수색하고 있습니다, 장군."

"얼마나 걸리는데?"

"예, 다 하려면 약 20일 정도……."

"선오브비치. 그때면 내가 예편했을 때다."

마침내 존이 고래고래 소리쳤다.

"그리고 그전에 너는 아이오와의 보충대장으로 가 있을 것이고. 넌 잘해야 소장으로 예편이야."

벽에 붙어 선 지노가 송신기에 대고 말했다.

"1분 후에 진입이다."

지노는 헬멧에 장착된 송수신기로 통신 중이다.

"준비 됐나?"

확인하듯 묻자 곧 존의 목소리가 귀에 낀 리시버에서 울렸다.

"1번 완료."

지금 존은 공장 왼쪽 담장에 붙어 서 있다. 바로 마크의 목소리가 이어졌다.

"2번 완료."

마크는 공장 후문의 담장에 올라와 있다. 높이가 2미터 30쯤 되는 시멘트 담장이다. 그러나 옆 건물이 무너져서 지붕 일부가 걸쳐진 부분이다.

"3번 완료."

카일의 목소리. 카일은 오른쪽 공장의 지붕에서 MP-5를 거치대에 거치해놓고 엎드려 있다. 오른쪽 전체를 맡은 셈인데 거리는 125미터.

공장의 오른쪽은 마당이다. 넓이가 사방 70미터 면적인데 마당에서 담장까지는 60미터 정도. 마당 아래쪽이 정문이어서 건물에서 나오면 모두 카일의 타깃이 된다. 그때 마지막으로 파하드의 목소리가 울렸다.

"4번 완료."

파하드는 담장 모퉁이에 있다. 왼쪽은 옆 건물과 붙어서 옆 건물 담장을 넘어갈 작정이다. 그때 손목의 전광시계를 본 지노가 시간을 보았다.

1분에 맞춰진 시간이 35초를 찍었다.

34초, 33초,…….

이곳은 살람이 은신하고 있는 공장이다. 오후에 쿠르카가 살람을 만나러 왔던 그 공장이다.

29초, 28초……

"다시 해."

가타드가 소리치자 피터는 손등으로 이마의 땀을 닦았다.

지금 15만 명을 5만 명으로 고쳐 말하는 부분을 세 번째 다시 찍고 있다. 피터가 더듬거나 5만을 다시 15만이라고 말했기 때문이다. 정신이 흐려진 것이다. 땀을 쉴 새 없이 흘리면서 초점이 없는 눈으로 자꾸 둘러보고 있다.

"이 개자식아, 이 자리에서 죽고 싶어?"

가타드가 버럭 소리쳤을 때 피터가 고개를 들었다.

"끝나고 날 죽일 거지?"

"말 안 들으면 죽일 거다."

가타드가 바로 말을 받았다.

"살려면 시키는 대로 해."

그때 피터가 고개를 저었다.

"해도 죽일 바에는 그냥 죽여라."

"이런."

화가 난 가타드가 벽에 세워놓은 AK-47을 집어 들었다.

"그래, 죽여줄까?"

총구를 겨누면서 소리치자 피터가 흐린 눈으로 가타드를 보았다.

"얀마, 나 해병 출신이야."

"뭐라구?"

"개 같은 무슬림 놈들. 너희들은 돼지다."

돼지는 무슬림들에게 최악의 욕이다. 무슬림은 돼지를 천하고 더러운 짐승으로 취급해서 먹지도 않는다.

그 순간 가타드가 총을 겨눴지만 방아쇠는 당기지 못했다. 살람의 허락 정도가 아니다. 무하마드의 승인이 있어야 피터를 죽일 수 있는 것이다. 피터 오말리는 '장군 급' 포로 정도가 아니다. 그 이상이다. 지금 미국은 물론 세계 언론이 야단법석, 난리가 난 상황이다.

그때 피터가 벌떡 자리에서 일어섰다.

"자, 죽여라! 이놈들아!"

인적이 없다.

카일이 야간용 적외선 스코프에 눈을 붙인 채 건물을 훑어보고 있다. 조금 전 4명이 동시에 저택으로 진입했다. 이곳은 낮에 쿠르카가 살람을 만난 곳이다. 12시간도 지나지 않았기 때문에 이동했을 가능성은 적다.

그때 스코프에 건물 측면으로 다가가는 지노의 모습이 보였다. 그 위쪽 50

미터 지점에 존이, 모퉁이에 마크의 모습이 드러났다. 파하드는 아직 보이지 않는다.

"이런, 젠장."

조금 불안해진 카일이 입속말로 투덜거렸다. 살람의 주변에는 경호대를 포함해서 일행 10여 명이 몰려다닌다고 했다. 그런데 외곽 경비도 세워놓지 않았다는 말인가?

밤바람이 불어와 카일의 드러난 피부를 스치고 지나갔다.

"이런 개자식."

당황한 가타드가 다가가 총구를 피터의 배에 찔렀다. 촬영장 안에는 촬영 기사와 경비원까지 넷이 둘러서 있었지만 피터에게 손찌검을 할 서열이 아니다.

그때다. 피터가 몸을 틀더니 옆에 선 경비병의 총신을 움켜쥐고 추켜올렸다. 빼앗으려는 동작이다. 가타드의 총구에 배를 찔린 상태에서 몸부림을 친 것이다.

"아앗!"

놀란 경비원이 총을 빼앗기지 않으려고 와락 총신을 잡아당겼다. 그 순간이다.

"타타탕!"

위로 추켜올린 상태에서 총탄이 천장을 향해 발사되었다.

총성이 울렸을 때 지노는 막 공장 안으로 진입한 상태였다. 밤하늘에 울린 총성은 컸다. 공장 문은 절반쯤 떨어져 있었는데 총성은 밖에서 울렸다.

놀란 지노가 벽에 몸을 붙이고는 밖을 보았다. 뒤쪽이다. 공장 안은 짙은 어둠에 덮인 데다 인적이 없다. 그래서 총성이 더 기괴하게 들렸다. 그때 헬멧의 리시버에서 카일의 목소리가 울렸다.

"대장! 오른쪽입니다. 오른쪽 건물!"

숨을 들이켠 지노가 물었다.

"보이느냐?"

"총성이 일어나자 마당으로 뛰어가는 놈들이 보였습니다!"

카일의 다급한 목소리가 이어졌다.

"오른쪽 두 번째 건물입니다! 안으로 더 들어가야 합니다."

지노가 밖으로 뛰어나왔다. 나머지 대원들도 카일의 목소리를 다 들었을 것이다.

"정문 앞으로 집합!"

이제는 거침없이 마당을 뛰어 건너면서 지노가 말했다.

쿠르카는 분명히 도로 왼쪽 두 번째 공장이라고 했다. 이놈이 일부러 다른 곳을 알려준 것인가? 아니면 이쪽에서의 착오인가? 그런데 무슨 총성인가?

"무슨 일이냐?"

방으로 들어선 가타드에게 살람이 소리쳐 물었다. 이곳에서도 총성이 다 들렸기 때문이다.

"피터가 날뛰는 바람에 오발사고가 일어났습니다."

가타드가 사연을 설명했을 때 살람이 어깨를 부풀렸다.

"그놈이 우리가 쉽게 처형하지 못할 것이라고 생각한 거다."

"지금 묶어놓았습니다. 어떻게 할까요?"

가타드의 시선을 받은 살람이 되물었다.

"수정은 했나?"

"집중을 못 하는 바람에 다시 해야 됩니다."

"그렇다면 15만 명으로 하지. 처음에 만든 것으로 그냥 밀고 나가자."

살람이 번들거리는 눈으로 가타드를 보았다.

"그놈은 쓸모가 많아, 인질로 잡고 있으면 놈들이 쉽게 폭격도 못 할 테니까."

살람의 말이 이어졌다.

"무하마드 님이 곧 지시하실 거다."

"우리가 잘못 알았다."

골목 안 공장을 보면서 지노가 고개를 끄덕이며 말했다.

"이곳이 큰길 오른쪽에서 두 번째 공장인데 우리는 안으로 들어와서 오른쪽 두 번째를 찾았던 거다."

그렇다. 더 깊숙한 위치의 공장일 것이라는 선입견 때문이다.

앞쪽 공장은 길에서 바로 오른쪽 두 번째다. 공장은 벽 한쪽만 무너졌을 뿐 멀쩡하다. 단층 벽돌 건물인 것도 조금 전의 공장과 같았기 때문에 착오를 일으켰다. 지노가 둘러선 넷에게 말했다.

"총성까지 울렸으니까 안에서 문제가 생겼어. 어쨌든 서둘러야겠다. 지원군은 필요 없어."

어둠 속에서 지노의 두 눈이 번들거렸다.

무슨 일이 있더라도, 그리고 어떤 조건하에서도 결행하는 것이다.

마당 경비조장 오사마가 고개를 들고 하늘을 보았다. 별자리도 보이지 않는 흐린 날씨다.

이런 날씨에는 무릎 관절이 부서질 것처럼 아프다. 9년 전, 이란과의 전쟁 때 파편이 박힌 무릎 때문이다. 무릎이 아프면 틀림없이 날씨가 흐려진다. 비가 드문 땅이지만 흐린 날의 일기예보는 오사마가 해왔다. 오늘 밤이 그렇다.

"젠장, 이젠 시장도 나갈 수가 없게 되었는데 내일 또 옮기라니."

옆에 선 하심이 투덜거렸다.

"민병대 신분증에 심을 박아 놓았다는 말 들었지?"

"그만 투덜거려, 이 자식아."

오사마가 같은 모술 출신인 하심을 달랬다. 하심은 27세. 오사마보다 12년이나 연하다. 오사마가 신음을 뱉으면서 벽에 붙인 의자에 앉았다.

"하심, 뒤쪽으로 가서 마구로한테 내가 30분쯤 후에 간다고 전해."

"알았어. 그래 놓고 안 갈 거지?"

"잔소리 말고, 이놈아."

"이렇게 흐린 날에는 조장이 움직이기 싫어한다는 걸 다 알고 있어."

"내가 진짜 간다고 해."

오사마가 목소리를 높였다가 주위를 둘러보았다.

깊은 밤. 12시 가깝게 되었다.

"바깥 경비가 모두 4명, 건물의 출입구는 앞뒤 2개다."

지노가 둘러선 넷에게 말했다.

"먼저 경비를 처치하고 은밀히 침투한다."

경비를 잡아 내부 구조나 병력을 알아내기에는 시간이 촉박하다. 허리를 편 지노가 파하드를 보았다.

"파하드, 너는 정문을 맡아라. 나오는 놈은 네 몫이다."

그러면 넷이 후문으로 침투한다는 말이다.

건물을 돌아 뒷마당까지 가는 데는 5분쯤 걸렸다.

본래 농업용 트랙터를 생산하던 공장이어서 공장 건물 면적이 직사각형으로 가로세로가 각각 250미터, 60~70미터 정도나 되었기 때문이다. 단층 건물에는 사무실, 창고, 직원 숙소까지 붙어 있는 데다 군데군데 트랙터 잔해가 놓여 있어서 피해 가야 했다.

하심이 겨우 뒷마당으로 나와 마구로의 초소로 다가갔다. 마구로의 초소는 뒷마당 왼쪽 물탱크 옆이다. 어둠 속에서 마구로와 또 하나의 상반신이 보였기 때문에 하심이 거침없이 다가가면서 말했다.

"마구로, 나다, 오사마야."

장난을 친 것이다. 오사마 목소리를 뻔히 아는 터라 마구로는 웃지도 않을 것이다.

2미터 거리로 다가간 하심이 뭔가 이상하다는 느낌을 받았다. 마구로가 고개를 돌리지 않았기 때문이다. 그래서 걸음이 주춤해진 순간이다. 뒷머리를 강타당한 하심이 앞으로 엎어졌다. 그러나 재빠르게 뒤쪽에서 안았기 때문에 몸이 쓰러지는 소리는 나지 않았다.

"자, 대기."

지노가 MP-5를 고쳐 쥐면서 말했다.

"여기까지는 잘됐어. 파하드가 남았다."

뒤쪽의 경비병 둘에다 방금 하심까지 처리한 것이다. 이제 건물 후문으로 진입하면 된다. 그때 모두의 리시버에 파하드의 목소리가 울렸다.

"처리했습니다."

정문 현관 근처에 앉아있던 오사마를 처리한 것이다.

후문은 철문이다.

닫혀 있었기 때문에 지노는 창틀을 타고 올라가 부서진 위쪽 유리창 가에 붙어 섰다. 헬멧에 부착된 적외선 감시경에 안쪽의 붉은 물체가 드러났다.

셋. 넓은 공장 안쪽에 둘이 마주 보고 앉았고 하나는 10미터쯤 뒤쪽 트랙터 옆에 서 있다. 어둠 속에서 불도 켜지 않고 둘은 뭔가를 먹고 있는 것이다.

지노는 주위를 둘러보았다.

50미터쯤 오른쪽에 사무실처럼 보이는 건물이 있다. 유리창이 있는 제법 온전한 건물. 건물 안의 건물이다. 지노가 다시 창틀에서 내려와 존과 마크에게 말했다.

"안에 셋이 있다. 우리가 창가에서 놈들을 쏠 테니까 너희들은 후문 앞에서 대기해."

지노의 시선이 뒤쪽 카일에게 옮겨졌다.

"카일, 넌 창가에서 엄호하고 맨 나중에 들어오도록."

셋이 고개를 끄덕였고 지노가 다시 창틀을 타고 위로 올랐다. 카일이 뒤를 따라 오른다.

이쪽 공장의 창은 지상 3미터쯤의 높이에 만들어진 구조다. 유리창 대부분이 깨져 있었기 때문에 깨진 곳을 통해 안으로 들어갈 수 있기는 했다.

MP-5 총신에 소음기를 붙였기 때문에 총신이 길어졌다. 둘과의 거리는 45미터. 트랙터 옆에 선 사내는 56미터. 그놈은 카일이 맡기로 했다.

지노와 카일이 창틀에 발끝만 붙인 채 깨어진 창문에서 안을 겨누고 있다. 제각기 한 손으로 창틀을 잡았기 때문에 총이 창에 걸쳐졌지만 한 손으로 겨누고 쏴야 한다.

카일은 지노 왼쪽 2미터 거리다. 그래서 지노가 송신기의 마이크에 대고 속삭였다.

"내가 카운트를 한다."

그 소리를 비스듬한 아래쪽 후문 옆의 벽에 붙어 선 존과 마크, 그리고 정문 근처의 파사드까지 다 들었다.

"자, 셋, 둘, 하나."

카운트가 끝난 순간 지노와 카일의 총구에서 둔탁한 발사음이 울렸다.

"턱, 턱, 턱."

이런 소리다. 지노가 2발, 카일이 1발을 쏘았다. 오늘은 카일도 MP-5를 휴대하고 있는 것이다. 그 순간 지노는 둘 중 왼쪽 사내가 벌떡 일어서는 것을 보았다. 못 맞혔나?

"턱, 턱."

다음 순간 옆쪽 카일의 총구에서 발사음이 울리더니 사내가 주저앉았다. 그러더니 움직이지 않았다. 셋 다 맞힌 것이다. 그중 둘을 카일이 맞혔다.

지노가 부서진 유리창 안으로 상반신을 밀어 넣으면서 카일을 보았다.

"뒤를 맡아."

"예, 대장."

카일이 대답하더니 곧 대원들에게 연락했다.

"대장이 안으로 진입한다. 대기."

창틀에 매달린 채 카일이 건물 안을 둘러보면서 다시 중계했다.

"대장이 안으로 내려갔다. 지금 문 쪽으로 다가간다."

카일의 속삭이는 목소리가 이어진다.

"안에서 이상한 기척은 없다. 대장이 문 앞에 다 왔다."

기지개를 켠 살람이 의자에서 일어나 침대로 다가갔다. 사무실 구석에 판자를 깔고 위에 낡은 양탄자를 덮은 침대다. 신발을 벗은 살람이 막 누웠을 때다.

밖에서 무언가 떨어지는 소리가 났기 때문에 살람이 고개를 들었다.

이곳은 공장 안쪽의 사무실 건물이다. 밖은 거대한 공장이지만 다 부서져서 고철이 된 트랙터가 죽은 공룡의 뼈처럼 산재해 있을 뿐이다. 부서진 건물 한쪽이 저절로 무너진 것 같다.

잠깐 귀를 기울였던 살람이 몸을 일으켰다. 옆쪽 벽에 기대 세워놓은 AK-47을 집어 들고 다시 침대로 돌아왔을 때다. 갑자기 문이 열렸기 때문에 살람은 고개를 들었다.

폐공장 문의 잠금장치가 성할 리가 없다. 문은 그냥 열리고 닫힌다. 그 순간 살람의 입이 딱 벌어졌다. 헬멧을 쓴 미군. 그렇다. 저런 헬멧은 미군만 쓴다. 민병대에도 나눠주지 않는다.

불을 끈 방은 어두웠지만 살람의 눈은 어둠에 익숙해져 있다. 살람이 총을 겨누었고 미군의 총구도 옮겨졌다.

"타타탕."

"턱턱턱."

발사음은 거의 동시에 울렸고 둘의 몸도 동시에 뒤로 넘어졌다.

"대장!"

지노의 뒤를 따라 들어온 마크가 낮게 소리쳤다. 총성과 함께 지노가 쓰러졌기 때문이다. 그때 지노가 몸을 굴리면서 말했다.

"방탄조끼에 맞았다."

그때 공장 안에서 총성이 터졌다. 놀란 마크가 몸을 돌렸다.

총격전.

IS 요원 하나가 존을 겨냥하고 쏘았지만 빗나갔다.

"퍼퍼퍽, 퍽퍽."

존의 응사 소리. 그때 다시 총성. 요란한 총성은 IS 대원이다.

"마크! 네 4시 방향!"

리시버에서 울리는 카일의 외침. 카일은 저격수답게 공장 안 철제 빔 위에 엎드려서 사방을 내려다보고 있다. 공장 안은 총성이 요란했다. 3, 4정. 대원들이 자다가 깨어난 것이다.

"마크! 잡았다!"

눈에 낀 식별장치 덕분에 이쪽은 적보다 월등하게 유리하다. 카일이 마크가 쏜 적이 엄폐물 뒤로 넘겨졌다는 것까지 확인해주었다.

"타타타탕."

다시 총성이 울렸을 때 이번에는 카일이 쏘았다. 위에서 내려다본 거리는 72미터.

"퍽, 퍽, 퍽, 퍽."

4발의 총탄을 다 맞은 IS 대원이 사지를 흔들면서 소리쳤다. 그 순간 공장 안의 총성이 뚝 그쳤다. 그때 지노가 점검했다.

"점검, 1번!"

"예, 이상 없음. 2명 사살!"

"2번!"

그때 마크의 목소리.

"이상 없음. 1명 사살!"

"3번!"

카일이 대답했다.

"4명 사살!"

"4번!"

정문 앞에 매복한 파하드다.

"1명 사살!"

그러자 지노가 말했다.

"내가 2명. 그중에 살람이 포함되었다."

"현재까지 14명입니까? 외곽 경비 4명 포함해서 말입니다."

계산이 빠른 마크가 말했을 때 지노가 대답했다.

"자, 피터 수색이다. 아마 방에 경비병과 함께 갇혀 있을 거다."

파하드까지 포함한 5명이 공장을 수색했고 10분쯤 후에 안쪽 창고 문을 발로 차서 연 마크가 소리쳤다.

"있다!"

모두 마크가 소리친 쪽으로 달려갔다. 공장 구석 쪽 창고다. 창고가 공장 안에 수십 개 있었기 때문에 일일이 문을 걷어차고 수색한 것이다.

피터는 어둠 속에서 바닥에 사지를 묶인 채로 꿈틀거리고 있었다. 입에 테이프를 붙여 놓아서 소리도 지르지 못했다.

"살았습니다!"

마크가 피터의 입에서 테이프를 떼면서 소리쳤다. 그때 피터가 소리쳤다.

"아이고! 고맙습니다!"

피터의 첫 말이다.

피터 오말리의 극적 구출, 그리고 IS의 테러단 단장 압둘 살람의 사살.

이것으로 지노의 명성이 대폭발을 일으켰다. 뉴욕타임스의 대문짝만 한 인터뷰가 나온 지 1주일도 안 되었을 때다.

지노는 피터 구출에 대한 상황 설명을 아르카디의 대변인 격인 카터에게 맡겼지만 그것이 오히려 인기를 더 증폭시켰다.

각 언론 매체는 지노에 대해서 별놈의 대명사를 다 붙였는데, '용병의 전설' '히어로' '용병의 신' '서승사사' 등은 보통이고 지노의 공적을 엄청나게 과장까지 했다.

지노가 언론을 기피하고 잠적하는 바람에 신바람이 더 난 인물이 있다. 누구냐? 피터 오말리다.

피터는 납치되었다가 지노에 의해서 풀려난 후에 하룻밤을 병원에서 그냥 넘겼다. 그러나 그다음 날부터 CNN에 제가 인터뷰 대상으로 등장하더니 온갖 언론 매체에 모습을 드러내었다. 피터가 내뿜은 '빅 타이틀'은 대충 다음과 같다.

"나는 납치되어 온갖 고문을 받았다. 그러나 죽기를 각오하고 버텼다."

"나는 방송기자지만 조국을 위해서는 지조를 지킨다."

"IS는 나에게 조국을 비난하는 성명을 발표하면 석방해준다고 했다. 그러나 나는 거부했다. 왜냐하면 내 조국을 배신할 수 없었기 때문이다."

피터 오말리도 영웅이 되었다.

며칠 시간이 지난 후에도 지노 대신 피티의 인기가 하늘로 치솟았다. 피터는 꿈에 그리던 CNN 본사의 9시 뉴스 앵커 자리에 임명되었고 다음 주에 금의환향하게 된 것이다.

"돈 받아와라."

지노가 말했을 때 카일이 얼굴을 펴고 웃었다.

"지금 갑니까?"

"준비되었을 거다."

"모두 325만 불입니다, 대장."

그 소리에 방 안의 시선이 모였다.

오전 10시 반.

피터 오말리를 구출하고 나흘째 되는 날이다.

지노는 바그다드 서북쪽 안가에서 두문불출하고 있었는데 아직도 세상은

'피터'의 열기로 뜨거웠다. 바그다드에서 왔다 갔다 하는 것이 다 '뉴스'가 되었고 본인도 그것을 즐기는 터라 수없이 인터뷰를 한다. 나중에는 제가 '탈출'했다는 표현까지 썼다가 황급히 정정할 정도였다.

그때 마크가 따라 일어서면서 지노를 보았다.

"제가 따라가야 되지 않겠습니까?"

들뜬 표정이다. 고개를 끄덕인 지노가 옆에서 TV를 보는 존에게도 말했다.

"존, 네가 인솔해서 바깥소문까지 듣고 와라. 무하마드가 가만있을 놈이 아니다."

셋이 나갔을 때 문단속을 하고 돌아온 파하드가 말했다.

"마스터, 세릴 씨도 이틀 후에 미국으로 돌아간다고 합니다."

다가선 파하드가 말을 이었다.

"본사에서도 돌아오라고 했다는군요. 당분간 본사 근무를 한답니다."

"……."

"피터하고 같은 비행기로 떠난다는군요."

"이것들이 광고를 하는군."

"피터가 떠드는 바람에 세릴의 일정이 드러난 거죠."

"그 자식은 영웅이 되어서 귀국하는군."

"그런데 그 자식은 우리한테 인사 한마디 없습니다. 인터뷰를 보면 우리한테 고맙다는 표현도 없어요."

"놔둬라."

"어제 인터뷰 보셨습니까?"

"안 봤는데."

"그놈이 잡혔을 때 죽기를 각오하고 IS에서 적어준 미국 비난 성명을 거부했다고 했습니다. 그래서 시청자들의 얼띤 박수를 받더군요."

"……."

"미국 정부에서는 그것으로 피터 오말리에게 훈장을 준다는 보도가 났습니다. 그건 오늘 아침 방송인데요."

"……."

"조금 전 전화로 피터를 인터뷰했을 때 기자가 그 훈장 받을 거냐고 물으니까 거침없이 받겠다고 하는군요."

그때 지노의 눈빛이 흐려졌다.

오후 1시 반.

호텔 뷔페식당에 있던 세릴이 다가오는 파하드를 보았다. 파하드는 말쑥한 군복 차림으로 목에는 신분증이 붙은 목걸이를 찼다. 용병이 '미군 주둔지' 또는 후세인 호텔 같은 '제1급지'를 출입할 때 차는 인식표다.

파하드하고는 지노의 인터뷰 때 본 적이 있기 때문에 세릴이 자리에서 일어섰다. 식당 안에는 기자, 미군, 미국에서 온 사업가들로 붐비고 있었기 때문에 세릴이 식당 옆 라운지로 파하드를 데려갔다.

파하드가 만나자고 연락한 것이다. 그래서 긴장한 세릴은 얼굴이 굳어 있다. 라운지 구석자리에 마주 보고 앉았을 때 세릴이 먼저 물었다.

"뭐, 마실 것 드릴까요?"

"아, 됐습니다."

파하드가 표정 없는 얼굴로 대답했다.

"난 배신 때리는 족속들은 당장 쏴 죽이는 성품이지만 마스터 명령이라 어쩔 수 없이 온 건데."

파하드가 인도식 영어로 또박또박 말을 이었다.

"내가 마스터의 전갈을 전하기 전에 당신한테 한마디만 하겠소. 들으시겠

188

소?"

"듣지요."

세릴이 똑바로 파키스탄 인을 보았다.

"말해요, 파하르 씨."

"파하드요."

"그래요, 파하드 씨."

"일부러 내 이름을 틀리게 발음해서 내 비위를 긁는군."

"미안합니다, 파하드 씨."

"당신은 내 마스터의 상처에 소금을 뿌리고 휘저었소. 당신의 특종기사를 위해서 말요."

이제는 시선만 주는 세릴을 향해 파하드가 잇새로 말했다.

"카밀라 공주는 여관방에서 자살했소. 그것이 우리 마스터에게 부담을 주지 않으려는 것 같다고 나는 생각했지만 그 비밀은 공주와 마스터만 아는 사실이오."

세릴이 숨을 죽였고 파하드의 말이 한마디씩 이어진다.

"그런데 당신은 그것을 완전 신파, 영화용 장면으로 만들어버렸어. 내가 낯이 뜨거워서 다 쏴죽이고 싶을 정도로 말요."

"……."

"당신은 악마요. 특종을 위해서는 인간의 순수한 감정이나 신념까지 조작하는 족속이오. 우리 마스터가 왜 당신을 가만두는지 모르겠소."

그러고는 파하드가 주머니에서 종이봉투에 싼 물건을 내밀었다.

"주인이 당신한테 이걸 주라고 했습니다. 지금 영웅이 된 피터 오말리의 진면목이오. 이것이 당신 같은 부류, 언론인들의 진면목이지."

"무슨 일이야?"

방으로 들어선 뉴만이 눈을 가늘게 뜨고 세릴을 보았다.

오후 3시 10분.

뉴만은 막 사령부의 브리핑을 듣고 돌아온 참이다. 이곳은 후세인 호텔의 세릴 방이다. 뉴만은 세릴이 방으로 부르자 서둘러 온 것이다. 앞쪽 의자에 앉은 뉴만이 방 안을 둘러보는 시늉을 했다.

"이 방에 어느 놈이 다녀갔다는 정보는 없었어. 그래서 정액 냄새는 안 나는군."

그때 세릴이 앞쪽 탁자에 캔 맥주 6개들이 묶음을 놓았다. 미군용이다.

"마실 건 이것밖에 없어요, 난 방에서 위스키를 마시지 않아서."

"좋아, 텍스는 준비해왔으니까. 2개면 되겠지?"

"내가 이 보도를 하는 것보다 아무래도 당신이 나서는 게 나을 것 같아서요, 뉴만."

"보도는 나중에."

뉴만의 두 눈이 번들거렸다.

"세릴, 내가 눈치를 채긴 했어. 하긴 이곳 바그다드에서 얼쩡거리는 놈 중에서 제대로 된 놈은 없어. 있다고 해도 성병이 걸렸거나 거지뿐이야."

"뉴만, 이걸 봐요."

세릴이 리모컨으로 TV의 전원을 켰다. 그러자 디스크와 연결된 화면에 반점만 드러났다. 그때 뉴만이 다시 세릴을 보았다.

"세릴, 뉴스는 다음에 보고……."

다시 세릴이 버튼을 누르자 곧 방 안에 사내의 목소리가 울렸다.

"나는 CNN 바그다드 특파원 피터 오말리입니다."

그 순간 고개를 돌린 뉴만이 TV에 뜬 피터 오말리를 보았다. 피터가 뉴만을 노려본 채 말을 잇는다.

"나는 침략자 미국의 죄상을 전 세계에 고발하려고 합니다. 나는 이것이 내 본의이며 강압에 의한 것이 아님을 먼저 설명드립니다."

"아니, 저놈이."

뉴만이 소리쳤다가 세릴이 손으로 막는 바람에 입을 다물었다. 세릴이 볼륨을 더 크게 하자 방 안에 피터의 목소리가 가득 찼다.

"미국은 9.11 테러에 대한 미국인의 분노와 관심을 돌리려고 이라크를 침공했습니다. 그리고 무슬림을 적으로 규정하고 무차별 학살을 감행했습니다."

피터가 눈을 치켜떴을 때 세릴이 화면을 정지시키더니 뉴만에게 말했다.

"이 테이프는 지노가 살람의 은신처를 기습했을 때 살람이 다 만들어놓은 피터의 자백 영상테이프죠."

뉴만이 가쁜 숨만 쉬었고 세릴이 말을 이었다.

"복사판까지 4개가 있어요. 그것을 지노가 사람을 시켜서 나한테 2부를 보내준 겁니다."

"이건 대박이다!"

뉴만이 번들거리는 눈으로 세릴을 바라보며 소리쳤다.

"이걸 나한테 넘긴다구? 얼마 줄까?"

"더 들읍시다."

세릴이 다시 버튼을 누르자 피터의 목소리가 이어졌다.

"그동안 미군은 수만 명의 무고한 무슬림 민간인을 학살했으며 그것을 은폐했습니다. CNN 특파원인 나는 그 현장을 수십 번 목격했으나……."

다시 세릴이 테이프를 정지시켰다.

"이런 개자식, 뭐라고? IS가 조국을 비난하는 성명을 발표하라고 했는데 거부했다고? 내 조국을 배신할 수 없어서?"

뉴만이 버럭 소리쳤다. 손가락을 입술에 붙인 세릴이 버튼을 다시 눌렀다. 그러자 피터의 목소리가 이어졌다.

"그 현장을 수십 번 목격했으나 당국의 탄압에 보도하지 못했습니다. 항복한 이라크 군인 대부분은 처형하고 소각시켰으며 그 숫자는 15만 명이 넘습니다."

그때 뉴만이 벌떡 일어섰다. 두 눈이 번들거리고 있다.

"세릴, 그 테이프 나 줄 거지?"

무하마드는 살람이 죽은 후 거처를 안바르주의 주도(州都) 아나에서 티크리트로 옮겼다.

티크리트는 사담 후세인의 고향으로 이라크에서 가장 반미 정서가 강한 곳이다. 티크리트에는 미군 7사단이 주둔하고 있었는데 지금은 반군이 거의 소탕되었지만 주민의 IS에 대한 호감도가 높았다.

"마툰이 왔습니다."

도투락이 방으로 들어서며 말했다.

오후 2시 반.

티크리트 시내 하산모스크 옆 저택은 성직자용이다. 이곳에 무하마드가 자리 잡고 있는 것이다.

도투락의 뒤를 따라 들어선 사내는 아마드 마툰. IS의 특공부대장으로 국경 근처의 다후크에서 달려왔다. 44세. 아프간 출신으로 역전의 용장이다.

자리에서 일어선 무하마드가 마툰과 포옹했다.

"지도자님, 상심하셨겠습니다."

마툰의 인사에 무하마드가 씁쓸하게 웃었다.

"살람이 방심했어. 상대가 지노라는 놈인 것을 잠깐 잊었던가 보다."

낡은 양탄자 위에 둘러앉았을 때 무하마드가 말을 이었다.

"살람의 측근까지 몰살당하는 바람에 기습단은 전멸이야."

기습단은 곧 테러대다.

고개를 끄덕인 마툰이 번들거리는 눈으로 무하마드를 보았다. 마툰은 수염을 깨끗이 깎은 맨얼굴에 민병대 군복 차림이다. 장신으로 호남형 얼굴이지만 잔인하고 포악한 성품으로 유명하다.

아프간에서 소련군, 미군을 포함해서 27명을 직접 처형했다는 소문이 전설처럼 따르는 노장이다. 무하마드의 심복으로 IS의 주력군을 지휘하는 압둘라와 함께 지도부 중 한 명이다.

"지도자님, 이대로 둔다면 IS의 사기에도 영향이 옵니다."

"그래서 내가 널 부른 거야."

무하마드가 흰 수염을 손으로 쓸었다.

"미군 놈들과 치고받다가 결국은 미군 사기를 올려준 셈이 되었어."

"무차별 테러를 계속하는 겁니다."

마툰이 말을 이었다.

"명령만 하신다면 자살특공대를 조직해서 쉴 새 없이 터뜨리겠습니다."

"이번에도 드러났지만 미국 놈들은 테러에는 과민반응을 보여. 어설프게 했다가는 우리가 당한다, 살람이 당한 것처럼 말야."

"그러니까 대규모는 피하고 모기처럼 끊임없이 괴롭혀야 됩니다. 제가 지난번에도 말씀드리지 않았습니까?"

마툰의 목소리에 열기가 띠어졌다.

"살람은 성급하게, 그리고 욕심을 부렸습니다. 크게 터뜨려서 성과를 내자는 것이었지요. 그러다 보니까 정보가 새었고 허점이 드러난 것입니다."

"그래, 네 생각은 어떠냐?"

"저한테 바그다드를 중심으로 한 이라크 남부지역을 맡겨 주십시오."

"남부지역까지?"

"예, 제가 지휘하는 특공부대가 전력을 다해 게릴라전을 펼치겠습니다."

무하마드가 잠깐 마툰에게 시선을 주었다.

마툰의 특공군 전력은 약 15,000명, 정규군의 1개 사단 병력이 넘는다. 그러나 IS군은 본래가 게릴라 조직이다. 30명 소대 단위가 주 전력이며 그것이 500여 개의 독립된 조직으로 활동하고 있는 것이다. 살람의 테러대와는 비교가 안 되는 대(大)전력인 것이다.

그때 무하마드가 입을 열었다.

"너를 남부군 사령관으로 임명한다."

"목숨을 바쳐 IS의 기반을 굳히겠습니다."

"이번에 실추된 IS의 위상을 세워라."

"최선을 다하겠습니다."

"도투락을 네 자문관으로 임명할 테니까 상의하도록."

"예, 그렇게 하겠습니다."

마툰이 주저하지도 않고 대답했다. 무하마드의 고문이었던 도투락이 마툰의 자문관으로 옮겨간 것이다. 마툰의 감시역이다. 그때 무하마드가 길게 숨을 뱉었다.

"이번에 살람이 피터 오말리의 자백 영상만 내놓았어도 정국이 평정되었을 거다."

오후 6시 50분.

후세인 호텔의 2층 식당은 붐비고 있다. 미군 사령부의 브리핑 룸에서 돌아온 기자들, 일을 마치고 온 군수업체 관계자, 사업가, 군인들이 식당에 모여들었기 때문이다.

오늘은 피터 오말리가 내일 뉴욕으로 출국하기 때문에 식당 안쪽 테이블을 4개나 붙여놓고 기자들에게 술을 사는 중이라 떠들썩하다. 피터는 이미 술을 몇 잔 마신 상태여서 목소리가 크다.

"신사숙녀 여러분, CNN 9시 뉴스에서 뵙시다!"

술잔을 든 피터가 떠들썩한 목소리로 소리쳤다. 웃음소리가 이어졌고 곧 소음이 이어졌다.

"저 새끼가 영웅으로 귀환하는군."

LA타임스의 조니 맥리번이 쓴웃음을 짓고 말했다. 고개를 든 조니가 세릴을 보았다.

"세릴, 저놈이 지노의 명예를 가로챈 것 같지 않아?"

"글쎄."

건성으로 대답한 세릴이 손목시계를 보았다.

"뭐가 글쎄야?"

조니는 42세. 꽤 알려진 종군기자다. 아프간에서 고립된 미군 수색대와 함께 직접 총을 쏘면서 탈출한 무용담으로 유명해졌다. 조니가 떠들고 있는 피터를 노려보았다.

"지노가 숨는 바람에 저 개아들놈이 날뛰는 것 좀 보라구. 세릴 네가 키워놓은 지노가 이젠 저놈한테 묻혔어."

"……."

"저놈은 ABC 인터뷰 때 '탈출'했다는 표현까지 썼다가 급하게 수정했다구. 알지?"

"글쎄."

"살람이 미국 비난 방송을 강요하니까 목숨을 걸고 안 하겠다고 버티다가 고문을 받았다고 했지? 어디 고문 받은 흔적이 있어?"

195

"조니, 곧 밝혀질 거야."

"그걸로 멍청한 국무부는 훈장을 준다는 거야. '영예기자상'이라던가?"

세릴이 다시 시계를 보고 나서 식당 벽에 붙은 TV를 보았다. 그때 조니가 주위를 두리번거렸다.

"그런데 뉴만은 어제부터 보이지 않던데 지금 뭐하고 있는 거야?"

그때 자리에서 일어난 세릴이 TV로 다가가 전원을 켜고는 음량을 높였다. 그러자 곧 미국 뉴스가 방송되었다. 11시 뉴스다.

떠들썩했던 식당 안의 소음이 줄어드는 것 같더니 갑자기 조용해졌다. 그 시간이 10초쯤 걸렸다. 누가 TV 볼륨을 높였기 때문에 목소리가 크게 울렸다. 그것이 바로 NBC 뉴만의 목소리다.

"어? 뉴만이다!"

누군가 소리쳤는데 이미 모두의 시선이 TV로 집중되었다.

뉴만이 나왔다. 작업복 차림. 배경은 바그다드 제3사단 사령부. 뉴만이 눈을 치켜뜨고 이쪽을 보았다.

"다시 한 번 말씀드리지만 특집 방송입니다, 여러분."

"무슨 말이야?"

이제 모두 TV 앞에 둘러섰고 누군가 물었다. 저 화면은 뉴만의 NBC다. NBC에서 특집으로 미국, 그리고 이라크까지 전 세계로 방영하고 있는 것이다.

"뉴만이 언제 특집을 땄나?"

누군가 다시 한가한 소리를 했고 이제는 피터 오말리도 구석 쪽 의자에 앉아 뉴만을 본다. 얼굴에 희미한 웃음기가 떠올라 있는 것은 '제법이네' 하는 표정이다. 그때 뉴만이 말했다.

"이 테이프는 이번 IS의 테러단 살람을 기습, 전멸시킨 지노의 특공팀이 입수한 것입니다."

196

뉴만이 열띤 눈으로 청중들을 보았다.

"본인은 지노 팀으로부터 이 테이프를 입수, 본사와의 협의 후에 공개하게 되었습니다. 자, 보시지요."

그때 화면이 바뀌었다.

"앗!"

서너 명이 한꺼번에 외침을 뱉었다. 그것은 화면에 가득 피터 오말리의 모습이 드러났기 때문이다. 납치되었을 때의 차림. 그때 모든 시선이 구석 쪽의 피터에게 옮겨졌다.

그 순간 피터의 얼굴이 야릇하게 일그러졌다. 그것은 조금 전까지 얼굴에 얄궂은 웃음을 띠고 있었기 때문이다. 그때 TV 화면의 피터가 말했다.

"나는 CNN 바그다드 특파원 피터 오말리입니다."

피터의 목소리가 식당 안을 꽝꽝 울렸다. 그것은 누가 리모컨으로 볼륨을 최대로 크게 틀었기 때문이다. 피터가 부릅뜬 눈으로 화면을 응시하고 있다.

"나는 침략자 미국의 죄상을 전 세계에 고발하려고 합니다. 나는 이것이 내 본의이며 강압에 의한 것이 아님을 먼저 설명드립니다."

"뭐야?"

누군가 TV 화면의 피터에 대고 소리쳤다. 그때 피터가 슬그머니 자리에서 일어섰지만 아직 누가 상관하지 않았다. 그때 TV의 피터가 소리치듯 말했다.

"미국은 9.11 테러에 대한 미국인의 분노와 관심을 돌리려고 이라크를 침공했습니다. 그리고 무슬림을 적으로 규정하는 무차별 학살을 감행했습니다."

그때는 피터가 식당을 빠져나가려고 출구에서 10미터쯤 거리로 다가갔을 때다.

"야! 피터! 저 새끼 도망간다! 잡아!"

누군가가 소리쳤을 때 TV의 피터가 다시 말했다.

"그동안 미군은 수만 명의 무슬림 민간인을 학살했으며 그것을 은폐했습니다. CNN 특파원인 나는……."

"잡아!"

몇 명이 피터를 쫓으려는 시늉을 했다. 그때 피터는 전속력으로 달려 식당을 빠져나갔다. 그러나 TV의 피터는 말을 잇는다.

"그 현장을 수십 번 목격했으나 당국의 탄압에 보도하지 못했습니다. 항복한 이라크 군인 대부분은 처형하고 소각시켰으며 그 숫자는 15만 명이 넘습니다."

그때 식당 안은 분노의 외침으로 뒤덮였다.

"저 새끼 잡아다가 패봤자지."

조니가 맥주 캔을 쥐면서 말했다. 이제는 심란한 표정이다. 식당 안은 이제 분노의 외침이 가라앉는 중이다. 대여섯 명이 피터를 잡는다고 뛰쳐나갔다가 곧 돌아왔다. 피터의 앞날이 뻔했기 때문이다. 조니가 흐린 눈으로 세릴을 보았다.

"세릴, 넌 알고 있었던 눈치 같은데, 맞지?"

"그래. 내가 저 테이프를 뉴만한테 준 거야."

세릴이 실토하자 조니가 맥주 캔을 내동댕이 쳤다.

"이런 개 같은 경우가 다 있나?"

"미안해, 조니."

"뉴만이 이제 피터 오말리 대신이 되었군."

"피터가 뜰 수는 없잖아?"

"뉴만하고 나한테 같이 주는 경우는 생각 안 해봤어?"

"마침 근처에 뉴만이 있었어."

"그 개아들놈이 복권 당첨이 됐군."

"나한테 자꾸 달래서 대신 저걸 준 거야, 조니."

이제 TV는 날씨를 방송하고 있다. 아직도 분이 덜 풀린 조니가 어깨를 부풀리며 세릴을 보았다.

"알아? 뉴만 저놈은 성병에 걸린 놈이야. 성병을 달고 사는 놈이지."

"······."

"여기자한테 성병 옮기기 전문이야. 저 자식은 그것을 '배급'이라고 한다구."

"그만해, 조니."

"설마 그놈하고 한 것 아니지?"

"안 했어."

"그랬다면 다행이고. 그놈은 텍스를 갖고 갔다가 도중에 벗는 것이 특기야."

그때 세릴이 자리에서 일어섰다. 방송사의 인사 반응은 즉각적이다. 아마 피터는 오늘 중으로 '해고' 아니면 '정직' 발령을 받아서 이라크에서도 사라지게 될 것이다.

훈장? 훈장 같은 소리하고 자빠졌네. '영웅'에서 '반역자'로 전락한 신세인 것이다.

바그다드 호텔 안.

이곳이 아르카디 용병단의 본부다. 본부장실은 그중 스위트룸을 개조해서 상황실, 회의실까지 만들었는데 상황실에 넷이 둘러앉아 있다. 아르카디 본부장 깁슨과 보좌관 카터 그리고 정보담당관 빅토르와 지노다.

오후 7시 10분.

고개를 든 깁슨이 웃음 띤 얼굴로 지노를 보았다.

"지금쯤 후세인 호텔에서 피터 오말리의 '화려한 귀환' 연극이 끝났겠군."

농담이었지만 지노는 물론이고 아무도 웃지 않는다. 그러다 깁슨이 말을 이었다.

"피터 오말리의 동향도 며칠간 특종 기삿감이 되겠어. 천국에서 지옥으로 냅다 떨어진 인생 드라마가 말야."

"……."

"내일 뉴욕으로 출발할 예정이었는데 아마 안 갈 거야. 거기서 기자들한테 당하느니 이곳에 숨어있는 것이 낫지."

"……."

"이젠 NBC의 뉴만이 떴고. 그런데."

깁슨이 눈썹을 모으고 지노를 보았다.

"테이프는 세릴에게 준 거 아닌가? 파하드를 세릴한테 보냈다면서?"

"세릴이 뉴만한테 준 모양입니다."

"세릴이 성모 마리아 심성을 갖고 있군."

"……."

"너한테 또 특종 받기에는 염치가 없었던 것 같다."

그러더니 깁슨이 정색하고 빅토르를 보았다.

"빅토르, 말해."

그러자 빅토르가 고개를 들었다.

"IS의 체제가 바뀌었습니다. 이제 바그다드로 대규모 전력이 집중됩니다. 약 5백 개 정도의 테러단이라고 보면 될 겁니다."

"1차 목표는 아르카디 용병단 소속의 지노 팀이다."

마툰이 간부들을 둘러보며 말했다.

"지노 그놈은 이제 미국의 얼굴, 미국의 대명사가 되어 있어. 그놈만 죽이면 미국의 명예는 땅바닥으로 떨어진다."

이곳은 바그다드 '핫산 시장' 안 양탄자 가게 안채다. 가게가 컸고 안채에는

200

창고까지 있었기 때문에 마툰이 본부로 정한 것이다.

오후 4시 반.

양탄자가 깔린 어둑한 거실 바닥에는 10여 명의 간부가 둘러앉아 있다. 모두 고급 지휘관으로 휘하에 소규모 단위의 '기습 부대' 40~50조씩을 지휘하고 있다. 그때 간부 하나가 물었다.

"제2 목표는 세릴 워싱턴입니까?"

"맞다."

고개를 끄덕인 마툰이 말을 이었다.

"그년은 지노를 우상화시킨 장본인이고 뉴욕타임스 특파원이야. 제거하면 영향이 클 거다. 장교 10여 명을 없앤 것보다 커."

지금 마툰은 테러 목표를 정해준 것이다. 모두가 들고 있는 종이에는 10번 순위까지 적혀 있다. 목표 옆에는 담당 부대까지 명시되어 있었기 때문에 모두 긴장하고 있다. 그때 지노를 맡은 후단이 물었다. 후단은 마툰 휘하의 고위 간부다.

"사령관, 저한테 독자권을 주시는 겁니까?"

"그렇다."

마툰이 간부들을 둘러보았다.

"너희들도 마찬가지. 나한테 일일이 보고할 필요 없다. 스스로 계획을 짜고 처리해라. 지금부터 시작이야."

이것이 마툰 식 게릴라 전술이다. 그래야 다수의 표적을 효율적으로 처리할 수가 있는 것이다. 또한 일부가 실패해도 전체나 지휘부에 피해가 닿지 않는다.

회의를 마치고 간부들이 서둘러 돌아갔을 때 보좌관 카르치가 마툰에게 물었다.

"사령관, 바그다드가 곧 아수라장이 될 텐데 이곳을 떠나시지요."

카르치는 모사다. 마툰이 두각을 나타낸 것은 카르치가 옆에서 보좌했기 때문이라는 것을 무하마드도 안다. 거기에다 카르치는 의리가 있어서 무하마드가 지역 사령관으로 독립시키려고 했어도 거부했다.

무하마드는 마툰과 카르치를 떼어놓으려고 했던 것이다. 마툰의 시선을 받은 카르치가 말을 이었다.

"도투락이 수시로 지도자께 내부 소식을 전하고 있습니다. 그 정보가 미군 측에 흘러갈 가능성도 있는 것입니다."

도투락은 회의에 참석했다가 잠깐 자리를 비운 것이다. 그때 마툰이 고개를 끄덕였다.

"좋아, 네 말대로 하지."

둘의 시선이 부딪쳤고 더 이상 말은 이어지지 않았다. 그러나 이심전심이다. 10년 가깝게 동고동락하다 보면 눈만 보아도 마음이 전해진다.

불운이 겹친다는 말은 맞지 않는다. 처음 당했을 때 긴장이 풀렸기 때문에 당하는 경우가 많다. 특히 전장에서 그렇다.

오늘, 피터 오말리는 호텔 근처의 바 '르네상스'에서 만취했다. CNN에서 해직 통보를 받았지만 뉴욕으로 돌아갈 상황은 안 된다. 그렇다고 이곳 '프레스센터'나 기자들이 모이는 클럽에 얼굴을 내밀 수도 없어서 장사꾼들이 모이는 곳을 출입하고 있다.

'르네상스'가 바로 그곳이다. 앰버서더 호텔 지하의 르네상스 클럽은 술값이 비싸서 기자들은 드물다. 피터는 지금 개인 돈으로 경호비, 숙박비를 지불하는 중이다.

"피터 씨, 취하셨습니다. 그만 가시죠."

경호원 가르다가 다가와 말했을 때는 오후 5시 반이다. 피터는 지금 위스키 1병 반째를 마시고 있다. 통금시간은 1시간 반이 남았지만 오늘은 너무 취했다.

그때 피터가 말했다.

"됐어, 가르다. 한 시간만 더 마시고 가지. 오늘은 컨디션이 괜찮아."

뉴만이 피터의 테이프를 폭로한 지 1주일이 지났다. 피터는 '매국노'로까지 매도되었지만 슬슬 잊히는 중이다. 그 테이프도 IS의 강압에 의해 촬영된 것이 분명한 만큼 법적 조치는 당치 않다는 당국의 발표까지 있었던 것이다.

테이프를 폭로한 것은 NBC 기자 뉴만이다. 다만 피터가 인질에서 풀려난 후에 뻔뻔스럽게 거짓말을 한 것이 엄청난 비난을 받게 된 것이다. 가르다가 뒤쪽으로 물러났을 때 옆에 앉아있던 헬렌이 물었다.

"피터, 여기서 자고 가지 그래?"

"됐어."

피터가 고개를 저었다.

"너하고 떡칠 생각은 없어. 오해 마."

헬렌은 이름만 서양식이지 이집트에서 온 콜걸이다. 술잔을 쥔 피터가 흐린 눈으로 헬렌을 보았다.

"네가 내 옆에 앉아 준 값을 줄게. 50불이면 되지?"

"돼, 피터."

"어쨌든 넌 좋은 여자야, 헬렌."

"당신도 듣기와는 달라, 착한 남자야."

"뭐라고 들었는데?"

"다 그렇지 뭐. 남 험담하는 놈들."

"글쎄, 뭐라고 해, 그놈들이?"

"당신이 입을 잘못 놀렸다던데?"

"그것뿐이야?"

"그래."

"넌 사방에서 듣고 다니잖아? 10불 더 줄 테니까 말해."

"당신이 반역자라고 했어."

"누가?"

"그건 말 못 해."

"그럼 돈 안 줘."

"워싱턴타임스의 코난이."

"그 개새끼."

한 모금에 위스키를 삼킨 피터가 얼굴을 일그러뜨렸다.

"병신 같은 놈. 남의 기사나 베끼는 놈이."

"그 자식 병신이야. 돈 1불 갖고도 벌벌 떠는 놈이야."

피터가 르네상스를 나왔을 때는 오후 6시 40분이다.

숙소인 후세인 호텔까지는 걸어서 5분 거리였기 때문에 피터는 느긋하게 걸었다. 뒤를 경호원 가르다가 따른다. 요즘은 비상 상황이어서 가르다는 앞에 총 자세로 방아쇠에 손가락을 걸치고 있다.

주위를 행인들이 바쁘게 지나고 있다. 이곳은 시내 중심가다. 앞쪽 사거리에는 민병대 초소가 있고 그 건너편이 호텔이다. 호텔과는 1백 미터밖에 되지 않는다.

옆으로 지나가던 미군 헌병 두 명이 힐끗 피터에게 시선을 주었다. 피터를 알아보는 눈치다. 그 바람에 술이 깬 피터가 투덜거리면서 셔츠 단추를 풀었다. 더웠기 때문이다.

그때 옆쪽 골목에서 인기척이 났다. 조금 전에 들어간 여자 둘이 멈춰 서 있다. 거리는 5미터도 되지 않는다. 그 순간이다.

"두루루룩, 두루루룩."

차도르를 입은 여자 둘이 갑자기 옷을 들추더니 총을 발사했다. 소음기를 낀 총구에서 둔탁한 발사음이 이어졌다.

먼저 피터가 빗발처럼 쏟아진 총탄을 다 맞고 사지를 비틀면서 쓰러졌다. 뒤를 따르던 가르다가 총구를 이쪽으로 겨냥까지 했지만 늦었다.

"두루루룩, 두루루루룩!"

두 여인이 쏘아 갈긴 총탄에 얼굴부터 부서진 가르다가 방아쇠에 건 손가락을 당기지도 못하고 쓰러졌다. 그때 두 여인이 차도르를 내리더니 골목 안의 어둠 속으로 사라졌다.

"피터 오말리가 당했어."

밖에서 소문을 듣고 온 뉴만이 찌푸린 얼굴로 세릴에게 말했다.

"여기서 1백 미터 거리의 담배 가게 앞이야. 거기서 경호원하고 둘이 당했어."

"지저스."

세릴 옆에 서 있던 누군가 투덜거렸다.

"피터의 불운이 그것으로 끝났구만."

세릴은 다시 발을 떼었다. 호텔의 식당 앞 복도다. 저녁을 먹으려고 식당으로 들어가던 세릴이 몸을 돌려 계단으로 향했을 때 뒤에서 누군가의 목소리가 울렸다.

"뉴욕으로 관이 실려 가겠군."

금의환향 대신이다. 전쟁터의 기자들은 '입'이 총보다 더 잔인하게 나갈 때가 있다.

"마툰입니다."

무크람이 지노에게 말했다.

CIA 소속의 무크람은 지노에게 열성적이다. 무크람은 이미 지노로부터 15만 불 정도의 정보비를 받았고 정보에 따라 수시로 정보비가 전달된다. 이러니 열성적이지 아닐 수가 없다.

CIA 정보원이랍시고 받는 수당이 월 5백 불 정도였으니 눈이 뒤집힐 만하다. 무크람한테 나가는 정보비가 아까워서 카일 등이 투덜거렸지만 지금은 변했다.

그 정보비가 지노 몫에서 나가기 때문만은 아니다. 무크람이 받은 정보비로 수십 명의 정보원을 거느리는 바람에 정보의 폭과 깊이가 훨씬 풍부해진 것이다. 무크람이 말을 이었다.

"아마드 마툰이 바그다드에 왔습니다. 이건 아직 미군 사령부에서도 모릅니다. 그리고."

무크람의 얼굴에 쓴웃음이 떠올랐다.

"이 정보는 CIA에도 알리지 않았습니다."

"허, 참."

옆쪽에 앉아있던 카일이 혀를 찼다.

"당신, 그러다가 CIA에서 쫓겨나는 거 아냐?"

"상관없어."

어깨를 편 무크람이 말을 이었다.

"난 나를 인정해주는 사람한테 충성할 거라구."

"그건 맞다."

존이 고개를 끄덕이며 동의했다.

"당신은 우리 팀이야, 무크람."

그때 지노가 말했다.

"자, 너희들은 닥치고 있어."

둘이 입을 다물었을 때 무크람이 말을 이었다.

"마툰의 게릴라 부대는 500개 팀이 넘습니다. 그 부대가 다 바그다드에 진입한 것이 아니라 10여 명의 지휘관이 인솔하는 각각 40~50개 조로 분산되어 흩어진 상황입니다."

무크람이 주머니에서 구겨진 종이를 꺼내 지노에게 내밀었다.

"마툰이 각 지휘관에게 지시한 테러 대상자 명단입니다. 10명을 적어놓았는데요."

종이를 받아 펴본 지노가 얼굴을 찌푸리며 웃었다. 자신이 1번인 것이다. 2번이 세릴 워싱턴, 3위가 미군 사령관, 로니 캐슬이다. 이윽고 고개를 든 지노가 무크람을 보았다.

"9번 순위인 피터 오말리가 가장 먼저 죽은 셈이군."

"예, 간부별로 타깃을 정해주었다는데 그것까지는 파악하지 못했습니다."

"테러 방법은?"

"간부별로 모든 수단, 방법을 가리지 않는다고 합니다."

"내가 1번이니 나한테 화력을 집중하겠군."

"무하마드가 마툰을 중남부지역 사령관으로 임명하고 바그다드로 내려보낸 것도 결국은 대장 때문이지요."

이제는 무크람도 지노를 대장으로 부르는 것이다. 고개를 끄덕인 지노가 무크람을 보았다.

"이럴수록 무크람, 네 정보가 중요하다. 놈들한테 꼬리 잡히지 않도록 주의해야 돼."

오후 10시 반.

세릴이 방에서 전화를 받는다. 발신자는 지노의 '하인' 파하드다. 파하드가 제 입으로 본인이 지노의 하인이라고 했기 때문이다. 세릴이 응답했을 때 파하드가 인도식 영어로 또박또박 말했다.

"마스터의 전갈입니다."

"……."

"IS 테러단이 당신을 두 번째 타깃으로 정했다는 겁니다."

파하드의 목소리가 더 냉랭해졌다.

"당신 방인 703호실은 이미 탐지되었고 대전차포 한 발이면 당신은 분해됩니다. 그리고."

파하드가 쏟아붓듯이 말했다.

"703호실이 보이는 위치의 발사 장소가 6개나 된단 말요, 아가씨."

"……."

"대전차포 유효 사거리 500 이내의 위치만 그렇단 말씀이야."

"……."

"사정거리 1킬로 미만의 저격 장소는 무려 14곳이나 되었어."

"잠깐."

화가 난 세릴이 파하드의 말을 막았다.

"그 잘난 인도식 영어는 그만하고. 미스터, 당신 주인의 용건은 뭐죠?"

"이런, 지저스."

"당신이 그리스도를 찾다니, 힌두교도가."

"퍽큐."

"용건을 말해, 인도인."

"난 무슬림이야, 이 무식한 여자야. 파키스탄 국적이라구."

"그런데 영어는 왜 그런 식이지?"

"네가 우리말을 해봐라."

"또 용건 말하는 걸 잊었군, 무슬림 씨."

그러자 파하드가 호흡을 고르는 것 같았다. 잠깐 침묵이 흐른 후에 파하드가 말했다.

"숙소를 옮기든지 당장 이곳을 떠나든지 둘 중 하나를 선택하라는 주인의 충고를 전하는 거야. 그리고."

파하드가 이번에는 서둘렀다.

"놈들이 당신을 조만간에 끝장낼 것이라는 정보야. 당신 순위가 미군 사령관보다 높다니까."

그때 세릴이 말했다.

"당신 주인한테 내가 만나고 싶다고 전해."

그 순간 파하드가 숨을 멈췄고 세릴이 말을 이었다.

"그렇게만 전해줘, 무슬림 씨, 내가 꼭 만나고 싶으니까."

"알았다."

파하드의 보고를 들은 지노가 그렇게만 말하고 입을 닫았다. 응접실에는 존이 함께 있었기 때문에 다 들었다. 존이 지노를 몇 번 힐끔대다가 참지 못하고 물었다.

"대장, 연락이나 한번 해보시죠."

지노의 시선을 받은 존이 말을 이었다.

"사과하려고 그러는 것 같은데요."

"그까짓 사과."

파하드가 존의 말을 잘랐다.

"그런 것 들어서 뭐하게?"

"허, 넌 가만있어."

존이 눈을 부라렸지만 기가 죽을 파하드가 아니다.

"그 여자하고 연결되어서 득 될 것 없어. 넌 가만있으면 돼."

지노는 쓴웃음만 지었다.

"꽝!"

엄청난 폭발음과 함께 침대가 흔들렸다. 폭탄이 터진 것이다. 눈을 뜬 세릴이 벌떡 상반신을 일으켰다. 그 순간 이 방에서 폭발한 것은 아니라는 의식이 들었다. 살았다. 다음 순간.

"꾸꽝!"

또 한 발의 폭발.

그때는 천장의 형광등이 떨어져 내리면서 시멘트 부스러기가 우르르 쏟아졌다. 놀란 세릴이 시트로 머리를 가리면서 침대 밑으로 몸을 굴렸다. 그때 비상벨 소리가 울렸다.

복도를 다급하게 달리는 소음, 외침. 방의 불은 꺼 놓았지만 불을 켤 엄두도 내지 못한 채 세릴은 옷을 챙겨 입었다.

오전 1시 반이다.

"마이 갓, 세릴."

복도에서 세릴을 발견한 뉴만이 소리쳤다.

이곳은 1층 복도다. 계단을 내려오다가 뉴만이 세릴을 발견한 것이다. 복도에 비상등이 켜져 있었기 때문에 사람들의 얼굴이 클럽의 조명을 받은 것 같다. 다가온 뉴만이 세릴의 소매 끝을 잡았다. 눈을 치켜뜨고 있다.

"이봐, 세릴, 놀랐잖아."

"뭐가요?"

"죽은 줄 알았어!"

210

"내가 왜?"

"대전차포탄이 703호실을 맞혔다구! 그것도 2발이나!"

순간 걸음을 멈춘 세릴이 벽에 붙어 섰다. 옆에 붙어 선 뉴만이 다그치듯 물었다.

"방에 없었던 거야?"

"……"

"옳지, 알았다."

뉴만이 눈을 가늘게 뜨더니 잇새로 말했다.

"어떤 놈의 방에 가 있었군. 누구야?"

세릴이 어깨를 늘어뜨렸다. 파하드의 전화를 받고 나서 방을 바꿨던 것이다. 마침 빈방이 있었기 때문에 짐은 내일 옮기기로 하고 602호실로 들어가 자다가 화를 면했다.

파하드의 보고. 오전 8시.

"후세인 호텔 703호실이 오전 1시 반경에 대전차포탄 2발을 맞아 붕괴되었습니다."

아침 식사 중이어서 식탁에는 존, 마크가 둘러 앉아있다. 카일은 저택 안 초소에서 경비 중이다. 지노가 시선만 주었고 파하드가 말을 이었다.

"703호는 붕괴되었지만 호텔은 정상 영업을 합니다. 그리고 703호실에 투숙했던 기자는 어젯밤 폭파되기 전에 방을 옮겼기 때문에 살았습니다."

존과 마크가 지노를 보았다. 그러자 지노가 고개를 끄덕였다. 기자는 세릴이다. 파하드가 일부러 이름을 말 안 했다. 그때 마크가 나섰다.

"약삭빠른 거죠."

모두 지노가 파하드를 시켜 세릴에게 경고해준 것을 아는 것이다. 이번에는 존이 거들었다.

"연락 안 해주는 것이 나았습니다. 배은망덕한 여자 아닙니까?"

모두 밥을 먹다가 이야기 중이다. 그때 파하드가 자리에 앉으면서 말했다. 파하드는 방금 밖에 나가서 정보를 듣고 온 것이다.

"시내에 비상이 걸려서 통행인은 모두 검문을 받습니다. 아예 차량 통행도 막아놓아서 시민들 불평이 높아지는 중입니다."

미군 당국의 전형적 대응 방법이다. 테러나 반군 활동이 일어나면 주민 통행, 생활을 통제하는 것이다. 그러면 주민들은 처음에는 군 당국에 반발했다가 나중에는 그 원인을 만든 테러단에 저주를 내뿜게 된다. 그때 지노가 말했다.

"내일 오후에 티크리트로 이동한다. 준비하도록."

모두 고개를 들었지만 입을 열지는 않았다. 티크리트에 IS 지도부가 있다는 징보를 어젯밤 무크람한데서 들었기 때문이다. 이것도 특급 정보다. CIA에 보고하지도 않은 정보인 것이다. 무크람의 활동이 활발해지고 있다.

오전 10시 반.

이곳은 3사단 사령부 사단장실 안. 사단장 로니가 정보참모 맥마흔과 함께 들어서는 지노를 맞는다.

"어, 지노, VIP가 오셨군."

"각하, 안녕하셨습니까?"

지노의 인사를 받은 로니가 고개를 저었다.

"자네도 알겠지만 안녕하지 못해."

"어젯밤 대전차포 공격은 IS의 마툰의 게릴라 부대 소행입니다."

"나도 그 소문은 들었어. 확실한가?"

앞자리에 앉은 지노가 주머니에서 쪽지를 꺼내 내밀었다. 제거 리스트다.

"이것이 마툰의 부대에서 입수한 제거자 리스트입니다."

"선오브비치."

쪽지를 받은 로니의 입에서 대번에 욕이 나왔다.

"내가 세릴 워싱턴 다음 순위라니. 이 새끼들이 날 이렇게 무시해도 되는 거야?"

"그 여자가 요즘 매스컴을 많이 탔으니까요."

"모두 자네 덕분이지."

명단의 피터 오말리를 내려다본 로니가 입맛을 다셨다.

"9번은 이미 제거했군."

"마툰이 부대별로 대상을 지정해준 것 같습니다. 제각기 움직이는 터라 머리를 치는 수밖에 없습니다."

정색한 지노가 로니를 보았다.

"지금 바그다드와 주변에 마툰의 게릴라군 500개 지대가 흩어져 있는 상황입니다."

그때 맥마흔이 지노에게 물었다.

"마툰을 제거한다는 말인가?"

"아니, 무하마드를."

고개를 든 지노가 로니를 보았다.

"본래 그러려고 아르카디 소속이 된 것이니까요."

"그건 알아."

로니가 고개를 끄덕였다. 로니는 지노의 용도를 알고 있다.

"내가 도와줄 일이 있나?"

"무하마드가 티크리트로 옮겨갔다는 정보가 있습니다. 그쪽 부대에 협조하라는 지시를 해주시면 도움이 되겠는데요."

213

"당연히 해줘야지."

로니가 말을 이었다.

"7사단장한테 전화를 하지."

사단장실을 나온 지노와 맥마흔이 이제는 정보참모실로 들어가 마주 보고 앉았다. 맥마흔이 쓴웃음을 짓고 지노를 보았다.

"지노, 네 덕분에 사단장이 아이오와의 보충대장으로 좌천되려다가 살아 났어."

"무슨 말이오?"

"피터 오말리 때문이지. 그놈을 찾아오지 않았다면 사단장은 잘렸을 거야."

"……."

"합참의장한테서 연락이 왔었어. 못 찾으면 다 망한다고."

"……."

"그런 상황에 네가 다 살려준 거지. 그래서 사단장이 너한테 그렇게 잘해주 는 거야."

"피터가 죽어서 유감이군."

"잘된 거야, 그놈을 위해서나 우리를 위해서도."

"그런가?"

"그놈 인기가 뚝 떨어진 상태에서 갔으니까 우린 부담을 던 셈이지."

맥마흔이 잿빛 눈으로 지노를 보았다.

"지노, 네가 현상금으로 정보원을 수십 명 고용하고 있다더군. 우리보다 네가 더 낫다."

"소문이 빠르군."

"알잖아? 소문은 막을수록 터져 나온다는 거. 특히 전쟁터의 소문과 정보는 무섭게 빠르지.”

“내가 티크리트로 갔다는 소문도 금방 퍼질 거요, 대령.”

“그렇겠지.”

“그럼 암살대들이 티크리트로 몰려가겠지. 티크리트에 있는 무하마드는 와락 긴장할 것이고.”

“무하마드를 칠 거냐?”

“선전포고를 한 거지.”

“그렇군.”

“내가 후세인 대통령한테서 잠깐 무하마드 이야기를 들은 적이 있어요.”

긴장한 맥마흔이 숨만 쉬었고 지노가 말을 이었다.

“돈과 명예욕으로 가득 찬 구더기 같은 놈이라고 하더군. 각하는 무하마드한테 매년 2백만 불씩 용돈을 보내주었다고 했어요.”

“……”

“무하마드는 그 대가로 반정부 활동을 하는 놈들을 밀고해주면서 제 세력을 키웠다고 했습니다.”

“소문은 들었는데 사실이군.”

“내가 그놈 약점을 아는 이상 곧 잡을 겁니다.”

그때 맥마흔이 커다랗게 고개를 끄덕였다.

“내가 적극 협조하지, 지노.”

맥마흔의 시선을 받은 지노가 자리에서 일어섰다. 맥마흔은 이제 지노에게 의지하는 것이다. 지노와 공동작전에 성공하면 ‘별’ 따는 것은 순식간이다. 맥마흔은 이미 지노의 배후가 로니 캐슬 따위와는 비교도 되지 않는다는 것을 아는 것이다.

오후 3시.

이동 준비를 하고 있던 파하드가 거실에 있는 지노에게 다가왔다. 손에 핸드폰을 쥐고 있다.

"마스터, 세릴 워싱턴입니다."

지노의 시선을 받은 파하드가 말을 이었다.

"통화를 하고 싶다는데요."

"난 싫다고 해."

지노가 웃음 띤 얼굴로 말을 이었다.

"할 이야기도 없고 들을 것도 없다고 전해. 난 더 이상 신경 쓰지 않겠다고 하고."

"예, 마스터."

거실에는 둘뿐이었기 때문인지 파하드가 큰 목소리로 대답했다. 그러더니 핸드폰을 귀에 붙이고 말했다.

"자, 들으셨지요? 전화 끊습니다."

파하드는 통화 중인 상태로 이야기하고 있었다. 전원을 끈 파하드가 지노를 보았다.

"마스터, 제가 일부러 그랬습니다."

지노는 고개만 끄덕였다.

수화기에서 지노의 목소리가 선명하게 울렸기 때문에 세릴은 다 들었다. 간접 통화를 한 셈이었다.

핸드폰 전원을 끈 세릴은 이곳을 떠나야겠다고 결심했다, 내일 오전 중에 떠나야겠다고.

지노에게 통화를 하려고 한 것은 직접 사과하고 고맙다는 인사까지 할 작정이었다. 그런데 그 빌어먹을 파키스탄 무슬림 놈이 분위기를 엉망으로 만들었다. 의도적으로 골탕을 먹인 것이다.

어쨌든 지노의 생각을 알았으니까 됐다. 그까짓 '용병 놈'의 잘난 척에 놀아나지 않겠다.

"방을 바꿨단 말이지?"

카라단이 묻자 하비브가 고개를 끄덕였다.

"예, 어젯밤에 방을 바꿨습니다."

"정보가 새었군."

"피터가 죽은 후에 조심하는 것 같습니다."

이곳은 바그다드 교외의 부서진 공장 안이다. 공장지대의 공장은 모두 폐허가 되었기 때문에 부랑자의 숙소가 되어있다. 카라단의 조(組) 22명이 이곳에 진을 친 지 나흘째가 되었다.

오후 4시 반.

카라단이 밖에 대고 소리쳤다.

"자말! 그놈 데려와!"

그러고는 하비브에게 말했다.

"세릴 그년이 2순위야. 지노 다음으로 높은 순위라고."

"압니다, 조장."

"대전차포는 잘 맞혔지만, 빈방에다 갈긴 것이라 웃음거리가 되었단 말이다."

"아예 다른 방에도 쏠 걸 그랬습니다."

하비브가 말하자 카라단이 들고 있던 엽차 잔을 내던졌다. 차가 담긴 잔이 하비브의 가슴에 맞고 찻물이 재킷에 번졌다. 그러나 하비브는 그대로 서 있다.

"이 자식아, 그걸 말이라고 해!"

"죄송합니다, 조장."

"아무 데나 총질하는 놈이냐, 우리가?"

"화가 나서 그랬습니다."

"그럼 네 손으로 네 뺨을 쳐!"

"예, 조장."

하비브가 손을 올리더니 제 뺨을 쳤다.

그때 부서진 사무실 문으로 두 사내가 들어섰다. 앞장세운 사내는 나일론 밧줄로 온몸이 묶였고 얼굴은 피투성이다. 카라단의 앞으로 끌려온 사내는 뒤에서 자말이 종아리를 차는 바람에 넘어지면서 꿇어앉았다. 그때 카라단이 말했다.

"네가 일하는 곳을 안 이상 집 찾는 건 금방이야. 그러니까 네 가족 살리려면 지금 말하는 것이 낫다."

카라단이 지그시 사내를 보았다. 시내 시장의 그릇 가게 종업원 알리다. 가짜 정보를 내놓고 함정을 파놓았던 카라단 조(組)에 걸린 정보원이다. 그때 알리가 고개를 들었다. 20세 전후 청년이다.

"마크다한테 소문을 팔았어요."

"마크다가 누구냐?"

"옷 가게 점원입니다. 이스말 상점요."

"마크다한테 무슨 정보를 팔았어?"

"우리 가게에 오는 반군, 민병대원의 정보요."

"어떤 정보인데?"

"그들의 이야기를 엿듣고 중요하다고 생각한 건 다 말했습니다."

"마크다는 누구한테 넘기더냐?"

"그건 모릅니다."

알리는 민병대를 가장한 카라단의 부하들이 수군거리는 이야기를 듣고 현장에 나갔다가 잡혀 온 것이다. 이것을 IS는 바닥 낚시라고 한다. 그만큼 정보원이 많기 때문에 많이 걸리지만 쓸 만한 정보가 없다. 그러나 카라단은 끈질긴 성품이다. 포기하지 않고 다시 물었다.

"마크다한테서 들은 이야기 있으면 말해. 잘하면 네가 살아서 나갈지도 모른다."

사무실 안에는 모여든 부하들이 서너 명이다. 그사이에 카라단의 눈짓을 받은 자말이 마크다를 잡으러 갔다. 통금시간 이전에 잡아 오려는 것이다. 그때 알리가 간절한 표정으로 카라단을 보았다.

"보스가 티크리트로 떠난다는 이야기를 들었어요. 전화하는 것을요."

"보스가 누군데?"

"요즘 TV에 나온 용병요."

"누구?"

"지노 말입니다."

알리의 목소리가 울린 것은 주위가 조용해졌기 때문이다.

골목으로 들어선 마크다가 서둘러 발을 떼었다.

오후 7시 10분.

통금시간이 지났다. 이곳은 집 앞 골목이라 마음이 놓였지만, 민병대나 미군 순찰병에게 걸리면 경을 친다. 재수 없으면 IS 연루자로 몰려 즉결 총살을 당할 수도 있다. 요즘 미군은 독이 올라있는 상황이다.

골목 안으로 10미터쯤 들어간 마크다가 오른쪽 샛골목으로 꼬부라졌다. 폭이 1미터가 조금 넘는 골목이다. 보안등이 있을 리도 없지만, 눈을 감고도 집을 찾아갈 수 있다.

이제 10미터 앞에서 왼쪽으로 꺾어지면 집까지 곧장 20미터만 가면 된다. 그 때 뒤에서 인기척이 났기 때문에 마크다가 숨을 들이켰다. 지금까지 텅 빈 골목을 걸어왔기 때문이다.

고개를 돌린 마크다가 바로 3미터쯤 뒤를 따르는 사내를 보았다. 기척도 없이 언제 따라왔단 말인가? 어둠 속에서 사내의 눈 흰자위가 선명했다. 그때 사내가 물었다.

"마크다? 이스말 상점의 마크다 아닌가?"

"누구시오?"

마크다가 되물었을 때 사내 뒤로 두 사내가 더 보였다. 그 순간 마크다는 몸을 돌리면서 뛰었다. 골목은 계속 이어져서 큰길로 나간다. 집에서 20미터 거리지만 집을 지나 끝까지 내달려야 한다.

마크다가 바람을 일으키며 10미터쯤 뛰었을까? 갑자기 옆집 문 안에서 뛰쳐나온 사내가 마크다를 밀어 넘어뜨렸다. 골목 벽에 몸을 부딪치며 뒹굴어버린 마크다의 몸 위에 두 사내가 달려들었다.

"놔! 이놈들아!"

마크다가 악을 쓰자 주먹이 날아와 턱을 쳤다. 또 다른 주먹이 배를, 발길이 옆구리를 찼기 때문에 마크다는 창자가 끊어지는 느낌을 받으면서 사지를 웅크렸다.

이제는 악문 잇새로 낮은 신음만 이어졌다. 무지막지한 구타에 잠깐 정신을 잃었던 마크다가 겨우 숨을 들이켰을 때까지는 5초쯤 걸렸다.

그때 마크다는 주위가 조용해진 것을 느꼈다. 그리고 자신을 누르고 있던 두 사내의 몸이 무거워져 있는 것도 알았다. 그때 어둠 속에서 목소리가 울렸다.

"두 놈은 살았어. 끌고 가자."

사내의 말이 이어졌다.

"두 놈은 뒈졌으니까 놔두고."

그러더니 사내가 마크다의 옆에 발을 딛고 말했다.

"마크다, 넌 당분간 집에 들어가지 않는 것이 나을 거야. 이 새끼들이 네 주소를 아니까 말이다."

"누, 누구십니까?"

그제야 두 팔로 땅바닥을 짚으면서 상반신을 일으킨 마크다가 물었다. 그것도 아직 배가 찢어지는 것 같았기 때문에 겨우 물었다. 그때 사내가 발을 떼면서 말했다.

"지금 네 옆에서 뒈진 놈들은 IS 놈들이야. 네가 정보원이라는 걸 알고 잡으려고 온 거다."

사내의 마지막 말은 멀어졌기 때문에 겨우 들렸다.

오후 9시 반.

늦은 저녁 식사를 마친 카라단이 부하가 가져다준 홍차 잔을 들고 자말에게 물었다.

"자흐락은 아직 안 왔어?"

"예, 아직 안 왔습니다."

"좀 늦는데. 네가 밖에 나가봐."

"예, 그러지요."

자말이 몸을 돌린 순간 앞으로 넘어졌기 때문에 카라단이 이맛살을 찌푸렸다. 폐공장은 바닥에 장애물이 많다. 그래서 발에 걸려 넘어진 것 같았기 때문이다. 그때다.

"타타탕!"

요란한 총성이 공장 밖에서 울렸다. 바로 지척이다. 공장 안에는 양초를 서너

221

개 켜놓았고 모포로 창문을 막아서 불빛이 새나가지 않도록 했지만 허술하다. 문고리도 떨어져서 잠기지 않는다.

놀란 카라단이 찻잔을 내던지고 탁자 위에 놓은 AK-47을 쥐려고 뛰었을 때다. 두 발짝을 뛰었을 때 폭음이 터졌다.

"꽈꽝!"

파편이 튀어 옆구리에 맞았기 때문에 카라단은 벽에 몸을 부딪치며 쓰러졌다. 그때 부하들의 외침이 울렸다.

"기습이다!"

가슴이 무너져 내린 카라단이 상반신을 세웠을 때다.

"번쩍!"

섬광탄이 터지면서 카라단은 다시 뒤로 벌떡 넘어졌다.

학살이다.

지노가 앞에서 어른거리는 두 사내를 기관총으로 쏘아 눕히고는 공장 안으로 진입했다.

"타타타타타타타."

먼저 진입한 마크가 섬광탄을 던지고 나서 탄창이 비도록 AK-47을 쏘아 제쳤다. 마크는 오늘 '막 쓰는' AK-47을 소지했다. 실제로 진흙탕에서 건졌다가 대충 손만 보고 쏠 수 있는 총이다.

"타타타타."

뒤쪽에서 울리는 총성은 파하드. 뒤를 받치고 있다.

기습은 전격적이다. 공격의 우위를 선점하면 병력이 10 대 1의 열세여도 몰살할 수가 있다. 이미 수류탄 5발, 섬광탄, 저격으로 압도한 상태에서 이제 공장 건물 안의 잔적을 소탕하고 있다. 그때 리시버에서 사내의 목소리가 울렸다.

"지노! 우리가 왔어!"

사단 정보참모 맥마흔이다. 지노가 공장 진입 전에 연락한 것이다. 뒷수습을 맡기려면 알려주는 것이 편리하다.

맥마흔은 전공(戰功)을 세우려고 눈에다 불을 켠 입장이다. 하이에나처럼 시체라도 뜯어먹을 각오가 되어있는 인물인 것이다. 사단 직속의 수색 중대 병력을 직접 지휘하고 15분 만에 달려왔다. 지노도 그 시간 계산을 했다.

전과(戰果).

카라단 포함 18명 사살. 무기 AK-47 21정, 대전차포 RPG-7V 5정, 드라구노프 저격 총 2정, 거기에다 수만 발의 총탄, 수백 발의 수류탄까지 포함되었다.

"합동작전으로 하지."

널브러진 시체들을 둘러보면서 맥마흔이 지노에게 말했다.

"현상금은 자네가 받도록 해줄 테니까, 어때?"

쓴웃음을 지은 지노가 고개를 끄덕였다.

"좋을 대로 합시다."

"카라단 현상금이 1백만 불이야."

"난 아르카디에서 절반 떼고 세금까지 제하니까 40 받는데."

"부하들 고깃값까지 합하면 2백만 불 가깝게 되지 않아?"

"내가 내 몫으로 10만 불 드리지."

"현상금 빨리 나오도록 힘쓰겠네."

둘은 시체를 내려다보면서 빠르게 말을 주고받는다. 맥마흔이 지노의 어깨를 툭 치고 나서 어둠 속으로 사라졌을 때 수색대 중대장이 다가왔다. 미군 대위다.

"지노 씨, 한탕 또 하셨군요."

낯익은 얼굴의 대위다. 옆에 선 대위가 카라딘을 내려다보면서 말했다.

"이번에도 우리는 외곽 경계만 맡고 끝냈군요."

"금방 맥마흔한테 합동작전으로 해주겠다고 했어."

"맥마흔이 당신 등에 붙어 가려는 것이군요."

힐끗 뒤쪽을 바라본 대위가 쓴웃음을 지었다. 깊은 밤이다. 부서진 창고의 불길은 꺼졌고 군데군데 비상등을 켜놓아서 내부는 다 드러났다.

대위 이름은 커트. 장신의 백인이다. 커트는 1개 소대 병력을 이끌고 온 것이다. 외곽을 맡아서 도주하는 IS 대원을 차단했지만 전과는 한 명도 없다. 대부분 내부에서 사살했고 몇 명은 빠져나갔을 것이다. 그때 지노가 고개를 돌려 커트를 보았다.

"내가 현상금에서 5만 불 떼어줄게."

"5만 불이나?"

눈을 크게 뜬 커트가 지노를 보았다. 용병들이 미군, 또는 민병대와 합동작전을 할 때가 있다. 물론 그때는 용병이 주력일 경우다. 커트가 말을 이었다.

"아르카디는 협조한 민병대나 미군한테 몇천 불 주고 끝나던데."

"난 돈 때문에 일하는 거 아냐."

지노의 얼굴에 쓴웃음이 떠올랐다. 그러나 모든 것은 돈으로 연결이 되어있는 것이다. 용병이 누구인가? 돈으로 고용된 병사 아닌가?

"어쨌든 고맙습니다, 지노."

"천만에. 서로 돕는 거지."

"당신 소문이 사실이군요."

"무슨 소문인데?"

"현상금을 대원들과 똑같이 나눈다고 들었습니다."

"내 몫에서 정보비, 로비자금이 나가는 거야. 그러니까 내 몫은 없어."

"당신은 일부러 사지(死地)로 뛰어든다는 소문도 있어요."

224

"이봐, 대위."

"커트라고 불러주십쇼."

"커트."

"예, 지노."

"내가 나중에 부탁할 일이 있을지도 모른다."

"연락만 해주시죠, 지노."

시선을 맞춘 커트가 눈인사를 하더니 몸을 돌렸다.

5장 후세인의 무덤에 카밀라를 묻다

"지노가 티크리트로 옮겨간다고 합니다. 소문이 다 퍼졌습니다."

카르치가 말했을 때 마툰이 고개를 돌려 도투락을 보았다.

"지도자한테 연락해."

"하지만 그놈이 헛소문을 퍼뜨렸을 수도 있지 않을까?"

도투락이 카르치와 마툰을 번갈아 보았다.

"우리를 분산시키려고 말야."

어젯밤 카라단 조(組)가 지노의 기습을 받아 궤멸한 것이다. 카라단 조는 정예로 휘하에 7개 조를 지휘하는 본부 역할이다. 그 카라단이 하룻밤에 부하들과 함께 몰사했다. 정보원 매복 작전이 역이용을 당했기 때문이다. 그때 카르치가 말했다.

"미군 측에서 나온 정보입니다. 어젯밤 지노가 미군 중대장한테 직접 말했다는 겁니다."

오전 10시 10분.

안가의 거실 안이다. 카르치가 말을 이었다.

"그 중대장이 작전에 데려간 선임하사한테 말했고 그 선임하사가 아침에 제 정부한테 몸 풀러 와서 그 말을 한 것이죠."

선임하사의 정부가 이라크 여자로 정보원인 것이다. 2계단, 많아야 3계단을 거치면 다 연결된다. 그것이 정보계의 룰이다.

고개를 끄덕인 도투락이 자리에서 일어섰다. 무하마드에게 보고는 해야 된다.

"쿠웨이트행 수송기가 있지만 힘들어."

공보장교 피터슨이 이맛살을 찌푸리고 말했다. 3사단 사령부 내 브리핑실 안. 오전 10시 25분.

브리핑을 마친 피터슨에게 세릴이 다가가 오늘 바그다드를 떠나는 비행 편을 물어본 것이다.

"오후 3시 출발인데 기자 탑승은 사령관 허가를 받아야 돼, 세릴."

"정보참모가 말하면 되겠지요, 피터슨?"

"맥마흔이라면 가능하지."

"그런데 그 사람 지금 어디 있어요?"

"내가 아나?"

"어젯밤 지노하고 합동작전으로 카라단을 잡았다고 낮술 마시고 있나?"

"합동작전은 무슨."

제 입으로 '합동작전'이라고 발표해놓고 피터슨이 투덜거렸다. 낮게 말했지만 세릴은 들었다.

"중령, 지금 뭐라고 했죠?"

"난 아무 말도 안 했어."

몸을 돌린 피터슨의 옆으로 세릴이 바짝 다가섰다. 옆으로 미군, 기자들이 지나고 있다. 세릴이 낮게 물었다.

"중령, 무하마드가 테러 순위를 정해서 부하 간부들한테 나눠줬다는 소문 들었죠?"

"이봐, 우린 헛소문 따위는 이야기 안 해."

"지노가 사단장한테 말해줬다던데. 이건 사령부 안에서 들은 소문인데. 보도

할까?"

"어떤 간첩 같은 놈이."

피터슨이 눈을 부라렸다.

"이봐, 세릴, 내가 수송부에 말해줄 테니까 수송기 타고 가."

"나하고 사진기자 워크하고 둘이오."

"알았어. 3시 출발이야."

그러더니 피터슨이 도망치듯이 사라졌다.

밖으로 나왔을 때 세릴 옆으로 뉴만이 다가왔다. 뉴만은 피터의 영상테이프 폭로 보도로 요즘 유명인사가 되었다.

"이봐, 세릴, 임페리얼 호텔에서 임시정부 인터뷰, 갈 거지?"

"아니."

세릴이 손목시계를 보았다. 오전 11시 반에 이라크 임시정부 공보장관이 정부의 긴급 성명을 발표하는 것이다.

"보도 자료나 받을 거야."

세릴이 말하자 뉴만은 쓴웃음을 지었다.

"좋아. 뉴욕타임스 기사는 넘치니까. 그럼 저녁때 술 한잔하지, 내가 살 테니까."

"됐어."

"딴소리 안 할 테니까 지하 클럽에서 만나. 네가 좋아하는 놈들만 불렀어."

그러더니 서둘러 버스를 향해 다가갔다. 뉴만한테도 3시 수송기를 탄다는 말을 하지 않은 것이다. 할 시간도 없었다.

피터의 영상 자료를 준 후부터 뉴만은 세릴을 '깍듯이' 모셨다. 방에 가자는 말은 입 밖으로 꺼내지도 않았고 식당에서 뷔페 먹으려는 줄에 서 있다가 세릴에게 자리를 양보하는 것은 기본이다.

세릴이 수송부 연락관 호간 대위한테서 C-130 탑승 허가를 받았을 때는 그로부터 30분쯤 후다.

피터슨이 연락해주었기 때문에 호간은 주의사항만 말해주었다. 그때 시내 쪽에서 폭음이 울렸는데 꽤 컸다. 폭발물이 터진 것 같다.

잠시 후에 사령부 앞으로 돌아온 세릴은 이리저리 뛰는 장교, 하사관들을 보았다. 심상치 않은 사건인 것 같다. 그래서 지나는 중사 하나를 겨우 잡았다. 안면이 있는 정보참모실 소속 중사다.

"이봐요, 마틴, 무슨 일 있어요?"

"또 버스 폭발입니다."

마틴이 번들거리는 눈으로 세릴을 내려다보았다. 마틴은 흑인이다. 흰자위가 많은 데다 핏발이 깔린 눈을 치켜뜬 마틴이 말을 이었다.

"임페리얼 호텔 앞에서 기자들이 탄 버스가 폭발했어요."

"……."

"자살테러입니다. 차도르를 입은 여자가 버스에 붙어 서서 자폭하는 바람에 수십 명의 사상자가 났습니다."

세릴이 시선을 내렸더니 마틴은 서둘러 그 자리를 떠났다.

뉴만이 죽었다.

피터 오말리의 영상 폭로로 일약 스타가 되었던 NBC 기자 뉴만이 폭사한 것이다. 사건 현장인 임페리얼 호텔 정문. 이제는 뉴욕타임스 기자 세릴 워싱턴이 현장 보도를 한다.

"이번 폭발로 기자 14명을 포함, 18명이 폭사했습니다. 부상자는 29명입니다.

사망자는 NBC 기자 뉴만, 로이터 통신의 애브란, LA타임스의 마틴, 시카고 트리
뷴의 모리스……."

이쪽을 응시하는 세릴의 얼굴은 상기되었고 눈빛이 강해졌다.

"미국은 테러 집단의 극악무도한 테러에 굴복하지 않을 것입니다."

출발 준비를 마친 지노가 거실에 서서 TV에 나온 세릴을 응시하고 있다. 세릴
의 말이 이어졌다.

"미국은 무하마드 살라이를 끝까지 추적, 세균 덩어리 벌레처럼 박멸할 것입
니다. 무하마드는 이슬람도 아닙니다. 사욕으로 신자들을 자살특공대로 몰아넣
는 알라의 변절자, 사기꾼, 한때 후세인 대통령의 뇌물을 받아먹으면서 동료를
팔아먹은 배신자, 강간범, 성도착자일 뿐입니다."

"저런."

어느새 옆으로 다가선 파하드가 놀란 탄성을 뱉었다.

"저 여자 큰일 났군요."

파하드가 말을 이었다.

"무하마드가 저걸 본다면 사생결단을 하고 덤빌 겁니다."

"오늘 떠난다고 했어."

정보참모 맥마흔한테서 들은 것이다. 물론 자살테러가 있기 전이다. 파하드가
고개를 끄덕였다.

"당연히 도망쳐야죠."

그때 TV에서 세릴이 말했다.

"미국은 IS의 무하마드에게 정식으로 선전포고를 합니다. 무하마드는 미국의
원수가 되었습니다."

그때 지노가 리모컨으로 TV를 껐다. 파하드가 쓴웃음을 지으면서 몸을 돌

렸다.

"선전포고를 하고 도망가는군요. 전쟁은 우리들한테 떠넘기고 말이죠."

파하드는 세릴에게 적대적이다.

"탑승 안 합니다."

세릴이 말하자 수송부 연락관 호간 대위가 목소리를 높였다.

"정말 안 탈 겁니까?"

"네, 떠나지 않겠어요."

"알겠습니다. 그럼 탑승 취소하죠."

그러고는 호간이 덧붙였다.

"수송기는 바로 출발시키겠습니다."

핸드폰을 귀에서 뗀 세릴에게 워크가 물었다.

"이봐, 이번 3시 출발 비행기는 못 탔지만 다른 비행 편도 있지 않겠어?"

오후 2시 45분이다.

임페리얼 호텔 현장에서 방송을 마치고 호텔로 돌아가는 차 안이다. 장갑차 안이어서 요란한 엔진음이 울리고 있다. 그때 세릴이 고개를 저었다.

"난 안 가, 워크. 네가 떠나고 싶으면 가도 돼."

"지저스. 난 너처럼 타깃도 아냐. 널 생각해서 한 말이야."

워크가 화를 냈다. 앞쪽에 앉은 무장 병사들이 힐끗 뒤를 보았다. 지휘관에게 부탁해서 후세인 호텔로 데려다 달라고 한 것이다. 세릴이 워크의 어깨를 손으로 가볍게 두드렸다.

"워크, 우리가 같이 일한 지 몇 년이지?"

"6년."

"그동안 내가 비겁한 짓 한 것 보았어?"

"3년 전."

"무슨 일이었는데?"

"네가 달라스 통신의 메이슨한테 사기쳤잖아."

"퍽큐."

세릴이 이번에는 주먹으로 워크의 어깨를 쳤다. 장갑차 소음이 컸기 때문에 앞쪽 병사들은 듣지 못했다.

3년 전, 아프간에서 세릴은 메이슨의 방에 간다고 약속하고 마크와 함께 쿠웨이트로 도망갔다. 메이슨이 미군 사령부에서 훔친 정보로 세릴이 특종을 딴 후다. 그 대가로 메이슨하고 하룻밤 보내기로 했던 것이다.

워크가 어깨를 늘어뜨리면서 소리쳤다.

"어쨌든 계속 장갑차나 얻어 타야겠다."

무하마드가 세릴의 방송을 보았다. 두 시간쯤 후에 녹화된 영상으로 본 것이다.

이곳은 티크리트의 안가 안. 무하마드는 지금 세릴의 방송을 두 번째 보았다. 이윽고 영상을 끈 무하마드가 고개를 들었다. 둘러앉은 간부들은 숨을 죽이고 있다.

충격적인 내용이어서 측근 몇 명은 보여주지 말자고 했지만 만일 무하마드가 우연히 그것을 보았을 때를 생각하면 끔찍했기 때문에 결국 영상을 가져온 것이다.

무하마드가 먼저 입술을 비틀고 웃었지만 두 눈이 번들거렸다. 무하마드는 이제 63세. 지도자가 된 지 20년 가깝게 된다. 그래서 점점 노회해졌고 교활해졌지만 절제력은 줄어들었다.

인내심도 마찬가지다. 독재자들의 전형적인 습성을 닮아간다. 장기간 독재하게 되면 자신도 모르게 이렇게 된다.

"이 여자 대단하군."

먼저 무하마드가 그렇게 말했다. 모두 숨을 죽이고 있다. 무하마드가 말을 이었다.

"순위 2번으로 올려놓을 만해."

"그 여자가 지금도 후세인 호텔에 투숙하고 있습니다."

원로 하나가 겨우 입을 떼었다.

"도투락한테서 연락이 왔습니다. 그 여자의 객실을 제대로 쏘았는데 그 직전에 방을 바꿨다는 것입니다."

"……."

"카라단은 정보가 늦어서 그 여자도 놓치고 당한 것입니다."

"우리가 당한 거다."

무하마드의 목소리가 갈라져 있다. 고개를 든 무하마드가 흐린 눈으로 간부, 원로들을 둘러보았다.

"죽은 동지들의 목숨 값을 받으려면 아직 멀었다."

"……."

"그년한테 집중하라고 마툰에게 전해."

무하마드가 이제는 외면하고 말했다.

"그래서 우리 IS의 위신을 세우라고 해."

간부들이 거실을 나갔을 때 원로 후시미가 다가와 앉았다. 거실에는 무하마드와 둘뿐이다.

오후 6시 반.

무하마드의 시선을 받은 후시미가 말했다.

"지도자님, 지노가 이곳 티크리트로 온다는 정보를 들으셨습니까?"

"들었어."

무하마드가 쓴웃음을 지었다.

"여러 곳에서 들었어. 내가 이곳에 있다는 것을 그놈이 아는 것처럼 나도 정보원이 있거든."

"피하시는 것이 낫지 않을까요?"

"이곳이 오히려 안전해."

무하마드가 거실을 둘러보는 시늉을 했다.

"다른 곳으로 옮기면 놈의 계획대로 움직이는 셈이 될 거야."

"그럴까요?"

"그놈은 함정 파기 전문가야. 티크리트로 간다는 소문을 퍼뜨린 것도 작전이라구."

무하마드가 말을 이었다.

"이곳에서 놈을 잡을 거다."

팔걸이에 몸을 기댄 무하마드가 얼굴을 일그러뜨리며 웃었다.

"이곳에서 지노 그놈이 후세인하고 같이 있었어. 그것이 1년 전이군."

"그래서 이곳 상황도 훤하게 알고 있을 것입니다."

무하마드가 천천히 고개를 끄덕였다.

"여기가 어딥니까?"

헬기에서 내렸을 때 존이 물었다.

오후 7시.

주위는 짙은 어둠에 덮인 산속이다. 인적이 없는 깊은 산. 바그다드를 떠난 헬기가 2시간을 날아 군 기지에서 기름을 보충받고 다시 2시간을 날아 도착한 곳이다.

헬기에 탑승한 팀원은 다섯. 모두 완전군장을 갖추고 중무장한 차림이었다. 지노가 대답하지 않고 조종사에게 손짓했다. 그러자 곧 헬기는 로우터 회전을 높이더니 어두운 하늘로 올랐다. 그러고는 경광등도 켜지 않고 사라졌다.

그때 지노가 존과 마크, 카일을 둘러보았다.

"이곳에서 세 시간만 기다려라. 나하고 파하드가 다녀올 곳이 있다."

"그런데요, 대장."

이번에는 마크가 나섰다.

"우리가 4시간 가깝게 날아왔지 않습니까? 티크리트는 지났지요?"

"그렇다, 마크."

지노가 부드러운 시선으로 마크를 보았다.

"이곳은 북부군 군벌 야합과 무스타파 영역의 경계선 부근이야."

놀란 셋이 서로의 얼굴을 보더니 이번에는 존이 물었다.

"대장, 무슨 일 있습니까?"

"정찰."

짧게 대답한 지노가 손목시계를 보았다.

"10시까지는 돌아온다. 그때까지 이곳에서 쉬도록. 북부군 병사들은 이곳까지는 오지 않겠지만 발각되면 사살해라."

그러고는 지노가 몸을 돌렸고 파하드가 뒤를 따른다.

"좋아. 내가 경계 설 테니까 너희들 둘은 쉬어. 한 시간씩 교대다."

존이 군장을 벗어 놓고 MP-5만 쥔 채 아래로 내려가며 말했다. 존은 따지는 스타일이 아니다. 대장이 하라면 그냥 한다.

"다음 교대는 마크다."

존이 지시하고 아래쪽 바위 쪽으로 사라졌을 때 마크가 혼잣소리로 말했다.

"북부군의 지원을 받을 생각인가?"

북부군을 움직여 배후를 친다면 IS는 독 안의 쥐가 될 것이다. 카일은 배낭에 머리를 기대고 누워 대답하지 않았다.

"이쪽이다."

왼쪽으로 방향을 잡은 지노가 앞장서서 바위산을 오르기 시작했다. 별도 보이지 않는 흐린 날씨였지만 지노는 익숙하게 발을 옮긴다. 그때 뒤를 따르던 파하드가 물었다.

"기억나십니까?"

"잊은 적 없다."

짧게 말한 지노가 바위에 올라 잠깐 주위를 둘러보았다. 이곳은 바위산 중턱. 헬기에서 내린 곳에서 1킬로쯤 떨어진 위치다. 지노가 다시 발을 떼었고 파하드가 뒤를 따랐다.

"벌써 1년이 지났습니다."

파하드가 숨을 몰아쉬며 말했다.

"하지만 저도 기억이 생생합니다."

"……"

"특히 공주님의 모습이……."

그때 지노가 파하드의 말을 잘랐다.

"됐다. 숲길이다."

고개를 든 파하드가 어느새 앞쪽에 펼쳐진 나무숲을 보았다. 지노가 잡초 속으로 발을 떼었고 파하드는 입을 다물었다. 그렇게 다시 2백 미터쯤 산 중턱을 전진했을 때 지노가 걸음을 멈췄다.

"여기다."

파하드가 숨을 들이켰을 때 지노가 주위를 서성대기 시작했다. 잡초와 바위가 뒤섞인 평지다. 산 중턱이어서 바람이 휘몰고 온 대기에 풀 냄새가 맡아졌다.

"찾았다."

곧 지노가 낮게 소리쳤기 때문에 파하드가 몸을 세웠다.

지노가 어둠 속에서 한쪽 무릎을 꿇고 앉아있었다. 지노 앞에는 10여 개의 바위 조각이 놓여 있었는데 어둠 속에서 희끗희끗 드러났다. 그러나 주변이 바위투성이어서 인공적으로 보이지는 않는다. 그때 지노가 위쪽을 가리켰다.

"여기, 돌멩이 3개가 나란히 놓인 것 보이지?"

상반신을 굽힌 파하드가 위쪽 부근에 손바닥만 한 바위 조각 세 개가 놓인 것을 보았다. 어두워서 얼굴을 바짝 붙여야만 했다.

"예, 보입니다."

그러자 지노가 배낭을 내려놓으면서 말했다.

"이곳에 각하가 누워계신다."

사담 후세인의 무덤이다. 이 돌멩이 3개는 무덤의 표시로 놓아둔 것이다.

지노가 잠자코 배낭 안에서 조그만 손가방을 꺼냈다. 손가방의 지퍼를 열고 다시 손바닥만 한 가죽 주머니를 꺼내는 동안 파하드는 옆에 서서 숨을 죽이고 있다. 그때 지노가 검은색 가죽 주머니를 들고 말했다.

"이 주머니 안에 카밀라의 머리카락, 손톱, 발톱이 들어있어."

지노가 주머니를 들고 파하드를 올려다보았다. 눈의 흰자위가 어둠 속에서 번들거리고 있다.

"카밀라를 아버지 옆에 임시로 묻어주려고 여기 온 거다."

"……"

"이라크가 안정을 찾게 되면 카밀라의 시신을 각하와 함께 묻어줘야겠지만……."

지노의 목소리가 낮아지면서 끝부분이 떨렸다.

"지금은 어쩔 수 없구나. 먼저 내가 갖고 다니던 카밀라를 각하 옆에 묻어주는 수밖에."

그러고는 지노가 손으로 바위를 들춰내기 시작했다. 그때 정신을 차린 파하드가 허리에 찬 대검을 뽑더니 지노 옆으로 다가갔다.

"마스터, 제가 도와드리지요."

"아니, 그 대검 이리 내라."

지노가 대검을 가로채더니 이제는 땅을 파기 시작했다.

"카밀라, 아버지한테 온 거다."

지노가 소리 내어 말했기 때문에 파하드가 깜짝 놀랐다. 놀라 비켜선 파하드는 지노가 열심히 땅을 파면서 말하는 소리를 듣는다.

"카밀라, 아버지하고 함께 있어."

곧 땅바닥에서 희끗희끗한 물체가 드러났다. 그러자 지노가 가죽 주머니를 그 위에 놓더니 손바닥으로 토닥거렸다. 파하드에게는 그것이 잘 자라고 토닥대는 모습 같았다.

"각하, 편히 계십시오."

지노가 말을 이었다.

"용병 지노가 카밀라를 데리고 왔습니다."

후세인은 대답하지 않았고 지노의 목소리가 어둠 속에 울렸다.

"지켜드리지 못해서 죄송합니다."

"……."

"카밀라를 데려왔습니다. 기쁘십니까?"

"……."

"카밀라, 아버지하고 같이 있어."

그때 지노의 목소리가 더 가라앉았다.

"카밀라, 사랑해."

그 후에는 말소리가 들리지 않았지만 파하드는 돌아선 채 움직이지 않았다. 얼마나 시간이 지났는지 모른다. 파하드는 뒤에서 지노가 어깨를 치는 바람에 몸을 돌렸다.

"내려가자."

지노의 목소리는 담담했다.

모술 서쪽의 '아브란'은 인구 1만 정도의 작은 도시였는데 IS군에 점령당한 후에 인구가 급격하게 증가했다. IS가 사방에서 주민을 끌어모았기 때문이다.

이른바 '인질 도시'였지만 주민 대부분은 자의(自意)로 '아브란' 시민이 되었다. 그것은 IS가 세금을 받지 않는 데다가 장사를 마음대로 하도록 장려하고 주민에게 밀가루, 고기, 설탕 등 생필품을 무료로 공급해준 것이 이유다.

그래서 반년 만에 인구가 8만으로 증가했고 IS 정규군 5천이 주민 사이에 주둔하고 있다.

북부지역을 담당한 미 제7사단은 1개 연대를 모술에 배치하여 '아브란' 탈환을 도모했지만 작전을 보류했다. 시가전에서 엄청난 주민 피해가 난다고 예측되었기 때문이다.

주민들이 적극적으로 IS에 협조적이어서 상황은 더 나쁘다. 더욱이 이라크를 점령했지만 미군, 미국인 희생자가 계속되었기 때문에 미국 내 여론이 악화되는 중이다.

그래서 '아브란'은 IS의 수도로 알려지게 되었다.

아브란의 IS 주둔군 사령관은 압둘라다.

압둘라는 52세. 무하마드의 경호원 출신으로 사촌이 된다. 처를 네다섯씩 거느리는 집안에서는 사촌이 수십, 수백 명씩 널려 있지만 그래도 친척이다.

압둘라는 25년 동안 무하마드를 따르면서 신임을 쌓았고 마침내 실력자가 된 것이다. 경쟁 상대였던 기동군 사령관 마툰이 바그다드에 침투하여 세상의 이목을 끌고 있었지만 결국은 손해라는 것을 알고 있다.

테러에 성공해서 엄청난 명성을 얻게 되면 곧 무하마드에게 견제를 받아 제거될 것이고 그 반대의 경우는?

미군에 당하거나 패전 책임을 지고 숙청당한다. 어쨌든 나서지 않는 것이 이득이다. 그렇게 압둘라는 앞뒤를 재면서 처신해왔다. 2인자는 위험하다는 것을 알기 때문에 나서지 않았다.

그런데 지금, 바그다드에 마툰이, 티크리트에 무하마드가 내려간 남진(南進) 상황에서 압둘라는 북부의 본진을 지키는 사령관이다.

"방어 초소 이상 없습니다."

오전 9시.

압둘라가 시내 중심부의 사원에서 당직사령의 보고를 받는다. 압둘라는 모스크를 지휘부로 사용하고 있었는데 이것도 IS의 전략이다. 미군이 모스크를 폭격이라도 하면 이슬람의 엄청난 비난을 받게 된다.

당직사령이 말을 잇는다.

"2연대에서 버스 검문을 강화시킨다고 합니다."

"그러다 말겠지."

압둘라가 쓴웃음을 지었다.

미군이 파견한 1개 연대 병력은 시 외곽에 검문소 14개를 설치했다. 그렇게 아브란의 입출을 통제했지만, 생필품 운반은 놔두었다. 그렇지만 지금도 시에 유민이 하루에도 수백 명씩 증가하는 상황이다.

"올해 안에 아브란 인구가 10만이 넘을 것이고 곧 북부 최대 도시가 될 거다."

상황실 안에는 간부들이 둘러앉아 있다. 압둘라가 말을 이었다.

"지도자께서 남진(南進)하시는 동안 우리는 거점을 확실히 굳혀야 한다. 빈틈을 보이면 안 된다."

압둘라는 각 단위부대를 주거단지 안에 배치했다. 민가가 바로 옆이어서 총한 발 잘못 쏴도 주민이 맞는다. 8만 주민을 총알받이로 내세운 것이다.

"이것이군."

땅바닥에 펼쳐놓은 지도를 보더니 존이 먼저 탄성을 질렀다.

지도는 위성사진을 확대한 '아브란 시'다. 지도에는 붉은 펜으로 동그라미가 쳐졌고 옆에 검은색으로 설명까지 적혀 있다. 다섯이 지도를 내려다보면서 잠깐 말을 잊었다. 지노가 배낭에서 지도를 꺼내 펴놓은 것이다.

이곳은 아브란 시 동쪽 35킬로 지점의 산 중턱. 7사단 구역이다. 이윽고 지노가 입을 열었다.

"우리 목표는 아브란 공격이야."

"내가 이럴 줄 알았다니까."

마크가 바로 말을 받는다. 고개를 든 마크가 웃음 띤 얼굴로 존과 카일까지 둘러보았다.

"대장이 이곳까지 온 건 뭔가 큰 걸 터뜨릴 것 같다고 했지."

"닥치고 있어, 마크."

지노가 주의를 주고 나서 지도의 중심부를 손가락으로 짚었다. '사담 모스크'다. 붉은 동그라미가 크다.

"이곳이 압둘라의 기처 겸 사령부야. 압둘라와 간부 10여 명의 숙소다."

모두 지노의 손가락에 집중하고 있다.

"우리는 이곳에 침투, 압둘라와 지휘부를 몰살한다."

"대장."

고개를 든 카일이 지노를 보았다.

"어떻게 침투합니까?"

카일이 지도와 지노를 번갈아 보았다.

"놈들의 검문소만 수십 개요. 물론 외곽의 2연대가 지원을 하겠지요?"

"안 한다. 우리 다섯이 하는 거야."

"지저스."

카일이 어깨를 부풀렸다가 내렸다. 두 눈이 번들거리고 있다.

"대장, 내가 모아놓은 돈의 수취인도 아직 정하지 않았어요."

"닥쳐."

지노가 고개를 들고 존과 마크, 파하드까지를 보았다.

"모스크에 떨어지고 나서의 작전을 세우도록 하자."

"잠깐."

마크가 숨을 들이켜고 나서 지노를 보았다.

"대장, 방금 떨어진다고 했습니까?"

"그래, 마크."

정색한 지노가 부드러운 시선으로 마크를 보았다.

"네가 요즘 주의가 집중되어 있구나."

"어떻게 떨어집니까?"

"고공 6,000미터에서 낙하한다."

지노가 말을 이었다.

"수송기 위에서 곧장 모스크로 낙하하는 거야. 착오가 있으면 안 돼."

지노가 모스크를 다시 손가락으로 짚었다. 모두 고개를 숙이고 손가락을 보았다.

"자, 공격 계획을 말하겠다."

"세릴, 지낼 만해?"

정보참모 맥마흔이 묻자 세릴이 쓴웃음을 지었다.

"덕분에."

이곳은 제3사단 사령부의 장교 식당 안.

오전 10시 반.

식당 안에는 서너 명의 장교가 늦은 아침을 먹고 있을 뿐 한가하다. 어젯밤 늦게까지 원고를 보낸 세릴이 늦잠을 자고 식당에 나왔다가 맥마흔을 만난 것이다.

세릴이 노골적으로 언짢은 기색을 보였는데도 맥마흔이 앞쪽 자리에 앉았다. 손에는 커피 잔을 쥐고 있다.

"장교들한테 인기가 높아졌더군, 세릴."

"그야 여긴 치마만 두르면 인기가 있는 곳이니까."

"넌 기자가 아니더라도 인기였을 거야."

"당신이 무슨 짓을 했는지 아니까 아부할 것 없어, 대령."

맥마흔이 쓴웃음을 지었다. 지금 세릴은 사단 영내의 장교 숙소에서 숙식하고 있다. 카메라맨 워크도 세릴 덕분에 후세인 호텔을 나와 장교 숙소로 옮긴 것이다.

이것은 사단장의 특별 지시지만, 지금까지 전례가 없었던 일이다. 뉴욕타임스가 국방부, 합참의장한테까지 로비를 했기 때문이다. 그런데 맥마흔은 형평성에 어긋난다면서 세릴의 입주를 반대했었다. 그때 맥마흔이 입을 열었다.

"기자들은 단순해. 보이는 것만 믿는 경향이 있어."

"군인들은 소설을 믿나?"

"내가 당신의 장교 숙소 입주를 반대한 건 국방부 작전인 걸 알아야 돼."

"당신은 벌써 장군 행세를 하려고 드는 것이 문제야, 대령."

"내가 반대했기 때문에 다른 언론사 기자들의 입주 신청이 보류된 걸 모르는군."

한 모금 커피를 삼킨 맥마흔이 눈을 가늘게 떴다.

"그것이 국방부가 당신을 배려하기 위한 작전이었다는 것도, 이 잘난 기자님아."

"국방부 작전이 그만큼 훌륭했다면 여론은 왜 이 지경이지?"

"언론 때문이지."

맥마흔이 지그시 세릴을 보았다.

"세릴, 무하마드가 전력을 다해 당신을 없애라고 지시를 내렸어."

"내가 제거되면 대령, 당신 진급도 물 건너가. 그건 공중이라도 할 수 있어."

그때 맥마흔이 눈을 가늘게 떴다.

"곧 빅뉴스가 터질 텐데 아무래도 당신은 제외시켜야 할 것 같군."

이제는 세릴이 입을 다물었고 맥마흔이 말을 이었다.

"당신이 장교 숙소에 기숙하는 특전까지 받는 터라 너무 치우친다는 반발이 나올 것 같으니까 말야."

그러고는 맥마흔이 자리에서 일어섰다.

작전참모 로빈 대령은 참모장 다음 순위의 고급장교지만 기자들과는 말을 섞은 적이 드물었다. 누가 물어도 대답을 안 하거나 정보참모, 공보장교에게 넘기기 일쑤고 무뚝뚝했다.

웨스트포인트 출신. 내년에 장군 진급이 된다고 보도까지 난 인물. 참모장 웨스트 준장하고는 웨스트포인트 동기라고 했다.

세릴이 다가갔을 때 로빈은 고개를 들었다가 내렸다. 식당 안. 점심시간. 로빈은 오늘도 혼자 앉아서 에그 프라이에 소시지 반 조각을 먹고 있다. 앞에는 우유 한 팩. 이것이 전부다. 앞자리에 앉은 세릴이 물었다.

"무슨 작전 있어요?"

"매일 있어."

로빈이 소시지를 1센티쯤 썰어 입에 넣으면서 말을 잇는다.

"이봐, 당신을 장교 숙소에 넣은 건 이렇게 아무나 취재하라는 게 아니야. 저리 가."

"조금 전에 지노한테 연락했더니 전화를 받지 않는데요. 알고 계시겠지만 나하고 지노 측하고 핫라인이 있거든요."

"......"

"솔직히 지노가 저한테 이곳을 떠나라고 했는데 떠나지 않았어요. 그러다 이지경이 되었지만요."

"......"

"그래요. 처음에는 내가 지노 인터뷰를 이용해서 주가를 올렸죠. 회사에서 원고를 고쳤지만, 그것도 예상했거든요. 지노가 화를 낼 만했죠."

"......"

"그런데 왜 전화를 받지 않을까요?"

"내가 아나?"

고개를 돌린 로빈이 세릴을 노려보았다. 눈동자가 갈색이다. 굵은 콧날, 두툼한 입술이 굳게 닫혀 있다. 세릴이 숨을 들이켰을 때 로빈이 입을 열었다.

"이봐, 지노 그만 팔아."

245

세릴의 시선을 받은 채 로빈이 말을 이었다.

"그러다가 당신 큰일 나."

그러고는 소시지를 엄지손가락만큼 남겨놓은 채 자리에서 일어섰다.

"직경 2백 미터 안에 착지해야 돼."

확대된 모스크 지도를 가리키면서 지노가 말했다. 이곳은 이즈빌 서쪽의 미 제42공군 기지 안. 격납고에 둘러앉은 다섯의 위로 불빛이 비치고 있다.

오후 8시.

다섯은 이미 등에 파라슈트를 메고 앞에는 군장을 매달아서 둥근 몸통이 되었다. 지노가 말을 이었다.

"지붕 위에 떨어지거나 모스크 첨탑에 걸리는 경우, 임기응변이 필요해. 잘하도록."

"여기가 첨탑이니까 이곳만 피하면 돼."

존이 중앙의 첨탑을 손가락으로 가리키며 웃었다.

"무슨 영화 생각이 난다. 공수부대원이 종탑에 걸려 매달려 있었지. 옆에서 종이 울리는 바람에 귀가 먹었고."

"사상최대의 작전인가?"

마크가 말을 받았다.

"어떤 놈은 지붕 끝에 매달려 죽었던데."

존과 마크는 각각 강하 횟수가 1백 번이 넘는 전문가다. 그러나 카일은 15번, 파하드는 10번 경력이다. 그때 지노가 파하드를 보았다.

"너, 무리하게 방향 잡을 필요 없다. 바람을 타다가 근처에 착지해도 된다."

"염려하지 않으셔도 됩니다."

파하드가 이를 드러내고 웃었다.

"맡은 일은 할 테니까요."

고개를 끄덕인 지노가 시계를 보았다.

낙하시간은 밤 12시. 이곳에서 11시 반에 이륙이다.

"이봐, 맥마흔."

로빈이 부르자 맥마흔이 몸을 돌렸다. 사령부 상황실 안. 다가온 맥마흔이 앞에 섰다.

"예, 로빈."

같은 대령이지만 맥마흔은 로빈의 육사 후배다. 육사 1년 후배에다 대령 진급도 2년이나 늦다. 그런데 지금은 둘이 장군 진급 케이스였으니 로빈이 늦은 셈이다. 로빈이 맥마흔을 노려보았다.

"너, 세릴한테 무슨 정보 줬어?"

"그럴 리가요?"

대번에 부인한 맥마흔이 정색했다.

"작전을 유출할 리가 있습니까?"

"그런데 왜 그 여자가 나한테 와서 뜬금없이 지노 이야기를 늘어놓지?"

"지노 이야기를 말입니까?"

"지노가 전화를 받지 않는다는 둥, 이곳을 떠나라고 했다는 둥, 배신을 때렸다는 둥 하면서 내 눈치를 보더란 말야."

"글쎄요, 왜 그랬을까요?"

"네가 그 여자하고 잘 통하잖아?"

"무슨 말씀을 하십니까?"

맥마흔이 펄쩍 뛰었다.

"제가 그 여자한테 정보를 주는 것처럼 들리는데요, 로빈."

"네가 그 여자 자꾸 이용하는 거 내가 알고 있어."

"그런 적 없습니다."

"네가 그런다고 나보다 먼저 장군 되는 거 아냐."

"제가 장군 되는 것하고 선배하고 상관이 없지 않습니까? 저는 정보계통이고 선배는 작전계통 아닙니까?"

둘은 구석 자리에서 빠르게 말을 주고받는다. 그때 로빈이 쓴웃음을 지었다.

"이봐, 대령."

"예, 대령님."

"이번 작전 끝나면 군 사기 진작으로 대대적인 인사가 있어."

인사에 대한 정보는 작전참모가 빠른 것이다. 맥마흔이 숨을 죽였고 로빈이 말을 이었다.

"그러니까 입조심하고 있으란 말이다. 산통 깨면 네가 다 뒤집어쓰게 돼."

다목적 헬기인 UH-60은 무장한 병력을 8명까지 탑승시킬 수 있다.

오후 11시 반.

작전 시간보다 15분 빠르게 UH-60이 아브란 시에 진입했다. 고공 1만 피트 (3,000미터). 조종사 커시 상사가 고개를 돌려 지노를 보았다. 흑인이어서 눈의 흰 자위가 번들거리고 있다.

"5초."

딱 한마디.

"오케이."

벌써 다섯은 일어나 있다. 발밑은 이제 아브란 시. 헬기가 시속 220킬로로 속력을 늦췄다.

"4초."

지노가 소리쳤다.

이미 블랙호크의 양쪽 문을 열어놓은 상태. 바람이 휘몰려 들어오고 있다. UH-60 블랙호크는 동체 양측 작은 날개 밑에 총 16발의 헬파이어 미사일을 탑재하고 있다. 대전차 미사일이다. 엄청난 화력을 보유하고 있지만 아브란 시에는 용병 다섯만 떨어뜨리고 갈 것이다.

"3초!"

지노가 소리치자 모두 양측으로 붙어 섰다. 커시가 속력을 더 줄였고 헬멧에 부착된 암시장치에 '사담' 모스크가 드러났다.

"2초!"

지노가 창가의 손잡이를 쥐고 소리쳤다.

"1초, 뛰어!"

그때 양쪽에 매달려 있던 다섯이 일제히 강하했다. 고도 3,000미터. 고공낙하다.

'사담' 모스크의 부속 기도장은 경호대의 숙사로 개조되어서 2개 소대 70명이 숙식하고 있다. 직사각형 구조의 모스크는 앞쪽 정원에 분수대까지 설치해 놓았지만, 고장이 나서 물만 고여 있다.

모스크 구조는 가로, 세로가 각각 80미터, 60미터 규모이고 단층 본관의 왼쪽에 30미터, 20미터의 부속 기도장, 뒷마당의 담장에 창고가 붙어 있다. 전체 면적은 가로 150미터, 세로 80미터 규모다.

압둘라는 본관 내부의 접견실을 개조해서 숙사로 삼았고 그 옆방은 상황실, 무기고로 사용하고 있다.

"헬기가 지나가는 거냐?"

그 시간에 본관의 상황실에서 압둘라가 앞에 앉은 경호대장 파쿤에게 물었다. 파쿤이 천장을 올려다보면서 대답했다.

"블랙호크구만요."

"늦은 시간에 지나가는군."

"서쪽 경비대로 가는 것 같습니다."

건성으로 대답한 파쿤이 압둘라를 보았다.

"이번에 기자들이 당한 후에 미군이 보복 작전을 한다는 소문이 번지고 있습니다."

"그건 지난번 대사관 차를 폭발시킬 때도 그랬어."

압둘라가 쓴웃음을 지었다.

"누가 끈질기게 버티느냐로 승부가 난다. 아프간을 봐라."

아프간을 침공했던 소련은 10년 만에 철수했다. 패퇴한 것이나 같은 것이다. 아프간 게릴라들의 끈질긴 공격에 결국 엄청난 군비만 쏟아붓고 패퇴했다. 압둘라가 말을 이었다.

"미군은 지금 여론의 압박에 시달리고 있어. 이 시점에서 불리한 건 미국이지 우리가 아니야."

압둘라는 IS의 최고지휘관 중 하나다. 정세를 파악하고 있다.

강하하면서 서북풍을 만나 옆으로 흘렀는데 다행히 1천 미터 상공에 닿았을 때 방향을 잡았다. 파라슈트가 다시 비스듬한 원을 그리면서 사담 모스크로 강하했다.

고개를 든 지노가 우측 1백 미터 지점에서 이쪽으로 다가오는 존을 보았다. 존은 정확하게 방향을 잡고 있다. 헬멧에 부착된 야간 투시경을 내렸기 때문에 존의 얼굴도 보인다.

강하 1분이 지났다. 존도 이쪽을 보았다.

"존, 3, 4, 5번은?"

"조금 전에 내 왼쪽으로 5번이 3시 방향으로 흘렀어, 대장."

리시버에서 존의 목소리가 또렷하게 울렸다. 5번은 파하드다. 그때 카일의 목소리가 울렸다.

"난 1백 미터 상공. 착지한다."

놀란 지노가 아래쪽을 내려다보았다. 카일의 검은색 파라슈트가 보인다. 파라슈트가 뒤쪽 창고 쪽으로 비스듬히 내려가고 있다.

"쿵."

모스크 왼쪽 시멘트벽에 몸이 부딪치는 소리다. 가슴에 멘 군장이 부딪친 것이다.

5미터 높이쯤에서 부딪치고 나서 반동으로 2미터쯤 튀었다가 다시 부딪치려는 것을 두 발을 뻗어 먼저 짚었다. 그래서 소리는 나지 않았지만 주르르 미끄러졌다.

그 순간 다리를 굽혀 충돌을 막으려고 했더니 '휘청' 하면서 몸이 매달려 흔들렸다. 파라슈트가 모스크 위쪽 시멘트 모서리에 걸렸기 때문이다. 그래서 몸이 그네처럼 흔들렸고 내려다보니까 지상 1미터밖에 되지 않는다.

지노가 허리에 찬 대검을 뽑아 단숨에 파라슈트 끈을 잘랐다.

"펄썩."

땅에 떨어지는 소리가 그렇게 났다.

이곳은 모스크 본관 왼쪽 귀퉁이. 30미터 옆쪽이 경비병 숙사다. 맨땅에 뒹굴면서 지노가 보조 낙하산을 벗고 군장을 풀어 던지는 데 3초밖에 안 걸렸다.

등에 멘 MP-5를 손에 쥐고 일어선 지노가 먼저 벽에 붙어 섰다. 가쁜 숨을 고르면서 먼저 장비 체크. 손에 MP-5, 가슴에 수류탄 4발, 허리에 단창 4개, 베레타 92-F.

그때 확인과 동시에 통신.

"난 모스크 왼쪽 귀퉁이다."

그때 바로 위에서 목소리.

"4번. 모스크 첨탑에 걸렸음."

고개를 든 지노가 첨탑의 모퉁이에 파라슈트가 걸려서 대롱거리고 있는 카일을 보았다. 그러나 밑은 2층의 난간이다.

"서둘지 마. 네 밑은 난간이야. 모퉁이 잡고 슈트를 잘라, 천천히."

그때 리시버에 목소리.

"2번. 창고 옆에 착지. 대기."

그때 파하드의 목소리가 울렸다.

"5번. 담장 밖으로 떨어졌음. 왼쪽 담장 야자수 옆."

3번 마크의 대답이 없다. 그때 고개를 든 지노가 카일이 모스크의 모퉁이를 잡은 채 난간으로 발을 내밀고 있는 것이 보였다.

지노 위쪽 5, 6미터 지점. 첨탑에 걸린 파라슈트가 끝에 감겨 있었기 때문에 치마폭만큼 삐져나와 흔들거리고 있다.

경호대 숙소는 불침번이 없다. 대신 모스크 외곽에 초소가 6개나 있었는데 각각 2명씩 안에서 밖을 감시하는 구조다. 제3번 초소는 왼쪽 담장 밖에 모래 자루를 쌓아 만들었는데 앞쪽은 도로다.

초소에 서 있던 마쿤이 갑자기 옆쪽에서 펄럭이는 소리가 났기 때문에 고개를 들었다. 어디서 날아왔는지 차도르 자락이 옆쪽 야자수 둥치에 걸려 펄럭이고 있다. 어둠 속에서 검정 차도르가 펄럭이는 것이다.

그것을 본 마쿤의 얼굴에 저절로 웃음이 떠올랐다. 바람도 없는 날인데 차도르가 날아왔단 말인가? 그 순간이다.

"퍽, 퍽, 퍽."

둔탁한 발사음과 함께 마쿤은 뒤로 벌떡 넘어졌고 영문도 모르고 딴 쪽을 보고 있던 네프간도 초소 안으로 뒹굴었다.

"꽈꽝! 꽝! 꽝!"

갑자기 천지를 진동하는 폭발음이 울렸을 때는 그 순간이다. 존이 경비대 숙사 안에다 수류탄 3발을 연거푸 던져 넣은 것이다.

"타타타탓탓탓탓."

요란한 총성. 다시 폭발음.

"꽝! 꽝! 꽝!"

이번에는 모스크 본채에서 수류탄이 폭발했다. 밖에서 뻔히 보이는 터라 안으로 한 발도 빠짐없이 유리창을 깨고 들어가 폭발.

"타타타타타타!"

지노가 수류탄을 던지고 나서 안으로 진입해 들어가면서 쏘아 갈기고 있다.

"타타탓탓!"

그때 오른쪽 창고 쪽에서 총성과 함께 바깥쪽에서 마크의 목소리가 울렸다.

"나야! 헬멧을 잃어버렸어!"

그 외침을 카일만 들었다. 근처에 있었기 때문이다. 카일은 이제 창고 벽에 붙어 서 있다.

"지저스. 창고 왼쪽에 마크가 있어! 헬멧을 잃어버렸다는 거야!"

리시버에서 카일의 목소리가 울렸다.

"카카카카카카카."

총성. 그때 파하드의 목소리.

"3번 초소를 부수고 지금은 2번 초소를 격파했음!"

"꽈꽝! 꽝!"

수류탄 폭음과 함께 이번에는 여러 곳에서 총성이 울렸다.

"타탓탓 탓탓, 타타타."

모스크는 격렬한 총성에 휩싸였다.

본채 안으로 뛰어든 지노는 수류탄으로 무너져 내린 내부를 보았다. 소이탄 1발을 던져 넣었기 때문에 불길이 치솟고 있다.

"타타타탓탓!"

갑자기 안에서 총성과 함께 총탄이 쏟아졌다. 한 발이 지노의 가슴에 맞아 격심한 충격이 왔다. 상체가 젖혀졌고 중심이 잡히지 않았지만, 그쪽으로 총구를 겨눈 지노가 방아쇠를 당겼다. 방탄조끼에 맞은 것이다.

"타타타타타타."

불길 속에서 어른거리는 상반신이 드러나 있다. 사내가 총을 떨어뜨리면서 불길 속으로 머리를 던져 넣었다.

지노가 한 발 남은 수류탄을 빼내고는 이로 안전핀을 물어뜯었다. 그러고는 손을 쫙 펴서 체공 시간을 줄인 후에 아직 온전한 가건물 쪽으로 던졌다.

20미터 거리. 불길 속으로 날아간 수류탄이 정확하게 가건물의 열린 문 안으로 빨려 들어갔다.

"꽈꽝!"

폭발과 함께 파편이 밖으로 쏟아져 나왔다. 덜렁거리던 문짝도 날아갔다. 지노가 내달려 사상자를 확인하기 시작했다.

"타타타타, 타타타."

밖의 총성이 줄어들고 있다.

254

압둘라다.

지노가 불길 속에 서서 방 안쪽에 쓰러진 아마드 압둘라를 내려다보았다. 압둘라는 수류탄 폭발로 내장이 다 빠져나왔지만 얼굴은 멀쩡했다.

탁자에 상반신을 비스듬히 걸친 채 누운 압둘라가 지노를 올려다보았다. 불빛이 얼굴에 어른거리고 있다. 그때 지노가 주머니에서 소형 카메라를 꺼내 압둘라의 사진을 찍었다.

왼손에 총을 쥔 채 카메라 셔터를 누르는 것이다. 플래시가 번쩍인다. 번쩍, 번쩍, 번쩍, 번쩍. 그때 압둘라가 물었다.

놀랍도록 선명하고 차분한 목소리.

"너, 누구냐?"

"지노."

지노가 바로 대답했다. 그리고 다시 한 번 번쩍. 그때 압둘라가 웃었다.

"네가 지노군."

"그렇다."

번쩍. 그때 리시버에서 존의 목소리가 울렸다.

"대장, 여긴 끝났어!"

숙소의 내부 정리가 끝났다는 말이다. 지노가 카메라를 주머니에 넣었을 때 압둘라도 눈을 감았다.

탈출 루트는 뒷문을 빠져나와 주택가 골목으로 들어가는 루트다. 지도를 보고 모두의 머릿속에 입력했다.

지노가 뒤쪽으로 내달리면서 소리쳤다. 리시버에 대고 소리친 것이다.

"탈출! 체크!"

"2번! 뒤를 따르고 있음!"

"5번! 뒷문 장애물 제거! 기다리고 있음!"

파하드가 밖에서 바깥 경비병들을 제거한 것이다. 그때 카일의 목소리가 울렸다.

"4번. 맞았음."

놀란 지노가 막 뒷문 밖으로 나가려다가 주춤했다.

"어디냐?"

"창고 옆. 왼쪽."

그때 걸음을 멈춘 지노가 고개를 돌렸다. 달려오던 존이 가쁜 숨을 쉬면서 바로 앞에서 멈춰 섰다.

"대장, 왜?"

"너, 먼저 가."

"대장."

"명령이다! 계획대로 나가!"

"대장."

"이 개자식이! 서둘러!"

지노가 존의 어깨를 밀면서 소리쳤다.

"빠져나가서 집합지점에서 기다려!"

그러고는 몸을 돌리면서 말했다.

"2시간 안에 안 가면 그대로 돌아가!"

창고 쪽으로 돌아 뛰던 지노가 앞쪽에서 어른거리는 그림자를 보았다. 20미터쯤의 거리. 총구를 겨누었던 지노가 주춤하고 나서 낮게 소리쳤다, 영어로.

"누구냐? 나 지노다."

"대장!"

마크의 목소리. 헬멧을 잃어버려서 먹통이 되었던 3번, 마크가 달려왔고 지노도 달려갔다. 지노가 마크의 어깨를 주먹으로 후려쳤다.

"너, 뒷문으로 나가! 난 카일 데리러 간다!"

"대장, 왜?"

"창고 옆에서 카일이 부상이야!"

"대장, 그럼, 같이."

"이 개자식! 존은 벌써 갔어! 말 들어!"

그때 리시버에서 존의 목소리가 울렸다.

"대장, 나 지금 뒷문 앞에서 기다리고 있어!"

그때 파하드의 목소리.

"마스터, 나 뒤에 있습니다!"

고개를 돌린 지노가 뒤쪽에서 달려오는 그림자를 보았다. 파하드다. 그때 마크가 먼저 창고 쪽으로 몸을 돌려 뛰었다.

총탄은 카일의 왼쪽 겨드랑이를 뚫고 들어갔다. 중상이다.

움직이지 못하고 창고의 벽에 상반신을 기대고 있다. 출혈이 계속되고 있지만 압박 붕대로 눌러놓고 있을 뿐이다. 그러나 오른손에 쥔 AK-47은 놓지 않았다. 30발들이 탄창 2개를 다 비우고 3번째 탄창을 꽂고 있다.

카일 앞쪽에 7구의 시체가 놓여 있다. 모두 카일이 처리한 것이다. 카일은 명사수다. 오른손만으로도 사격을 계속했다.

카일의 옆에 둘러선 셋은 침묵했다. 카일의 눈이 어둠 속에서 번들거리고 있다. 그렇게 10초쯤 지난 것 같다. 카일이 입을 열었다.

"나 죽는 거 보고 가도 돼, 대장."

그 소리를 리시버로 들은 존이 말했다.

"카일, 너 돈 모아둔 거 누구한테 보낸다고 말해야지."

"다 해놨어."

카일이 말하고는 얼굴을 일그러뜨렸다.

"내가 그것도 안 해놓고 나왔을 것 같으냐?"

"카일."

"닥쳐, 이 자식아."

그때 카일이 지노를 보았다.

"대장, 우리 멋있게 살았지?"

카일이 지노에게 손을 내밀었다.

"수류탄."

지노가 상반신을 젖혔다.

"난 다 썼다."

둘러선 조원들이 잠깐 침묵했다. 그 짧은 정적이 안쪽에서 울리는 외침 소리에 깨졌다. 지원군이 왔다. 이어서 총성.

"타타탓, 타탕."

그때 카일이 마크를 보았다.

"마크, 넌?"

마크가 한 걸음 물러섰을 때 카일이 소리쳤다.

"빨리 내! 그리고 서둘러!"

그때 지노가 마크의 가슴에서 수류탄을 뽑아 카일에게 건넸다.

"카일, 네 수당을 어디에다 보내지?"

"이번 압둘라 수당은 내 여동생한테 부탁해, 대장."

"오케, 내가 보내지."

"내가 미안했다고 전하고."

"오케."

"꺼져. 어서!"

지노가 몸을 돌렸을 때 마크가 소리치듯 말했다.

"카일, 먼저 가라."

그때 모두의 리시버에서 존의 외침이 울렸다.

"카일, 잘 가라!"

존도 듣고 있었던 것이다. 지노가 앞장을 섰고 마크와 파하드가 뒤를 따라서 달렸다.

존이 기다리는 뒷문 근처로 왔을 때 총성이 격렬해졌다. 앞쪽. 존이 총격전을 벌이고 있다.

"앞쪽으로 10여 명이야!"

존의 외침. 그때 뒷문 밖으로 뛰쳐나간 셋이 일제히 반격, 존과 합세해서 총격전이 일어났다.

"골목으로!"

앞장서 뛰면서 지노가 소리쳤다. 이곳을 벗어나야 한다.

"꽝! 꽝!"

마크와 파하드가 연거푸 던진 수류탄이 폭발, 한꺼번에 대여섯 명을 폭사시키면서 총격이 주춤해졌을 때 넷은 20미터 거리의 골목으로 뛰어들었다.

그때다. 지노는 리시버에서 울리는 카일의 외침을 들었다.

"마마!"

다음 순간 폭음이 울렸다.

"꽝!"

뒤쪽. 모스크 안이다.

마크가 앞장서 뛰고 있다. 골목을 찾아 계속 달리는 중이다.

깊은 밤.

총성은 산발적으로 울렸는데 총격전이 아니다. 울분, 당황, 공포가 총성 속에 섞여 있다. 지노는 총성에도 '뜻'이 있다고 믿어졌다. 쏘는 사람의 감정이 총성에 섞여 있는 것이다.

지금이 그렇다. 모스크에서 울리는 총성이 그렇게 표현하고 있다. '꽝' 하고 터졌던 카일의 폭음이 그렇다.

'카일의 수류탄'. 그 폭음은 '어머니'를 향한 외침이었다. 어머니를 부르는 외침이 그렇게 '꽝' 하고 모스크를 울렸다. 그때.

"타타타타탓!"

앞에서 총성. 앞장서 달리던 마크가 벽에 몸을 부딪치면서 응사했다.

"타타타탓, 탓탓탓."

마크가 쥔 AK-47이 날카로운 발사음을 낸다. 이곳은 양쪽으로 뻗은 골목의 입구. 마크가 정지하는 바람에 그 뒤를 따르던 존, 지노, 파하드가 차례로 멈춰섰다. 모스크에서 직선거리로는 5백 미터. 그러나 빠져나온 지 10분 정도가 지났다.

"뭐냐?"

좁은 골목이어서 지노가 소리쳐 묻자 마크가 대답했다.

"입구를 막고 있어!"

"내가 담장을 넘어가겠다. 대기!"

두말할 것도 없이 지노가 몸을 솟구쳐 옆쪽 담장 끝에 손을 얹었다. 담장 높이는 2미터 50 정도. 흙담이지만 견고하다. 몸을 담장 위로 올린 순간에도 다시 총격이 일어났다.

"타타타타타타, 타타타."

3정이다. 마크가 손만 내놓고 그쪽에다 대고 응사했다.

"타타타탓."

"팍."

존의 욕설. 뒤로 돌아갈 수도 없다, 긴 골목이었기 때문에. 1백 미터쯤이나 샛길도 없는 골목을 돌아야 한다. 바로 앞에서 두 갈래로 골목이 나뉘는 지점이다.

집 마당으로 뛰어내린 지노가 MP-5를 등에서 풀어 잡자마자 마당을 달려 총성이 울리는 방향으로 직진. 어둠 속을 뛰면서 헬멧의 야간 투시경을 내린 후에 담장 안쪽에 붙어 섰다. 총성이 바로 옆쪽에서 울렸다.

3정. 지노가 옆에 놓인 통나무를 굴려 담장 밑에 붙이고는 그 위에 올라섰다. 그 순간 앞쪽에서 번쩍이는 섬광과 총성이 울렸다.

대각선 끝 쪽에 엎드린 세 사내. 거리는 25미터. 이곳이 경비초소였다. 담장 위에 총구를 얹은 지노가 숨을 들이켜고 나서 방아쇠를 당겼다.

"타타탓, 타타탕, 타타탕."

세 발씩 연속 사격으로 세 사내가 차례로 쓰러졌다.

마크가 부상을 당했다. 총탄이 어깨를 관통한 것이다. 첫 총격이 일어났을 때 맞았는데 내색하지 않고 응전했다. 방탄조끼 바로 밑 부분이다.

다시 내달려 도시 끝부분에 닿았을 때 마크가 부상당했다고 말해주었다. 방탄조끼를 벗고 치료하는 데 5분 소요. 군장은 버리고 총만 휴대하도록 했다.

갑자기 시내가 조용해졌기 때문에 더 긴장되었다.

"자, 가자."

초소를 피해서 고원 쪽으로 방향을 잡은 지노가 말했다.

선두는 파하드가, 그다음이 존과 마크, 뒤를 지노의 순서로 나가고 있다.

오전 2시 반.

아브란 시 동쪽 12킬로 지점의 고원에서 지노 팀이 마중 나온 민병대와 만났다. 연락을 받은 민병대는 들것까지 가져왔기 때문에 마크는 들것에 실려서 운반되었다.

2연대에서 보낸 헬기는 지금 날아오는 중이었다. 마중 나온 민병대 소대장은 지노 팀의 분위기가 가라앉은 것을 보더니 말도 붙이지 못했다.

"지노가 14민병대와 만났습니다."

상황실에서 작전참모 로빈이 사단장 로니 소장에게 보고했다. 로니는 아브란 시 모스크에서 폭발이 계속되고 있다는 보고를 받고 나서야 상황실로 들어온 것이다. 그래도 한 시간 반이나 상황실을 지키고 있는 셈이다.

오전 2시 40분.

로니가 고개를 끄덕이며 일어섰다.

"이것으로 IS 지휘부도 절반이 무너져내렸군."

압둘라의 현상금이 5백만 불이다. 지금 바그다드에서 테러를 일으키고 있는 마툰과 동급이다. 무하마드는 1천만 불. 용병들은 그 셋을 '돈 덩어리' 또는 '빅 쓰리'로 부르고 있다.

"지노가 또 한 번 명성을 떨쳤어."

로니가 혼잣소리처럼 말했지만 상황실 안의 장교들은 다 들었다. 지노의 팀원 중 한 명 사망, 한 명 부상이라고 보고했지만 들은 척도 하지 않았다. 지노 이야기할 때만 눈동자의 초점이 잡혔다.

"지저스. 이제 한숨 덜었군."

로니가 방을 나갔을 때 작전참모 로빈이 어깨를 펴고 말했다.

262

"이건 최소한 은성무공훈장감이야, 여러분."

그 여러분 중에 아르카디 용병단의 깁슨도 포함되어 있다. 로빈의 시선을 받은 깁슨이 빙그레 웃었다.

"역시 작전참모가 알아주시는군."

"당연하지."

로빈이 주위를 둘러보았다.

참모장은 일찍 나갔기 때문에 상황실 안에서 로빈이 선임이다. 이번 작전은 아르카디 용병단 특수팀의 공이다. 그리고 그 아르카디 작전에 관여한 것은 작전참모 로빈인 것이다.

따라서 이번 공적은 로빈에게 절반이 돌아간다. 절반은 아르카디 몫이고. 사단장 로니는 이름만 붙여진 셈이 될까? 진급에는 3퍼센트쯤 영향이 갈 것 같다. 로빈은 30퍼센트 정도. 그래서 로빈이 신이 난 것이다.

전투는 단순해서 죽느냐 사느냐지만 '윗선'은 이렇게 복잡해서 엉뚱한 놈들이 웃고 운다.

오전 8시.

사령부 장교 식당에서 세릴이 안면이 있는 작전참모부 소속 장교한테서 정보를 듣는다. 중위가 세릴의 옆자리에 앉더니 말한 것이다.

"어젯밤 지노가 아브란 시에 침투, 압둘라를 사살했습니다."

숨을 멈춘 세릴이 시선만 주었고 중위가 거침없이 말을 이었다.

"특수팀 5명이 고공에서 낙하, 압둘라의 사령부 겸 숙소를 공격한 것이죠. 압둘라의 사진도 판명이 되었습니다."

"……."

"IS 요원 70여 명 사살. 압둘라, 파쿤, 무르간 등 거물급 6명 사살 확인이 되었습니다.”

“······.”

“지노 팀은 1명 전사, 1명 부상으로 5명 중 4명이 귀환했더군요.”

“······.”

“우리 작전참모부와 아르카디 연합 작전의 승리입니다.”

이것을 강조하려고 일부러 다가와서 정보를 준 것인데 세릴로서는 싫지 않은 일이다. 영내에서 숙식하는 덕분으로 정보를 빨리 받았다.

“지금 지노는 어디 있죠?”

세릴이 묻자 중위가 고개를 기울였다.

“민병대의 보호를 받고 있습니다. 위치는 밝힐 수 없고요.”

여기까지다.

“아브란으로 간다.”

마침내 무하마드가 결정했다.

오전 9시 반.

압둘라가 피살되었다는 보고를 받은 지 9시간 만이다. 무하마드로서는 진지의 한복판에서 피살된 압둘라가 마치 마른날에 벼락을 맞아 죽은 것처럼 실감이 나지 않는 것 같다. 무하마드가 앞에 선 후시미에게 말을 이었다.

“준비해라. 오늘 밤에 떠난다.”

아브란은 IS의 거점이자 수도 역할인 것이다. IS를 의지하는 주민이 8만이나 모인 도시다. 그곳을 IS의 정신적인 고향으로 만들려던 무하마드다.

그런 상황에서 아브란의 사령관 압둘라가 피살되었다. 무하마드가 주민을 안정시키고 사기를 고양할 필요가 있다.

티크리트에 침투해서 무하마드를 '잡는다'는 정보를 흘리고 아브란 시로 침투한 것은 작전참모 로빈과 아르카디의 깁슨 그리고 지노 3자 간의 합의였다.

정보가 유출될까 봐서 사령관인 3사단장 로니 소장한테도 말하지 않았던 것이다. 이것은 용병단 아르카디의 특수팀 작전이었기 때문에 그렇다.

일일이 사령관에게 보고하지 않아도 된다. 작전참모만 알면 되는 일이다. 그래서 로빈의 공적이 30퍼센트라니까.

오후 3시 반.

아브란 시 동쪽 14킬로 지점에 주둔한 제14민병대에 UH-60 블랙호크 3대가 착륙했다. 헬기에서 10여 명의 장교, 용병이 내렸는데 곧 상황실에 둘러앉았다.

민병대장인 이라크군 출신 소령 한 명만 상황실로 들어왔고 나머지는 모두 헬기에서 내린 사내와 지노 팀이다.

로빈, 깁슨, 카터, 지노, 존, 파하드가 앉았고 용병 서너 명, 미군 장교 서너 명. 그때 먼저 로빈이 지노에게 말했다.

"예상했던 대로 IS가 이번 작전에서 민간인 피해자가 250명이라고 떠들어대는 중이야. 시체 사진까지 배포했는데 아무래도 이놈들이 민간인들을 죽이고 우리 소행으로 만든 것 같아."

로빈이 번들거리는 눈으로 좌중을 둘러보았다. 이번 작전만 끝나면 로빈은 '별'을 달게 될 것이었다. 이곳으로 날아오기 전에 펜타곤의 친지한테서 귀띔까지 받은 터다.

"하지만 언론사들이 놈들의 농간에 넘어가지 않기로 했어, 확인되지 않은 선전은 보도하지 않기로 했으니까."

어깨를 부풀린 로빈이 지노를 보았다.

"지노, 압둘라와 파쿤, 무르간, 오사르 능 거물급 6명의 사살은 확인되었어. IS

요원 72명까지 포함해서 78명 사살이야."

지노는 쳐다만 보았고 로빈이 말을 이었다.

"그리고 또 있어."

로빈이 목소리를 낮췄다.

"무하마드가 오늘 밤에 아브란으로 이동해 온다는 거야. 티크리트에서 아브란으로 말야."

"……."

"극비사항이지만 무하마드의 이동이니 정보가 새어 나온 거지. 수백 명이 움직일 수밖에 없으니까 말야."

"……."

"참모, 원로들, 경호대, 수송대, 그리고 딸린 식구들, 정보원들까지 움직이게 되면 개미 떼라도 발자국 소리가 나는 법이거든."

고개를 든 로빈이 이제는 깁슨까지 둘러보았다.

"그래서 이번에는 사령부 작전이야. 3사단, 7사단의 미군 2개 연대 병력에다 민병대 23개 중대, 그리고 아르카디의 13개 팀이 동원되는 최대 규모 작전이 될 거네. 바로 '무하마드 제거 작전'이지."

그 지휘부가 바로 이곳인 것이다. 그때 로빈이 결론을 냈다.

"지노, 자네 팀이 압둘라를 제거하고 이번 사상 최대의 작전 계기를 만들어 주었으니까 하는 말인데."

로빈의 시선이 깁슨에게 멈췄다가 돌아왔다.

"이 작전은 이제 미군 사령부가 직접 지휘하게 되었어. 자네 팀은 쉬도록."

지노가 잠자코 고개만 끄덕였을 때 카터가 말을 맺었다.

"헬기 편으로 바그다드로 돌아가게, 지노."

오후 4시 반.

헬기 안. 마크는 일찍 수송되었기 때문에 UH-60 안에는 지노와 존, 파하드 셋이 다리를 뻗고 앉아있다.

헬기는 요란한 로우터 소음을 내면서 날아가는 중이다.

셋 다 헤드셋을 쓰고 있었기 때문에 대화는 나눌 수 있었지만 서로 눈만 마주치고 있다. 말하면 조종사들까지 다 들리기 때문이다. 그때 존이 참지 못하고 묻는다.

"카일은 거기 있을까요?"

거기라면 '사담 모스크' 창고 앞이다. 지노가 고개를 돌려 존을 보았다. 수류탄 폭음이 들리는 것 같다.

지노는 고개를 돌리면서 대답하지 않았다. 카일이 수류탄으로 자살한 것은 제 시신이 이리저리 굴리는 모습이 싫었기 때문이다. 그래서 산산조각으로 흩어놓았다.

그것을 존도 알 텐데, 묻다니.

바그다드. 시내의 안가. 오후 8시 반.

거실에 앉아있는 지노에게 존이 말했다.

"대장, 마크가 내일 독일로 후송된다는데. 거기서 수술한다는 거야."

지노는 TV만 보았고 존이 말을 이었다.

"내일 아침에 찾아가 보려고 해, 언제 다시 만날지도 모를 것 같아서."

"……"

"아르카디와 용병 계약이 다음 달까지인데 난 재계약 안 하려고 해."

존이 지노의 옆얼굴을 보았다.

"난 계약 끝나면 맴피스로 돌아갈 거야, 거기시 자동차 수리 센터를 살 만큼

267

돈도 모았으니까. 모두 깜짝 놀라겠지. 특히 내 전처는."

"……."

"위자료도 싹 줬으니까 이젠 배가 아파 죽으려고 하겠지."

그때 지노가 고개를 돌려 존을 보았다.

"내일 마크 만나면 계좌로 이번 압둘라 작전 현상금 보내준다고 해라."

"알았어, 대장."

"그리고 카일의 여동생한테는 내가 직접 전해줄 거다."

"카일도 고맙게 생각할 거야, 대장."

"병신아, 죽은 놈이 무슨 생각이 있어?"

"카일은 대장을 믿고 죽었을 테니까."

"제대 말년에 사고가 잘 난다. 너도 몸 잘 챙겨."

"내일 마크 만나고 나서 계약 끝나는 날까지 안가에만 박혀 있을 기야."

그때 파하드가 들어와 말했다.

"마스터, 무크람이 왔습니다."

무크람은 바그다드 토박이인 CIA 정보원이다.

"압둘라가 죽고 나서 마툰이 흔들리고 있습니다."

무크람의 검은 눈동자가 불빛을 받아 반짝였다. 이곳은 전선이 복구되지 않아서 양초를 켜놓고 있다. 무크람이 말을 이었다.

"테러 계획을 세웠다가 보류시키고 간부 2명을 미군 스파이 혐의로 처형했다는 겁니다."

지노의 시선을 받은 무크람이 말을 이었다.

"이건 확인이 안 된 정보인데 무하마드가 감시역으로 보낸 고문 도투락이 마툰하고 다투고 나서 떠났다고 합니다."

268

"⋯⋯."

"압둘라가 피살된 후에 마툰이 마음을 바꿨다는 소문이 났습니다. 무하마드의 지배를 벗어나 독립한다는 소문입니다."

거실 안에는 둘뿐이다.

하루 사이에 일어난 일이다. 압둘라가 죽은 것은 오늘 새벽 12시가 조금 넘었을 때였으니 24시간도 되지 않았다.

그때 지노가 무크람을 보았다. 무크람은 어느덧 지노의 심복이 되어있다. 정보비를 듬뿍 준 것도 효과가 있겠지만 저도 모르는 사이에 심복하게 된 것이다.

심복(心腹)이란 무엇인가? 마음으로 복종한다는 것이다. 지노가 입을 열었다.

"난 아르카디에서 내가 할 수 있는 만큼 했어, 무크람."

지노가 쓴웃음을 지었다.

"미군 사령부와 아르카디로부터 이젠 쉬라는 지시를 받았다."

"계약이 끝난 겁니까?"

"내 임무는 마친 셈이지."

무크람이 고개를 끄덕였다.

"압둘라까지 잡으셨으니까요."

"난 떠난다, 무크람."

"어디로 가십니까?"

"아직 모른다."

"미국에 가족이 있지 않습니까?"

"그렇지."

지노의 눈빛이 흐려졌다.

"하지만 그곳은 나중에."

"대장."

269

지노를 부른 무크람의 눈빛이 강해졌다.

"파하드한테 이야기를 들었습니다."

"……."

"저도 파하드처럼 대장을 따르고 싶은데요. 어디든지 말입니다."

"……."

"저는 CIA의 정보원일 뿐입니다. 고용된 요원이 아니지요."

"알고 있어, 무크람."

"저는 가족도 없습니다. 미군의 침공 때 폭격으로 다 죽었어요. 그런데도 미국의 정보원 노릇으로 먹고살았지요."

"그런 사람 많아."

"절 데리고 가시지요."

"내가 부를 테니까 기다려라."

마침내 지노가 그렇게 말했다.

"다른 곳에서 일할 때라도 부를 테니까."

무크람이 나간 지 30분쯤이 지났을 때 파하드가 들어왔다.

"마스터, 무크람이 따라가겠다고 했습니까?"

파하드의 얼굴에 쓴웃음이 떠올라 있다.

"밖에서 저한테 마스터한테 말씀 잘해달라고 신신당부하던데요."

"내가 이곳 일 마쳤다고 했더니 그러는군."

"무크람한테 부를 테니까 기다리라고 하셨습니까?"

"일하게 되면."

"언제까지라도 기다릴 것 같습니다."

그때 지노가 고개를 들고 파하드를 보았다.

270

"파하드, 우선 카일의 동생부터 만나야겠다. 카일과의 약속을 지켜야지."

숨을 들이켰던 파하드가 고개를 끄덕였다.

"그렇군요, 마스터."

"대장, 카일의 동생 만나러 가신다구요? 언제 갈 건데?"

파하드한테서 이야기를 들은 존이 바로 거실로 들어와 묻는다. 밤 11시 반이 되어가고 있다.

"난 카터가 바그다드로 돌아가라고 한 순간에 계약이 끝난 거야, 존."

지노가 웃음 띤 얼굴로 말을 이었다.

"용병의 전쟁은 이렇게 끝나는 거야."

존은 시선만 주었다.

지금 미군 사령부는 2개 연대 병력과 민병대, 용병대를 동원해서 무하마드 제거 작전을 벌이고 있다. 또한, 이곳 바그다드에서는 무하마드의 테러 군단을 지휘하는 마툰이 내분을 일으키는 중이다.

IS를 박멸할 기회가 온 것이다. 그런데 '용병 지노'는 '계약자'로부터 돌아가라는 지시를 받은 것이다. 그때 지노가 말을 이었다.

"내일 떠난다."

그러자 파하드가 말을 받았다.

"나와 함께."

파하드는 지노의 용병이니까.

아브란 시 주위를 3겹으로 봉쇄한 미군 사령부의 작전은 사령관 로니 캐슬이 직접 지휘했다. IS의 지도자 무하마드가 아브란으로 돌아온다는 정보를 입수한 상황이다.

IS의 정규군 사령관 압둘라가 피살되어서 아브란 시의 IS 부대는 공황상태가 되어있는 것이다. 겁이 난 주민들이 빠져나오다가 미군에 의해 억류되고 있다.

오전 11시 반.

이곳은 아브란 시 동남쪽 7킬로 지점의 미군 기지. 아브란 시 봉쇄 12시간째. 로니는 어젯밤 12시 반쯤 이곳에 도착해서 꼬박 밤을 새웠다. 로니가 참모장 웨스트에게 말했다.

"무하마드가 식겁을 하고 돌아간 것 같지? 걸리지 않은 걸 보면 그런 것 같은데."

"티크리트는 떠난 것 같은데 어디서 방황하고 있을 겁니다."

웨스트는 준장으로 진급한 지 1년밖에 안 되었다. 작전참모 로빈과는 육사 동기. 아프간에서 무난하게 작전을 지휘한 덕분에 진급한 경우. 로니와 호흡이 맞는 편이다. 웨스트가 지휘봉으로 아브란 시 외곽을 짚었다.

"우리가 아브란을 봉쇄하고 있는 것만으로도 2가지 효과를 낼 수 있습니다. 첫째로 IS 정규군의 분열. 둘째는 무하마드의 위상 추락이죠. 덤으로 아브란의 주민 이탈이 시작되었으니 지지 세력의 붕괴도 따르게 되었습니다."

"웨스트, 자네는 합참으로 가야 돼. 아마 나보다 빨리 대장이 될 거야."

기분이 좋아진 로니가 칭찬했다.

"물론 그땐 난 예편했겠지만 말야."

"로니, 당치도 않습니다. 우선 무하마드나 잡고 계산해 보십시다."

사령관과 참모장이 서로 덕담을 주고받는 그 시간에 무하마드는 무엇을 하고 있을까?

무하마드는 티크리트를 아직 벗어나지 않았다. 대규모 이동을 하기 전에 미군 사령부 작전이 시작되었다는 정보가 새어 나왔기 때문이다.

무하마드의 이동 준비 정보가 샌 것처럼 미군의 정보도 다 새었다. 그래서 티크리트의 안가에서 상황을 주시하는 중이었다.

이곳은 안가의 거실. 무하마드가 바그다드에 있는 도투락의 보고를 받고 있다.

"마툰이 작전을 중지했습니다. 조직을 정비한다는 이유를 붙였는데 제가 항의했지만 듣지 않습니다."

도투락의 목소리에 열기가 띠어져 있다.

"그래서 제가 본부를 나와 다른 안가에 있습니다."

"그게 무슨 말이야?"

"마툰과 떨어진 겁니다. 그놈은 압둘라가 당한 후에 배신하기로 마음먹은 것 같습니다. 측근들을 모아 비밀회의를 하는데 저를 제외하고 있습니다."

"……."

"그래서 제가 경호원 셋만 데리고 나온 겁니다."

"마툰, 이놈이……."

"배신이 확실합니다, 지도자님."

그때 무하마드가 말했다.

"미군 측에 마툰의 위치를 알려줘, 제2, 제3의 안가 위치까지."

장교 식당에서 나온 세릴이 옆쪽 PX로 들어갔을 때 뒤에서 정보참모 맥마흔이 다가왔다.

"어, 세릴, 요즘은 영내 생활에 적응된 것 같군."

"다 그렇게 사는 거죠."

뜨거운 캔 커피를 빼낸 세릴이 웃음 띤 얼굴로 말을 이었다.

"이렇게 공짜 캔 커피를 마시는 재미도 있고."

"지금 사령관 이하 수뇌부가 아브란 봉쇄 작전을 하는 중인데, 당신이 이러는 꼴 보면 서운하겠어."

캔 커피를 꺼낸 맥마흔이 지그시 세릴을 보았다.

"무하마드가 지금 곤경에 처해있는 상황이라 그걸 보도해줘야 하는데 말야."

"다른 기자들이 잘 하겠지."

"이제 세릴 워싱턴도 거물급이니까. 정보를 모으는 게 아니라 모이는 편이지."

"이제 돌아갈 때가 된 거죠."

"지노가 오늘 오후 7시 수송기로 뉴욕에 가더군."

한 모금 커피를 삼킨 맥마흔이 앞쪽을 향한 채 말을 이었다.

"수송관한테서 들었어. C-140을 타고 간다는 거야."

지금 둘은 PX의 긴 카운터에 등을 붙인 채 나란히 서 있다. 앞쪽 홀에는 서너 명의 위관급 장교가 앉아있을 뿐이어서 조용하다. 맥마흔이 말을 이었다.

"지노와 지노의 경호원 하나하고 둘이 탑승 요청을 했어."

"……"

"누구 요청이라고 거부하겠나? 수송대장이 바로 오케이 했지."

"……"

"내가 알아보았더니 아르카디와는 계약을 끝냈다는 거야. 아브란에 침투해서 압둘라를 사살한 것으로 작전 끝이지."

"……"

"오전에 현상금도 다 받았어. 모두 합쳐 5백만 불 가깝게 되었다는데."

맥마흔이 어깨를 치켰다가 내렸다.

"또 그놈은 5등분해서 팀원들한테 나눠줬겠지. 아깝군."

"……"

"어쨌든 그놈은 이라크를 이번에 떠나는 거야. 돈 몽땅 벌고."

말을 마친 맥마흔이 고개를 돌렸다가 숨을 들이켰다. 세릴이 벌써 몸을 돌리고는 두 발짝쯤 떨어지고 있었기 때문이다.

의자에 등을 붙인 지노가 주위를 둘러보면서 웃었다.

"이거 완전히 이 거대한 수송기를 전세 낸 것 같다."

C-140 안이다. 수송기는 이미 엔진을 켠 상태여서 지노가 소리치듯 말해야 한다. 뒤쪽 화물창을 열었기 때문이다. 지노가 옆에 앉은 파하드에게 말을 이었다.

"여기서 지중해를 건너 그리스의 아테네 근처 공군기지에서 급유하고, 영국 버밍엄에서 한 번 쉬고 뉴욕까지야. 18시간 걸린다는군."

"그동안 잠이나 푹 자겠습니다."

파하드가 두 다리를 길게 뻗으면서 말했다.

C-140 안쪽 화물창에 나무 상자 수십 개만 쌓여있을 뿐 뒤쪽은 텅 비었다. 배구 코트만 한 면적이 빈 것이다.

둘은 동체 측면에 붙은 간이 의자에 앉아있었는데 뒤쪽은 화물 포장용 로프가 그물처럼 덮여 있다.

지노가 앞쪽에 놓인 나무 상자 위에 다리를 뻗고 몸을 길게 눕혔다. 그때 뒤쪽 화물창으로 승무원과 두 남녀가 다가오는 것이 보였다. 오후 7시가 되어가고 있어서 불빛에 비친 윤곽이 흐리다.

이윽고 셋이 화물창의 발판을 딛고 안으로 들어왔다. 앞장선 승무원은 수송기의 부조종사다. 부조종사 뒤를 따르는 남녀를 눈으로 가리키며 말했다.

"뉴욕까지 동승할 손님들입니다."

고개를 든 지노가 그중 여자와 시선이 마주쳤다. 세릴이다. 이미 세릴이 화물창 발판을 딛기 전부터 알아본 터라 지노는 시선이 마주친 순간 고개만 끄덕였다. 그때 세릴이 말했다. 정색한 표정이다.

"같이 가려구요."

뒤에 섰던 사진기자 워크는 좀 다르다. 웃는 얼굴로 인사를 했다.

"반갑습니다. 영광입니다."

'영광'이란 말을 뱉고 나서도 전혀 쑥스러운 기색이 아니다. 그래서 지노도 자연스럽게 받아들여졌다. 그러나 파하드의 반응은 다르다.

"지저스."

무슬림인 파하드는 자주 쓰는 욕이 '지저스'다. 은근히 기독교인을 비꼬려는 의도 같다. 어깨를 부풀린 파하드가 덧붙였다.

"크라이스트."

그때 세릴이 파하드를 보고는 웃었다.

"반가워요, 파하드 씨."

파하드가 어깨를 늘어뜨리면서 힐끗 지노의 눈치를 보았다. 그때 부조종사가 끼어들었다.

"그럼, 곧 출발하겠습니다."

그때 화물창이 올라갔고 세릴이 옆쪽 의자에 앉는다. 2미터쯤 떨어진 자리다.

수송기가 이륙하고 30분쯤이 지났다.

곧장 서쪽으로 날아가는 C-140 안은 아직 이라크 영공을 벗어나지 않았지만 긴장이 풀린 분위기다. 사진기자 워크는 자리에서 일어나 슬슬 내부를 기웃거리면서 다녔고 승무원을 만나더니 말을 걸었다.

파하드가 의자에 길게 누워서 그런 워크를 바라보고 있다. 지노는 수송기가 이륙하기도 전에 안쪽 자리에 누워서 잠이 들었다. 모포를 턱밑까지 끌어당겨 덮고는 선글라스를 수면용으로 썼다. 세릴은 반듯이 앉아 메모장을 꺼내 뭔가를 적고 있다.

제각기 논다.

한 시간이 지났을 때 승무원이 비닐 백 4개를 가져와 나눠주었다. 오후 8시가 조금 지난 시간이다.

"저녁 식사요."

상사 계급장을 붙인 사내가 그렇게 말하더니 웃었다. 비닐 백 안에는 팩에 든 우유, 종이로 싼 햄버거, 캔 콜라, 감자튀김, 그리고 맥주 2캔씩이 들어있다.

지노는 일어나지 않았기 때문에 파하드가 대신 받았다.

두 시간이 지났을 때 붙임성이 좋은 워크가 파하드에게 말을 붙이는 데 성공. 둘은 안쪽 상자 더미 위에 앉아서 잡담을 나누고 있다. 주로 떠드는 쪽은 워크고 파하드는 듣는 편이다.

워크가 전장을 많이 다닌 데다 파키스탄에서도 1년 가깝게 살았기 때문에 말이 통한다. 그때 지노가 선글라스를 벗고 상반신을 일으켰다. 잠에서 깬 시늉이다.

지노의 기척에 2미터 거리의 세릴이 고개를 돌렸다. 시선이 마주쳤다.

"뉴욕에서 어디로 가죠?"

세릴이 물었다. 지노의 시선을 잡은 채 세릴이 말을 잇는다.

"앤드로 공군기지에 내려서 말이에요."

"……."

"난 하루쯤 쉬고 신문사에 나갈 건데."

"……."

"참, 어머니가 뉴욕에 계신다고 했죠, 지난번 인터뷰 때?"

"……."

"좀 쉴 건가요?"

지노가 잠자코 고개를 돌렸지만 세릴이 말을 이었다.

"미안해요. 앞으로 잘 지내기를 바랄게요. 내가 꼭 직접 전하고 싶었는데 이젠 개운해요."

그러고는 세릴도 고개를 돌리면서 입을 다물었다.

6장 용병은 말이 없다

아테네에 도착한 수송기는 공군기지에서 짐을 싣느라고 4시간을 머문다고 했다. 수송기에서 내린 넷은 기지 안의 PX에 들어가 쉬었다.

오전 2시다.

"마스터, 안쪽에 휴게실이 있습니다. 그곳에서 수송기가 떠날 때까지 쉬시지요."

파하드가 권했다. PX 안쪽에 여행자 숙소처럼 방이 준비되어 있다. 지노가 고개를 들고 파하드를 보았다.

"수송기로 이라크를 빠져나온 것으로 됐다는 생각이 드는구나. 그럼, 여기서부터는 민항기를 타자."

"그러시든지요."

반색한 파하드가 지노를 보았다.

"우리가 군용기만 탈 이유가 없죠."

"내가 조종사한테 말하고 오겠다."

"제가 가겠습니다."

"아니."

고개를 저은 지노의 시선이 안쪽 자리에 앉아있는 세릴에게 옮겨졌다.

"세릴한테도 이야기해야겠다."

"예, 잘하시는 겁니다."

"뭐가 말이냐?"

"여기서 굿바이 하시는 거 말입니다."

"그게 아냐. 같이 가자고 할 거다."

놀란 파하드가 숨을 들이켰을 때 지노가 빙그레 웃었다.

"저 여자, 우리가 반감 가질 것 없다. 저 여자는 우리하고 비슷해."

"마스터를 이용해먹었지 않습니까?"

"저들도 고용된 용병들이지, 돈과 명예 또는 이기심으로."

"같이 갈까요?"

"갈 거다."

지노가 몸을 돌리면서 말을 잇는다.

"같이 안 간다면 기자도 아니지."

지노가 다가가자 세릴이 커피 잔을 든 채 쳐다보았다. 앞에 앉은 워크가 자리에서 일어나더니 의자를 권했다.

"앉으시지요."

"아니, 됐어요, 워크."

사양한 지노가 세릴을 보았다. 시선이 마주치자 세릴의 얼굴이 조금 굳어졌다. 그때 워크가 주춤거리며 물었다.

"제가 비켜드릴까요?"

"아니, 같이 들어요, 워크."

이제는 세릴의 얼굴이 더 굳어졌다. PX 안은 조금 어두웠지만 세릴의 파란 눈동자가 밝다. 눈동자가 깊어진 것 같다. 그때 지노가 말했다.

"우린 수송기를 안 타고 아테네에서 민항기로 갈 작정인데 같이 안 갈 거요?"

세릴이 입만 조금 벌렸을 때 지노가 말을 이었다.

"경비는 내가 내지, 퍼스트 클래스로. 가다가 이삼일 쉬어도 되고. 이탈리아나 파리, 스페인도 좋지."

"……."

"그 경비도 내가 낼 테니까. 잘 알다시피 내가 현상금을 많이 받았거든."

알리타리아, 이태리 항공사다.

로마로 날아가는 알리타리아의 일등석 안. 창 쪽 자리에 앉은 세릴이 창밖을 내다보고 있다. 그 옆자리에는 지노가 앉았고. 그런데 일등석은 자리가 넓어서 지노가 50센티쯤이나 떨어져 있다.

파하드와 워크는 각각 따로 앉았다. 티켓을 끊을 때 파하드가 그렇게 만든 것이다. 워크가 말이 많아서 귀찮다는 것이다.

오전 8시 반.

창으로 아침 햇살이 환하게 비치고 있다. 그때 세릴이 고개를 들고 지노를 보았다.

"난 이렇게 될 줄 알았어."

지노의 시선을 받은 세릴이 눈웃음을 쳤다.

"당신이 날 쳐다보는 눈빛."

"……."

"먹이를 노리는 야수 같았어."

"……."

"난 움츠러들었지만 당신이 덮치기를 바라기도 했지."

지노의 얼굴에 쓴웃음이 떠올랐다.

"종군기자다운 표현이야."

"직실적이긴 해."

"난 너한테 불만이 없어."

"그쯤으로 상처를 받을 지노가 아니지."

세릴이 팔을 뻗더니 지노의 손을 쥐었다. 옆자리라도 멀어서 팔을 길게 뻗어야 했다. 말랑하고 따뜻한 손이다.

"하지만 내가 보상해줄게. 난 이래 봬도 뜨겁고 민감한 여자야."

"……"

"제대로 된 남자를 만난 적도 없고."

세릴이 잡은 지노의 손을 조몰락거렸다.

"우리, 로마에서 이틀쯤 쉬어. 그리고 파리에서도 사흘쯤……."

그때 승무원들이 다가왔다. 일등석의 아침 식사다.

로마. '벨리제 호텔'. 오후 1시 반.

로비에 나와 있던 워크에게 파하드가 다가갔다. 이런 일도 처음이다. 그래서 워크가 눈만 크게 떴을 때 다가선 파하드가 물었다.

"세릴은 언제 신문사에 가는 거야?"

"글쎄, 일주일 휴가를 낸 것 같던데."

워크가 웃음 띤 얼굴로 파하드를 보았다.

"난 한 15일쯤 휴가를 냈으면 했는데 신문사에 알아보았더니 일주일이라더군."

"미친."

"지금 네 보스한테 하는 소리야?"

"네 보스한테 한 소리다."

"그럴 것 없이 우리도 밖에 나가서 하나씩 잡을까? 아니, 여기도 많던데."

"미친놈."

"여긴 특급호텔이라 손가락만 까딱거려도 올 거야. 우린 돈 많은 손님이야."

"너나 해."

"역시 무슬림은……"

"뭐라고? 이 개 같은……"

"난 나가서 쇼핑을 좀 하려는데. 여자도 보고."

워크가 손으로 점퍼 주머니를 툭툭 쳤다.

"보스가 용돈 하라고 1만 불을 줬거든."

"아니, 언제?"

"오전에 날 불러서."

"지저스."

"방에 둘이 있는 걸 보니까 부럽더군. 세릴이 섹시해. 아주 물을 먹은 야생화 같았어."

듣다 못한 파하드가 어깨를 부풀리며 몸을 돌렸다.

그렇다. 세릴이 물먹은 야생화가 되었다.

호텔 스위트룸 안.

세릴이 가운 차림으로 화장대 앞에 앉아 얼굴에 로션을 바르면서 물었다.

"지노, 나 쇼핑 갔다 올 동안에 방에 있을 거야?"

"그래."

지노가 소파에 앉아 TV를 보면서 대답했다.

"난 여기서 쉴 테니까."

"당신 옷도 사올게."

화장대에서 일어선 세릴이 가운을 벗어던졌다. 그 순간 실오라기 하나 걸치지 않은 몸이 드러났다. 미끈한 몸이다. 지노의 시신을 받은 세릴이 활짝 웃었다.

"당신 앞에서 이러고 싶었어."

"……."

"그런 상상을 했다구."

"……."

"당신도 이러고 싶었지?"

지노에게 다가간 세릴이 무릎 위에 앉았다. 두 팔로 지노의 목을 감싸 안은 세릴이 볼에 입을 맞췄다.

"뉴욕에 도착하면 당신은 뒤도 돌아보지 않고 사라지겠지."

"……."

"그러고 나서 언젠가 나는 당신 소식을 듣게 될 것이고."

"……."

"아프리카가 될까? 아니면 아프간? 아니면 남미의 어느 산속?"

세릴의 몸이 지노의 몸 위에서 꿈틀거리고 있다.

오후 3시 반.

스위트룸에서 혼자 있던 지노가 전화기를 든다. 버튼을 누르고 기다리자 사내의 응답 소리가 울렸다.

"예, 메디슨입니다."

"메디슨, 나 지노요."

"예, 기다리고 있었습니다."

사내가 말을 이었다.

"베티는 인디애나폴리스에서 편의점 직원으로 일하고 있습니다. 임대주택에서 살고 있는데 밤에는 야간대학을 다니고 있군요."

"혼자 삽니까?"

"예, 주변을 조사했더니 만나는 남자도 없고 힘들게 살아가고 있습니다."

"가족 관계는?"

"양부모하고도 헤어져서 혼자 삽니다. 고등학교 졸업하고 나서 독립했더군요. 양부모하고 사이가 좋지 않았던 것 같습니다."

"……."

"5년 동안 군에 가 있는 오빠하고 가끔 연락한 것 같습니다."

"……."

"베티는 성품이 착하고 성실해서 편의점 주인이 칭찬을 했습니다. 꿈이 간호사가 되어서 아프리카에 가서 봉사하고 싶다는군요. 지금 야간 간호대학을 다니고 있습니다."

"알겠습니다, 메디슨 씨. 내가 닷새 후에 거기 가죠."

"알겠습니다. 그동안 더 조사를 해놓지요."

전화기를 내려놓은 지노가 길게 숨을 뱉었다. 카일의 여동생 베티다. 카일의 유언대로 베티를 만나야 한다.

"그레이트."

워크의 말을 들은 프랭크 이스트우드가 대번에 칭찬했다.

이곳은 뉴욕. 뉴욕타임스의 편집장실 안이다. 전화기를 귀에 붙인 프랭크의 두 눈이 번들거렸다.

"역시 세릴 워싱턴이야. 이제 지노 장의 특집 후속편이 나오겠군."

"프랭크, 지금 둘은 연애 중이라구요."

워크의 목소리가 수화기를 울렸다.

"스위트룸에서 딱 붙어있단 말입니다."

"세릴이 섹시하시."

프랭크가 한숨까지 쉬었다.

"내가 그렇게 자빠뜨리려고 했지만 그 망할 년은 뒷발질로 날 차기만 했어."

"여기서 며칠 더 있을 것 같은데요."

"네가 고생하겠다."

"프랭크, 활동비를 보내주실 수 없습니까?"

"무슨 개 같은 활동이란 말야?"

"아, 나는 여기서 구경만 하란 말입니까? 나만 돌아갈 수도 없지 않습니까?"

"좋아. 1천 불 보내주지."

"로마 물가도 비싼데 1천 불만 더 보내주시죠."

"옜다, 인심 썼다. 세릴의 특종 값이다."

워크는 지노한테서 1만 불 받았다는 말은 안 했다. 물론 일등석 비행기 값, 특급호텔 방값까지 지노가 냈다는 말도 안 했다. 프랭크도 돈 내라고 할까 봐 그런 이야기는 묻지 않는다.

전화기를 내려놓은 프랭크가 소리쳐 특집부장 코튼을 불렀다. 미리 준비를 시키려는 것이다.

그날 밤.

지노의 가슴에 볼을 붙이고 있던 세릴이 입을 열었다.

"프랭크한테서 연락이 왔어."

지노가 가만있었기 때문에 세릴이 두 팔로 허리를 감아 안았다.

"편집장 말야."

"……."

"내가 당신하고 이렇게 같이 있다는 걸 워크가 말한 모양이야."

세릴의 목소리에 웃음기가 띠어졌다.

"예상하고 있었지. 워크, 그 약삭빠른 친구가 특근수당을 내라고 했다는 거야. 그래서 2천 불을 보냈대."

"……."

"당신한테 1만 불까지 받아놓고 말야."

세릴이 지노의 가슴에 입술을 붙였다가 떼었다.

"당신의 특집 제2탄을 근사하게 써보라고 했어. 특집부장 시켜서 준비해 놓겠다고."

"……."

"내가 당신하고 이러고 있는 장면까지 다 바라는 것 같아."

지노가 잠자코 세릴의 엉덩이를 움켜쥐고는 당겨 안았다. 전문가끼리 만난 것이다. 말 안 해도 안다.

파리. 인터컨티넨탈 호텔.

로마에서 2박 3일을 쉬고 파리로 날아왔다. 지노와 세릴은 특실에 투숙했고 파하드, 워크는 각각 디럭스 룸. 방값은 물론 지노가 다 낸다. 거기에다 비행기도 일등석으로만 타고 왔다. 워크가 신문사에서 수당 2천 불을 탔지만, 그것으로는 하루 방값밖에 안 된다.

아테네에서 로마를 거쳐 파리까지 오는 비용만 해도 워크한테만 1만 불 가깝게 들었다. 거기에다 용돈으로 1만 불까지 받았으니 사진기자 워크는 지노를 보기만 해도 '존경하는' 표시를 낸다. 가만있어도 그런 분위기가 아지랑이처럼 펄펄 솟는다니까.

세릴 워싱턴?

이제는 지노의 애인 또는 아내 행색이다. 워크는 물론 파하드의 눈도 꺼리지 않는다. 그래서 파하드마저 슬슬 피해 갈 정도라니까. 눈꼴시어서 그러겠지.

자연스러운 현상이지만 파하드는 '맺힌 것'이 있어서 쉽게 받아들이지 못하는 것이다.

파리에서 사흘째 되는 날 아침.

세릴이 기지개를 켜면서 잠에서 깨어난다. 두 다리도 쭉 뻗는 순간. 하체의 중심 부근에 짜릿한 쾌감이 일어나 전신으로 퍼졌다. 만족한 얼굴에 저절로 웃음이 떠오른다. 눈을 뜨기도 전에 일어난 현상이다. 어젯밤의 뜨겁고 격정적이며 황홀한 기억이 머릿속을 순식간에 스쳐지나갔기 때문이다.

그리고 다음 단계. 몸을 옆으로 눕히면서 팔을 뻗은 세릴은 옆자리가 빈 것을 알았다. '항상 일찍 일어나는' 지노다. 그렇게 힘찬 '운동'을 했으면서도 '기계처럼' 제시간에 일어나는 '섹스머신'. 세릴이 붙여준 별명이다. 눈을 뜬 세릴이 달콤한 목소리로 부른다.

"허니, 어디 있어?"

잠시 후에 화장실로 가려고 일어난 세릴은 침대 옆 탁자에 놓인 메모지를 보았다. 메모지에 지노의 메모가 적혀 있다.

"굿바이, 사랑스러운 세릴. 행복하게 살기를. 용병 지노가."

짧다.

메모지 10장에다 길게 썼더라도 한 자도 빼놓지 않고 다 읽었을 텐데.

메모지 옆에는 1만 불짜리 돈뭉치가 3개나 놓여 있었지만 세릴은 시선도 주지 않았다. 세릴은 메모를 읽고 또 읽었다. 마려웠던 오줌도 쏙 들어갔다. 그러다가 세릴이 숨을 들이켰다.

'용병 지노의 마지막 작전'이었다. 그놈이 무슨 '사랑'이 있고 무슨 '철학'이 있어? 제 몸에 붙은 '총'으로 무자비하게 공략했을 뿐인데. 세릴 워싱턴은 밤마다 허물어졌고.

그러다 어느덧 세릴은 제 눈에서 눈물이 흐르고 있다는 것을 깨달았다. 자신은 이미 허물어진 '성'이다. 철저하게 유린당해서 두 번 다시 지노를 떠올릴 수도 없게 되었다. 떠올리는 순간에는 세릴 워싱턴도 공멸한다.

뉴욕타임스의 지노 제2탄? 그건 이제 꿈같은 소리지.

인디애나폴리스.

뉴욕에서 동쪽으로 2시간 40분쯤 더 비행기를 타야 한다. 인디애나 주의 주도(主都). 중서부 농경지대의 곡물 집산지 겸 공업도시. '인디500'의 스피드 레이스가 유명한 곳이다.

오후 2시 반.

워싱턴 스트리트에 붙어있는 '뉴킹' 편의점의 계산대에 서 있던 베티가 고개를 들었다. 손님 둘이 들어서고 있다. 하나는 동양인, 뒤쪽은 아랍인이나 인도인 같다.

카운터로 다가온 동양인이 베티를 보았다. 장신. 선이 굵은 용모. 어디서 본 얼굴 같기도 하다. 그때 사내가 물었다.

"베티 존슨?"

"네."

대답한 베티의 머릿속이 분주해졌다. 사내들은 세련된 캐주얼 차림으로 둘다 명품으로 치장했다. 기관원이나 세무서, 또는 변호사 사무실에서 왔는가?

그때 사내가 바짝 다가섰다. 검은 눈동자가 깊다. 그리고 보면 동양인 같지도 않다. 아랍인도 이런 용모가 있는 것이다. 그때 동양인이 물었다.

"외국에 간 오빠가 있지요?"

"카일?"

바로 되물은 베티의 눈이 크게 떠졌다. 베티는 흐린 금발을 뒤로 묶어서 새의 꽁지 같다. 둥근 얼굴. 눈 밑이 주근깨로 덮였고 갈색 눈동자. 들창코였지만 귀여운 용모다. 베티의 눈이 바로 흐려지더니 목소리가 떨렸다.

"무슨 일 있어요?"

"오빠 이름이 뭐라고 했죠?"

사내가 다시 물었기 때문에 베티가 또박또박 대답했다.

"카일 후드. 지금 이라크에 있다고 했는데, 용병이래요."

"오빠한테서 언제 연락이 왔죠?"

"1년쯤, 아니 작년 8월이니까 1년 2개월 되었나?"

"편지로?"

"전화로."

고개를 끄덕인 지노가 편의점 안을 둘러보았다. 손님도 없고 종업원은 베티한 명뿐이다.

"주인을 불러요, 베티."

"왜요?"

"이 가게 맡기고 나하고 나갑시다. 우린 오빠 심부름을 왔어요."

30분쯤 후에 셋은 근처의 식당에 둘러앉아 있다. 구석 자리에 앉은 베티는 불안한 표정이다. 그러나 '무슨 일'이냐고 먼저 묻지 않고 기다리는 중이다.

주문한 커피가 왔을 때까지 지노는 입을 열지 않았고 파하드도 딴청만 피웠다. 점점 베티의 얼굴이 어두워졌고 이제는 눈에 물기가 번져가고 있다.

지노가 고개를 들고 베티를 보았다. 아직 이쪽이 누구냐고 밝히지도 않은 것이다. 베티도 묻지 않았지만.

"베티, 우리는 오빠하고 같이 일했던 용병이야."

베티가 시선만 주었고 지노는 말을 이었다.

"얼마 전에 뉴욕타임스에도 보도되었을 텐데. 내가 지노야, 후세인의 용병."

"아!"

놀란 베티의 입에서 탄성이 터졌다. 베티가 똑바로 지노를 본다. 눈에 맺혔던 눈물이 조금 밑으로 번져 나왔다.

"봤어요."

그렇게 베티가 한마디 했다. 고개를 끄덕인 지노가 헛기침을 했다. 그때 옆에 앉은 파하드가 외면했고 지노가 말을 이었다.

"오빠가 죽었어."

"……."

"나하고 같이 작전을 하다가 당했어."

지노가 똑바로 베티를 보았다.

"죽기 전에 베티한테 전하라고 유언을 했어, 미안하다고."

"……."

"그리고 사랑한다고도 했어."

"……."

"유서를 쓸 여유도 없었어. 그냥 전갈을 나한테 남긴 거야."

"……."

"오빠의 유언을 전하러 온 거야."

지노가 의자 밑에 둔 가방에서 서류봉투를 꺼내 베티 앞에 놓았다.

"나하고 카일하고 작전을 하면서 받은 오빠의 포상금이야."

"……."

"우리는 현상금이라고 하지. 여기 카일 몫을 가져왔어. 카일이 베티한테 주라고 한 거야."

291

베티는 봉투에 시선만 주었고 지노가 말을 이었다.

"여기 통장을 만들어 왔어. 국세청에서 협조를 해주었지. 안에 통장하고 비밀번호까지 적혀 있어. 220만 불이 조금 넘는 금액이야."

"……."

지노가 다시 주머니에서 쪽지를 꺼내 서류 위에 놓았다.

"여기, 크림슨 변호사 전화번호야. 무슨 일이라도 있으면 크림슨한테 연락을 해, 다 처리해줄 테니까. 나한테도 연락이 될 거야."

"마스터, 저는 여기서 돌아가야 될 것 같습니다."

파하드가 그렇게 말했을 때 지노가 고개를 들었다.

인디애나폴리스 공항 대합실 안.

베티하고 헤어진 둘은 이곳으로 온 것이다. 인디애나폴리스에 더 이상 용무가 없으니 떠날 수밖에. 오후 4시 반이다.

공항까지 잠자코 따라온 파하드가 불쑥 입을 연 것이다. 그때 파하드가 숨을 들이켰다. 지노가 웃고 있었기 때문이다.

"파하드, 지구를 한 바퀴 돈 셈이냐?"

"페샤와르로 돌아간다면 동쪽으로 지구를 한 바퀴 돈 셈이지요."

그래 놓고 파하드도 이를 드러내며 웃었다.

"마스터가 돈 많이 쓰셨습니다."

"페샤와르로 돌아간단 말이냐?"

"아닙니다."

파하드가 고개를 저었다. 둘은 대합실 의자에 나란히 앉아있다. 탑승 안내방송이 계속되는 중이고 앞쪽으로 여행객들이 바쁘게 지났지만 둘은 한가한 표정이다. 그때 파하드가 흐려진 눈으로 앞쪽을 바라보았다.

"용병을 할 겁니다."

지노는 듣기만 했고 파하드의 말이 이어졌다.

"마스터하고 같이 말입니다."

"……."

"마스터의 용병이 되고 싶다는 말이죠."

"……."

"그렇다고 마스터한테 돈을 받는다는 말은 아닙니다."

"내가 돈 많은 줄 너는 알 텐데."

"마스터가 돈에 움직이지 않는 분이라는 것도 압니다."

"그럼 용병도 아니지."

"마스터는 이제 고용인이시죠."

고개를 돌린 파하드가 지노를 보았다.

"마스터, 제가 어디서 기다릴까요?"

"왔어?"

현관으로 들어선 지노에게 두 팔을 벌리면서 장지선이 말했다. 부드러운 표정. 목소리도 잔잔해서 아침에 출근한 지노가 퇴근한 분위기다. 집 안에는 김치찌개 냄새가 배어 있었기 때문에 지노의 얼굴에 저절로 웃음이 떠올랐다.

오후 9시 반.

이곳은 뉴욕, 부룩클린의 연립주택 안.

장지선은 엘리베이터가 있는 연립주택 3층으로 이사했다. 이번에는 욕실이 딸린 방 3개에 식당, 거실, 베란다까지 갖춘 60평형이다. 이젠 교민들한테 '부자' 소리를 듣는 중이다.

인디애나폴리스에서 연락을 했기 때문에 장지선은 늦은 저녁 준비를 해놓고 기다리는 중이다.

"이번에는 며칠이냐?"

지노가 식탁에 앉았을 때 장지선이 물었다. 웃음 띤 얼굴이어서 채근하는 것 같지는 않다.

"글쎄, 아직 약속을 하지 않아서."

수저를 들면서 지노도 가볍게 대답했다.

"어머니가 해준 요리를 골고루 먹을 준비는 돼 있어."

"내가 뭘 독촉하지 않을 테니까 마음 놓고 먹어도 된다."

장지선이 앞쪽에 앉더니 말을 이었다.

"제니는 지난달에 결혼했단다."

"잘됐네."

맛있게 김치찌개를 먹으면서 지노가 고개를 끄덕였다. 어머니가 소개시켜줬던 콜롬비아 박사 서정은을 말한다. 헤어지고 나서 전화 연락도 못 한 것이다. 장지선이 말을 이었다.

"식품 마켓을 운영하는 교민 재벌 2세하고 결혼했어. 나도 결혼식에 초대받아서 갔어."

"잘했어."

"신부가 예쁘더라."

"제니가 미인이지."

장지선이 새로 담근 겉절이를 맛있게 씹으면서 지노가 고개를 끄덕였다.

"어머니 음식 솜씨를 따라가지는 못할 거야, 그 누구도."

"네가 언론에 보도되고 나서 나도 교민 사회에서 유명인사가 되었어."

고개를 든 지노의 시선을 받은 장지선이 웃었다. 그러나 눈동자가 깊어진 것 같다. 지노가 김치찌개를 입에 떠 넣었고 장지선이 말을 이었다.

"교민 모임에서 글쎄, 뉴욕주 하원의원 하나가 나한테 오더니 자기가 바로 네 지지자라고 하더구나. 사람들이 다 듣는 데서 말야."

"후원금 냈어?"

"내가 왜 후원금을 내? 네가 목숨을 걸고 번 돈을……."

장지선이 '아차' 하는 표정으로 말을 멈췄을 때 지노가 김치찌개를 떠먹었다.

어머니는 이제 여자 소개를 못 할 것이다. 용병 아들이 부끄러워서가 아니다. 그 아들의 아내가 될 여자의 일생을 봐줄 자신이 없기 때문이겠지.

"아, 잘 먹었다."

수저를 내려놓은 지노가 만족한 표정을 짓고 말했다.

가슴은 미어지고 있다. 어머니한테는 평범한 직장인의 자신이 더 나았을 것이다. 그래서 평범한 가족, 평범한 일상에서의 행복을 꿈꾸어 왔다. 고개를 든 지노가 장지선을 보았다.

"어머니, 통장에다 5백만 불 더 넣어 두었어."

장지선이 시선만 주었고 지노는 말을 이었다.

"어머니 고문 변호사도 선임해놓았어. 리챠드슨 법률자문단이야. 거기에다 연락하면 어머니 재산 관리를 해줘."

지노가 식탁 위에 명함 하나를 놓았다. 어머니의 재산 관리인이다. 이렇게 대비를 해놓아야 안전하다, 어머니는 이제 1천만 불 가까운 재산을 보유하게 되었으니까.

"너, 몸조심해야 한다."

장지선이 겨우 그렇게 대답했다. 이제는 장지선도 다 가질 수는 없다는 것을 인정하고 있다. 가진 것만 해도 엄청난 행운이라는 것도 인식하고 있는 것이다. 욕심은 화의 근원이라는 것도 안다.

"뭐? 없다구? 그게 무슨 말야?"

마침내 프랭크 이스트우드가 버럭 소리쳤다.

뉴욕타임스의 편집국장실 안. 안에는 프랭크와 특집부장 코튼, 광고부장 알렉산더까지 둘러앉아 있다. 그때 세릴이 고개를 들었다.

"글쎄, 내용이 없다니까요. 지난번에 한 이야기 외에 단 한 줄도 쓸 수가 없어요."

"지저스."

어깨를 부풀린 프랭크가 마침내 소리쳤다.

"그놈하고 일주일간 같은 방을 썼잖아? 그래 놓고도 할 이야기가 없어?"

"프랭크, 내가 창녀예요? 콜걸이야?"

세릴이 소리쳤다. 눈까지 부릅뜨고 있다.

"당신, 나를 창녀로 아는 거야?"

카이로.

신시가지의 동쪽, 에드다르브 알아흐마르.

이곳은 중세 이슬람 시대의 모습이 지금도 남아있다. 유서 깊은 모스크 대부분도 이쪽 지역에 모여 있어서 관광객이 모이는 것이다. 알칼라 거리 옆에 세워진 쿠순 모스크도 그중 하나다.

쿠순 모스크 왼쪽, 무성한 숲에 둘러싸인 저택은 지붕만 드러나 있다. 철문과 담장으로 가려진 이 저택은 옛날 이탈리아 대사의 관저였다는 소문이 있지만 확인되지는 않았다.

그러다 요즘 자주 철문이 열리고 안으로 이삿짐 트럭이 들락거리더니 쿠순 모스크에 모이는 사람들에게 다시 소문이 났다. 경찰 정보부에서 사용하기로 했다는 소문이다. 그것은 철문으로 경찰차가 자주 출입했기 때문일 것이다.

그렇게 며칠 이야기가 떠돌았다가 주민들에게 잊혀졌다.

카이로는 변두리 인구까지 2천만이 넘는 대도시다. 아예 호구조사에도 빠진 빈민가 주민까지 합하면 3천만이 넘는다고도 한다. 카이로는 이슬람 세계의 중심이며 최대 도시인 것이다.

중동 산유국들이 제각기 석유로 부(富)를 과시하지만 지금도 카이로는 이슬람 문화의 중심도시다. 몇십 년 전만 해도 아랍의 왕족, 족장의 자식들은 카이로에 유학을 다녀와야 가문, 왕가의 체면을 세웠던 것이다. 유럽, 미국이 아니다.

오후 2시.

쿠순 모스크 왼쪽의 대저택 1층 응접실 안. 소파에 앉은 사내는 파하드다. 파하드가 앞에 선 두 사내에게 말했다.

"내가 네놈들이 사촌이라고 봐줄 것 같으냐? 천만의 말씀이야. 정신 바짝 차리지 않으면 당장에 돌려보낼 줄 알아라. 알았어?"

"예, 형님."

둘이 동시에 대답했다. 둘 다 콧수염, 턱수염을 기른 데다 건장한 체격. 눈에 핏발까지 드러나 험상궂은 인상이나 파하드의 사촌이다.

둘은 오늘 파키스탄 동북방의 산간 마을에서 이곳에 온 것이다. 난생 처음 외국 땅을 밟은 셈이다. 파하드가 말을 이었다.

"우리 가문에서는 배신자가 나오지 않은 것 하나는 자랑할 만하다. 그래서 내가 마스터께 건의를 했고 너희들 둘을 불러들인 거야. 명심하도록."

"예, 형님."

"너희들은 당분간 저택 관리야. 경비 역할도 겸하는 거지. 알겠어?"

"예, 형님."

둘은 오말과 간샴. 각각 26살, 25살로 탈레반 출신이다. 지금은 파하드의 기세

에 눌려 꼼짝 못 하고 있지만 탈레반으로 대소 수백 번 전투 경험이 있는 전사
(戰士)다.

2년 전 아프간 탈레반 정권이 미군에 의해 멸망했을 때 둘은 구사일생으로
빠져나왔다. 그러고는 파키스탄 고향 마을에 숨어 있다가 파하드의 부름을 받
은 것이다.

저택 2층의 응접실 안.

지노가 소파에 앉아 앞에 앉은 존과 마크를 보았다. 둘 다 아르카디를 그만
두고 이집트로 날아온 것이다.

"곧 팀장급이 서너 명 더 올 거다. 너희들처럼 나하고 인연이 있던 팀원들
이지."

둘의 시선을 받은 지노가 쓴웃음을 지었다.

"지난번 작전할 때 만났던 3사단 수색중대장 커트 대위도 이번 주에 예편하
고 여기로 온다고 했어."

"아르카디에서 몇 명이나 오는 거야?"

존이 묻자 대답을 마크가 했다. 마크는 병원에서 퇴원하고 본부에만 있었기
때문에 내막을 잘 안다.

"팀장급으로 한두 명, 팀원은 10여 명이 될 거야."

"그럼 여긴 아르카디 지부가 되는 것 아냐? 난 싫은데."

이맛살을 찌푸린 존이 지노를 보았다.

"파하드를 보니까 공항을 들락거리면서 부랑자 같은 놈들을 데려오던데 무
슨 수작이야?"

"어제는 사촌 둘을 데려왔고 이번 주까지 20명쯤 입국시킬 거다."

"아니, 어디서?"

"파키스탄."

둘의 시선을 받은 지노가 말을 이었다.

"탈레반이야."

"탈레반?"

놀란 마크가 눈을 치켜떴다가 곧 고개를 끄덕였다.

"그렇지. 탈레반 실업자가 많지. 쓸 만한 놈들을 추릴 수가 있을 거야."

"내 친구가 훈련시킨 전사들이 많아."

지노의 눈빛이 흐려졌다. 함께 있다가 떠나간 팀원들의 얼굴이 눈앞을 스치고 지났기 때문이다. 그러나 얼굴도, 이름도 잊혀가고 있다. 지노가 말을 이었다.

"용병은 소수 정예로 운용할 거다. 그리고 오더도 선별해서 받을 거다."

지노는 용병회사를 설립한 것이다.

오후 5시 반.

지노가 게지라 섬의 알게지라 세라틴 호텔에 도착했다. 17층 라운지로 올라간 지노는 기다리고 있던 지배인의 안내를 받고 밀실로 들어섰다.

"어서 오시오."

자리에서 일어나 지노를 맞은 사내는 에릭 홈스다. CIA 대외전략국장. 그의 옆에는 보좌관 린튼과 바그다드 지부장 제임스 칸까지 지노를 맞는다. 인사를 마친 지노가 자리에 앉았을 때 에릭이 웃음 띤 얼굴로 물었다.

"깁슨하고는 협조가 잘 되고 있지?"

"그런 셈이죠. 정부 방침을 거역할 수는 없으니까."

"윈윈이야. 독식하면 서로 불편해져."

에릭이 말을 이었다.

"그리고 아르카디가 너무 규모가 커져서 기밀 유지가 곤란해."

바로 이것이다.

CIA는 기밀 유지가 확실하고 별도로 운용될 용병조직이 필요했던 것이다. 지노의 용병단이 CIA의 배후 지원을 받고 있는 이유다.

돌아오는 차 안에서 지노가 파하드에게 말했다.

"곧 CIA에서 자문관이 파견될 거야. 감시 역할이지."

지노가 웃음 띤 얼굴로 파하드를 보았다.

"내 옆에서 보좌관 직책으로 일하게 될 거다."

파하드가 고개만 끄덕였다. 당분간은 필요한 인물이다, 지금도 탈레반 출신들을 이집트로 입국시키는 데 CIA의 도움을 받고 있는 중이니까.

"지노 저놈의 자금력은 얼마나 돼?"

불쑥 에릭이 묻자 보좌관 린튼이 대답했다.

"아마 억대는 될 것 같은데요."

"억대라니? 이집트 파운드로?"

"아닙니다. 달러로 말이죠."

옆에 앉은 제임스는 시선만 주었고 린튼이 말을 이었다.

"후세인이 비자금을 넘겼다는 소문이 있습니다."

"지저스 크라이스트. 그럴 리가."

"거기에다 현상금 받아낸 것이 1천만 불도 넘습니다."

"팀원들한테 다 나눠줬다지 않아?"

"더구나 콜롬비아, 에콰도르에서도 수억 불을 챙겼다고 합니다. 그쪽 지부에서 흘러나온 소문입니다."

"그놈이 돈만 쫓아다닌 거 아냐?"

"그쪽 CIA 지부에서는 평이 좋습니다. 미국을 위해서 엄청난 공적을 세웠다고 하더군요."

"뇌물을 먹였나?"

"어쨌든 지노의 재산은 측량이 안 됩니다. 수억 불이 넘는 건 확실합니다."

"선오브비치. 내가 그만큼 있다면 섬 하나를 사서 왕 노릇을 하고 살겠다. 와이프는 위자료 주고 내보내고."

에릭의 눈이 흐려졌다.

"무슬림으로 개종하면 와이프를 넷까지 얻을 수 있겠지. 아니, 섬 안에 할렘을 만드는 게 낫겠다."

차는 지금 게지라 섬을 빠져나와 시내로 들어가고 있다. 차가 밀렸기 때문에 짜증이 났던 바그다드 지부장 제임스는 뒤에서 울리는 에릭의 목소리에 심장 박동까지 빨라졌다. 에릭의 혼잣말이 이어졌다.

"지노가 마음만 먹으면 그 재산에다가 용병단을 거느리고 왕 노릇을 할 수가 있겠어."

"내 예상인데, CIA는 우리를 아프리카 지역에 이용할 것 같다."

지노가 둘러앉은 존, 마크, 파하드에게 말했다. 저택의 2층 응접실 안. 오후 9시가 지난 시간이다.

저택 안은 조용해졌고 모스크 쪽에서 울리던 기도 소리도 끊겼다. 도시 복판이지만 숲에 싸인 저택은 숲속 같다. 지노가 말을 이었다.

"지금은 내가 CIA를 이용해서 조직을 갖추고 있지만 어느 정도 기반이 굳어지면 독자적으로 운용할 거야."

세 쌍의 시선을 받은 지노의 얼굴에 쓴웃음이 떠올랐다.

"내가 사업을 하려고 용병난을 만든 것이 아닌 줄은 너희들이 알겠지."

"대장, 그럼 뭐야?"

존이 불쑥 물었는데 정색하고 있다.

"탈레반 국가를 세우는 거야?"

그 순간 존과 마크의 시선이 파하드에게 옮겨졌다. 파하드가 탈레반 모집의 주역이기 때문이다. 그때 파하드가 입맛을 다셨고 지노가 대답했다.

"그렇다."

놀란 존과 마크가 고개를 들었고 파하드는 눈까지 치켜떴다. 그때 지노가 말을 이었다.

"곧 IS의 패잔병들도 모을 거다. 그래서 이라크도 아니고 아프간도 아닌 아프리카에 새 도시를 세우는 것이지."

"지저스."

감동한 존이 탄성을 뱉었다. 두 눈이 번들거리고 있다.

"내가 그럴 줄 알았어, 대장."

지노의 시선을 받은 존이 말을 이었다.

"대장이 용병대장으로만 그칠 작자가 아닌 것을 알고 있었다구."

"그럼 뭔데?"

마크가 존에게로 몸을 돌리면서 물었다.

"그럼 너한테 묻는 것이 낫겠다. 대장은 뭐가 되려는 거냐?"

"대통령."

"퍽큐. 장난 말고 말해."

"오사마 빈 라덴이나 알바그다디, 또는 후세인이나 카다피하고도 다른 지도자."

"그게 어떤 지도잔데?"

그때 존이 고개를 돌려 지노를 보았다.

"어때? 내 말이 틀려?"

세 쌍의 시선을 받은 지노의 얼굴에 웃음이 떠올랐다.

"용병으로 모은 돈을 다 쓸 거다."

그것이 제대로 된 대답인지 분간하지도 못하고 셋은 눈만 껌뻑였다. 대답의 내용이 머릿속을 복잡하게 만들었기 때문일 것이다. '몸'만 써오던 인간들은 가끔 이런다.

CIA측 자문관으로 톰 웨일스가 왔다.

43세. 전략국장 에릭과 함께 10년 가깝게 근무한 이력이 있고 중동, 아프리카 지역 전문가. 작전 경력 다수. 장신의 백인. 검은 머리. 수염까지 길러서 아랍인 행세도 가능해 보였다.

"잘 부탁합니다."

지노에게 예의바르게 인사를 하는 걸 보면 무난한 성품인 것 같다. 지노가 2층 응접실에서 톰을 맞는다.

오후 1시 반.

소파에는 존, 마크, 파하드까지 둘러 앉아있다. 상견례다. 이어서 옆쪽 셋과도 인사를 나눈 톰이 웃음 띤 얼굴로 입을 열었다.

"참고로 말씀드리는데 전 CIA 소속이 아닙니다. 지난달에 CIA에서 퇴사했으니까 이제 '지노 용병' 소속입니다."

"누가 속을 줄 알고?"

존이 대번에 말을 받았다.

"퇴사했다가 재입사한 CIA 놈을 내가 여럿 봤어. 퇴사 기간 동안도 근무기간으로 포함시켜 주더구만."

"잘 아네."

정색한 톰이 고개를 끄덕였다.

"그런 경우도 많지. 하지만 내 경우는 아냐."

"그건 두고 봐야지."

존이 매정하게 말했을 때 지노가 톰에게 물었다.

"무기는 어디서 가져오나?"

"내일 공군기지에서. 그런데 대장."

톰이 숨을 고르고 나서 둘러앉은 셋을 하나씩 보았다.

"여기 있는 셋이 간부급인 줄은 알겠는데 내 서열은 어떻게 되는 겁니까?"

"톰, 당신은 아직 CIA에서 파견한 간첩으로 의심 받는 상황이지만."

지노가 톰을 똑바로 보았다.

"내 참모 역할인 보좌관으로 두 번째 서열이야."

"알겠습니다. 감사합니다."

셋이 잠자코 있는 것은 미리 들었기 때문이다. 지노가 말을 이었다.

"그리고 파하드가 입국시킬 탈레반, IS 요원들이 있어. 그놈들 서류 준비를 해 줘야겠어."

"그러지요."

톰이 선선히 고개를 끄덕였다.

"저택에 들어오면서 잠깐 보았는데 경비체계도 다시 편성하고 CCTV도 설치해야 될 것 같습니다."

모두 입을 다물었다. 톰 같은 간부가 가장 필요한 상황인 것이다. 존 같은 간부야말로 허당이다.

"목표를 알아냈습니다."

자리에 앉자마자 카터가 말했다.

바그다드의 아르카디 본부장실 안. 깁슨은 시선만 주었고 카터가 말을 이었다.

"지노 용병은 아프리카에 퍼져 있는 알카에다 소탕을 목적으로 설립된 겁니다."

"예상은 했어."

그렇게 대답했지만 깁슨의 두 눈이 번들거렸다.

"지노가 꽤 고전하겠다."

"CIA에서 톰 웨일스를 보좌관으로 파견했는데 무기 등을 전폭적으로 지원해 준다고 합니다."

"지노 용병은 CIA의 전략국 소속 별동대 역할이군."

"먼저 케냐의 알카에다 소탕작전이 시작될 겁니다. 전략국에서 기획안을 거의 끝냈다고 합니다."

"보수는?"

불쑥 깁슨이 묻자 카터가 쓴웃음부터 지었다.

"그건 이곳처럼 현상금도 없고 아직 보상금도 정해지지 않았습니다. 곧 조건을 제시하겠지요."

"세릴, 전화야."

건너편 자리의 요한슨이 말했기 때문에 세릴이 이맛살을 찌푸렸다.

오전 9시 반.

신문사가 가장 바쁜 시간. 바그다드에서 돌아온 후에 발령받은 곳이 정치부다. 오늘은 상원의원 젠킨스와 면담이 있다.

"누구야?"

건성으로 물으면서 세릴이 질문 내용을 정리했다. 편집국 안은 시장 바닥 같

305

다. 소리치고, 부르고, 사정하고, 화를 낸다. 그때 요한슨이 전화기를 앞쪽에다 내동댕이치듯 내려놓았다.

"최근에 헤어진 남자라는데, 웬."

그 순간 고개를 든 세릴이 눈을 치켜뜨면서 자리에서 일어섰다. 책상을 돌아 요한슨 자리로 다가간 세릴이 전화기를 집어 들고 귀에 붙였다.

"여보세요."

세릴이 소리쳐 응답했다. 그때 수화기에서 사내의 목소리가 울렸다.

"세릴, 나 지노야."

세릴이 숨을 들이켰다. 예상이 맞았다.

지노. 최근에 헤어진 남자. 헤어진 남자야 셀 수도 없지. 만나면 헤어지기 마련이고. 그래서 헤어진다는 말도 안 쓰게 된 지도 오래다.

하지만 용병 지노하고는 다르다. 만나고, 헤어졌다. 확실하게 머릿속에, 가슴에도 자리 잡은 관계다.

"그래, 전화해줘서 고마워."

세릴이 그렇게 인사를 했다.

"시끄럽구나."

"그래. 지금 시간은 항상 시끄러."

"바빠?"

"하나도 안 바빠."

"그럼 나하고 이야기할 시간 있어?"

"물론이지. 그럼, 잠깐만."

숨을 들이켰던 세릴이 곧 말을 이었다.

"10분 후에 내 핸드폰으로 전화해, 아래층 로비에서 받을 테니까."

그리고는 세릴이 핸드폰 전화번호를 불러주었다. 바그다드에서 온 후로 핸드폰 전화번호를 바꿨거든.

10분 후. 로비.

한적한 창문 옆쪽의 벽에 세릴 워싱턴이 등을 붙이고 서 있다. 그때 벨이 울렸고 세릴이 핸드폰을 귀에 붙였다.

"헬로우."

"세릴."

"지노."

여기서는 세릴이 지노 이름을 불렀다.

"그래. 거긴 조용하구나, 세릴."

"거기 어디야?"

"카이로."

"그렇구나."

"세릴."

"지노, 무슨 일이야?"

"너, 바그다드로 와."

"왜? 무슨 일 있어?"

"면담 신청을 했는데 허가가 날 것 같아."

"지노, 무슨 신청인데?"

"국무부에다 했어. 이제 국무장관이 대통령 승인을 받으면 돼."

"지노, 무슨 일이야?"

"내가 정부와 협력 사업을 시작했어. 용병 사업."

"마이 갓, 지노. 제대로 하는군."

"그래서 협력 사업을 하는 조건으로 내 부탁을 들이달라고 했지."

"그래야지. 기브앤테이크야. 그런데 무슨 부탁인데?"

"후세인 면담."

순간 세릴이 숨만 들이켰고 지노가 말을 이었다.

"지금 재판 중이지만 사형은 거의 확정적 아냐?"

"그렇게 되겠지."

"사형 선고를 받으면 면회는 안 될 거야, 그렇지?"

"사형수 면담은 어렵지. 인권문제도 있고."

"내가 후세인 용병 출신이고 육성 테이프를 반출한 전력이 있는 인간이야. 그런데 지금은 정부 일을 하다가 사면되었고, 또 용병 사업까지 하게 되었는데."

"지노, 넌 히어로야. 아마 대통령도 네 요청을 거절하지 못할 거야."

"뉴스가 된다고 하더군, CIA나 국무부 고위층들이."

"당연하지."

세릴이 핸드폰을 고쳐 쥐고 물었다.

"지노, 만나는 이유가 뭐야?"

"후세인의 인정."

"정부에서 환장을 하고 반기겠군."

"그러니까 바로 국무부장관을 거쳐 대통령한테까지 결재가 올라갔지."

"지노."

"왜?"

"왜 마음을 바꾼 거야?"

"세릴."

"왜? 지노."

"내가 국무부에 요구 조건을 하나 더 붙였어."

"뭔데?"

"뉴욕타임스의 세릴 워싱턴을 데리고 가겠다고."

숨을 들이켠 세릴이 목까지 막혀 입만 벌렸을 때다. 지노가 말을 이었다.

"취재 준비를 하고 있어. 승인이 나면 바그다드에서 만나자."

세릴이 숨을 멈춘 채로 가만있었고 지노가 말을 이었다.

"그때 이유를 말해주지."

"특집부 부국장을 맡아."

세릴의 말이 끝났을 때 프랭크 이스트우드가 정색하고 말했다.

"특집부장 코튼의 상사가 되는 거지. 솔직히 코튼은 이제 그만둘 때가 되었어."

기가 막힌 세릴이 눈만 껌벅였다. 갑자기 진급 이야기가 나올 줄은 생각지도 못했다. 지노 특집 2탄을 내놓지 못하겠다고 했더니 달라스 지국으로 발령을 낸다고 하던 프랭크다.

달라스 지국은 전화 당번하는 알바생 하나만 있는 5급지다. 5급지는 폐쇄 직전의 지국을 말한다. 그랬다가 지노의 '후세인 면담'에 유일한 기자로 동행할지도 모른다니까 특집부 부국장? 그때 눈의 초점을 잡은 세릴이 말했다.

"프랭크, 모리스 불룸버그를 만나야겠어요."

모리스 불룸버그. 바로 뉴욕타임스의 사주를 말한다.

이런 대(大)특종에는 사주의 메시지도 직접 듣고 가는 것이 관례다. 편집국장 프랭크 따위가 나설 일이 아니다. 대통령 취임 회견 때 질문자로 지명된 언론사 기자가 사주의 의견을 묻고 가는 것처럼.

아니, 그보다 더한 특종이지, 이건. 그 증거로 프랭크가 눈만 껌벅이고 있다. 할 말이 없는 것이겠지.

"지노."

앞쪽에 앉은 톰이 지노를 보았다.

오후 8시 반.

저녁을 먹고 2층 응접실로 올라온 참이다. 톰이 말을 이었다.

"국무부에서 곧 대통령 사인을 받을 것 같다는데. 오히려 국무부에서 서두르는 상황이야."

지노는 쓴웃음만 지었고 톰이 눈을 가늘게 떴다.

"갑자기 그런 마음을 먹게 된 이유가 뭐야?"

"왜, 그것이 알고 싶다고 그래?"

"갑자기 마음을 바꿨으니 모두 궁금하게 생각할밖에."

톰의 얼굴에도 쓴웃음이 떠올랐다.

"솔직히 홈스 부장도 그래. 지노가 장난을 칠 리는 없겠지만 후세인을 후세인 취급을 한다는 것에 좀 놀랐다고."

"간단해."

"뭐가?"

그때 지노가 정색하고 톰을 보았다.

"모두 후세인 아니, 1호 생각은 안 하고 있어. 비정한 놈들이야."

지노가 흐려진 눈으로 톰을 보았다.

"1호가 후세인으로 사형 당하면서 무슨 생각을 할 것 같으냐?"

눈만 껌벅이는 톰을 향해 지노가 말을 이었다.

"그래서 위로해주려는 거야."

"......."

"물론 언론보도에는 후세인의 마지막 경호원, 마지막 용병이 위로해주는 것으로 보도되겠지만 말야."

"1호가 분명해?"

톰이 묻자 지노가 고개를 끄덕였다.

"당연하지. 1호야."

"가서 1호, 하고 부르면서 위로할 거야?"

"뉴욕타임스 기자하고 같이 만난다."

"그럼 기자가 그대로 보도하겠군."

"하겠지, 본 대로."

"그럼 1호라고 부르면 그대로 보도가 될 것 아닌가?"

"그러겠지."

"그렇게 부를 거야?"

"아니."

지노가 고개를 저었다.

"내가 국무부 부장관한테도 말했어. 후세인으로 부르고 후세인에게 작별하겠다고. 그리고 마지막 인사를 하겠다고."

지노가 말을 이었다.

"그러니까 날 면회시켜 주는 거야. 내 인사로 지금까지의 육성 테이프 폭로 사건이네, 후세인의 이라크 재입국 사건 등을 모두 덮고 끝내려는 거야."

지노가 다시 흐려진 눈으로 앞쪽을 보았다.

"그래서 후세인 각하를, 그리고 카밀라 공주까지 떠나보내려는 거야."

그 시간에 세릴 워싱턴은 회의실에서 두 사내와 마주 보고 앉아있다.

넓은 회의실 안에는 넷뿐이다. 세릴의 바로 옆에는 보디가드처럼 편집국장 프랭크가 앉아있는 것이다. 앞쪽 두 사내는 국무부 부장관 와튼과 백악관 안보수석실 보좌관 올랜도다.

둘 다 거물이다.

올랜도는 현역 육군 중장으로 군사작전은 올랜도가 다 주무른다는 소문이 났다. 와튼은 중동 아프리카 담당 부장관이고, 둘이 찾아온다는 연락이 왔을 때 흥분한 프랭크가 부장들을 다 불러서 시위를 하려다가 세릴이 쏘아붙였더니 찔끔하고 물러갔다.

세릴이 '주역'인 것이다. 세릴이 '당신'도 필요 없다고 했기 때문에 사정사정해서 지금 옆에 '낀' 상태다.

물론 둘이 찾아온 이유는 지노의 '후세인 면담' 때문이다. 그 면담에 동석하게 된 세릴에게 두 고위층이 '할 말'이 있기 때문에 온 것이다.

자, 먼저 와튼이 입을 열었다.

"세릴 씨, 지노하고 후세인의 면담 승인이 났습니다. 어제 대통령께서 사인을 하신 거죠."

와튼이 옆에 앉은 올랜도를 눈으로 가리켰다.

"올랜도 씨가 대통령을 설득하신 거죠."

세릴은 듣기만 했고 올랜도를 쳐다보지도 않았다. 거만한 분위기를 풍기고 있었기 때문이다. 와튼이 말을 이었다.

"지노가 내일쯤 바그다드로 들어갈 겁니다. 세릴 씨도 준비를 하시죠."

"알았습니다."

"거기서 지노를 만나 같이 후세인한테 가시는 겁니다."

"녹음기는 되죠?"

프랭크가 확인하듯 물으면서 끼어들었다.

"사진기자가 안 된다니까 녹음은 해야지."

"됩니다."

고개를 끄덕인 와튼이 다시 세릴을 보았다. 정색한 표정이다.

"세릴 씨, 우리가 면담 보도를 통제할 수 있다는 사실을 알아두셔야 할 겁니다."

"무슨 말인지 알겠는데."

다시 프랭크가 끼어들었다.

"우리가 미국 국익에 해가 되는 일은 안 합니다. 예를 들어서 미군이 이라크를 이유 없이 침공했다느니 하는 따위는 말이죠."

"잠깐."

그때 올랜도가 프랭크의 말을 막았다.

"프랭크 씨, 뻔한 이야기 그만둡시다."

장군이 대위를 대하는 것처럼 올랜도가 눈을 가늘게 떴다.

"돌출 질문으로 후세인을 자극하지 말고 후세인의 후회, 반성을 주제로 삼았으면 좋겠다는 말씀을 드리려고 온 겁니다. 이해하시겠지요?"

마지막 말은 세릴을 쳐다보고 했다. 그때 세릴이 의외로 순순히 고개를 끄덕였다.

"알겠습니다. 그럼 지노와 후세인의 대화만 중점적으로 보도하면 되겠지요?"

"그렇습니다."

올랜도도 고개를 끄덕였다.

"지노도 우리한테 약속했거든요. 후세인을 후세인으로 인정한다는 것. 그리고 후회나 반성의 메시지를 남기도록 하겠다는 것을 말입니다."

어깨를 편 올랜도가 세릴을 응시했다.

"지노가 그렇게 제의했기 때문에 우리가 응한 것이니까요."

이렇게 해서 후세인과의 마지막 면담이 성사된 것이다. 세릴이 다시 고개를 끄덕였다.

"지노가 그렇게 약속했다니 따라야죠. 우리는 지노 덕분에 이 특종을 단독으로 보도하게 되었으니까요."

이것은 지금도 끼어들려고 호흡을 고르고 있는 프랭크도 들으라고 한 말
이다.

"선오브비치."

거만한 공무원 둘을 엘리베이터까지 배웅하고 돌아온 프랭크가 투덜거렸다.

"저 보좌관 놈, 저놈이 이라크 전쟁을 일으킨 놈이야. 저놈을 심판해야 돼."

회의실에는 둘뿐이다. 프랭크가 말을 이었다.

"세릴, 가서 네 본능대로 움직여. 저 개아들놈의 말대로 할 필요는 없어."

"괜히 허풍떨지 말아요, 프랭크."

세릴이 쓴웃음을 지었다.

"당신 허풍에 놀아났다가 골로 간 기자들이 어디 한두 명이야?"

"지노 그놈이 변심을 한 이유를 추적해도 돼. 지금 잡혀있는 후세인이 대역이
라고 주장했잖아?"

"날더러 지노를 배신하란 말이죠? 이 면담에 참석하게 만들어준 지노를 말이
에요, 프랭크?"

정색한 세릴이 똑바로 프랭크를 보았다.

"프랭크, 내 눈을 똑바로 보고 대답해요. 당신 같으면 그렇게 할 수 있겠어
요?"

"이건 퓰리처상감이야. 이 보도가 제대로 되면 누구도 널 못 건드려. 부시도."

프랭크의 두 눈이 번들거렸다.

"저, 병신 같은 쓰리스타 놈. 저건 입으로 '훅' 불면 날아갈 놈이야."

"당신은 비열한 인간이야, 프랭크."

"개새끼라고 해도 돼, 특종만 보도 된다면."

314

"내가 그렇게 못 할 줄 아니까 이렇게 큰소리치는 거지. 당신은 위선자야."

"네가 지노의 여자가 된 것이 문제지."

프랭크가 쓴웃음을 짓고는 일어섰다.

"지노 이름을 말할 때마다 너한테서 암내가 났어. 정액 냄새 말야."

바그다드.

이번에는 민항기인 에어 프랑스를 타고 공항에 내린 세릴 워싱턴을 장교가 맞는다. 대위 계급장을 붙인 장교다. 이름은 '앤디'.

"별일이네."

마중 나온 장교의 인사를 받은 세릴의 인사가 그렇다.

"내가 장교 영접을 받고, 웬일이야?"

"참모님이 보내셨습니다."

장교가 웃음 띤 얼굴로 대답했다. 어느새 병사 두 명이 세릴의 가방을 받아 들었다.

"누가 보냈어요? 정보참모? 작전참모?"

"정보참모님이시죠."

"지저스. 그 인간 얼굴을 또 보게 되었네."

"운명이죠, 세릴 씨."

발을 떼면서 대위가 웃지도 않고 말했다.

"가시죠. 호텔에서 기다리고 계십니다."

"어, 세릴."

로비에서 기다리던 정보참모 맥마흔 대령이 웃음 띤 얼굴로 세릴을 맞는다. 임페리얼 호텔이다. 이곳은 외교관이나 미국 관리, 군 고위층이 투숙하는 호텔로 '세릴 급'은 아예 예약도 안 되는 곳이다.

"어머, 아직 장군 안 됐어요?"

다가선 세릴이 비꼬았지만 맥마흔이 웃지도 않고 말했다.

"방은 6층으로 했어. 짐 갖다 놓을 테니까 여기서 나하고 잠깐 이야기하지."

"특별대우를 받네."

"모두 지노 덕분이지."

여전히 맥마흔은 웃지 않고 말을 잇는다.

"지노도 오늘 오후에 여기로 올 거야."

안쪽 자리에 마주 보고 앉았을 때 맥마흔이 손목시계를 보는 시늉을 했다.

"지금이 오후 3시 반인데 6시쯤 도착할 것 같군."

"바쁘시겠어. 이렇게 큰 작전을 맡으셔서."

"마무리 작전이지."

맥마흔이 어깨를 치켰다가 내렸다.

"작전참모부에서는 할 수 없는 일이지."

"진급은 작전 쪽이 빠를 것 같던데."

"글쎄."

야릇한 웃음을 띠었던 맥마흔이 세릴을 보았다.

"오기 전에 주의사항 들었지?"

"여기서도 또 할 거요?"

"면담에는 내가 끼어들 수 없지만 관리자는 나야, 세릴."

"국무부 장관 나셨네."

"면담실에 녹음장치가 되어있다는 걸 기억해둬, 세릴."

"어련하시겠어."

"면담 후에 당신의 녹음테이프를 일단 내가 회수했다가 돌려준다는 합의가 되었어."

"누구하고 합의를 했는데?"

"당신 편집장. 듣지 못했어?"

들었지만 세릴은 대답하지 않았다. 맥마흔이 말을 이었다.

"그리고 보안을 유지하겠다는 각서에 사인을 해줘야겠어, 세릴."

맥마흔이 가방에서 서류를 꺼내더니 탁자 위에 놓았다.

"사인 안 하면 면담 못 해, 세릴."

이제 맥마흔의 눈동자가 깊게 느껴졌다.

"국가 안보에 관한 일이야. 이건 국무부, 국방부, 주둔군 사령부 합의하에 만
든 각서야."

세릴이 앞에 놓인 각서를 보았다. 하긴 허술하게 지노 따라서 면담 시켜줄 정
부가 아니다.

문에서 벨소리가 울렸을 때 세릴이 벽시계부터 보았다.

오후 6시 반.

그동안 시계는 10번도 더 보았을 것이다.

"누구세요?"

문으로 다가간 세릴이 물었지만 대답이 없다. 그러나 세릴은 문을 열었다.

그때 세릴은 문 앞에 서 있는 지노를 보았다. 지노는 양복 차림이다. 회색
재킷의 단추도 풀어놓고 있어서 안에 총을 숨겨 찬 것 같지도 않다. 지금 세릴
은 '용병 관점'에서 본 것이다. 그러나 시선이 마주친 순간 세릴의 눈 밑이 붉
어졌다.

"지노."

"세릴."

서로 이름만 불러놓고 2초쯤 지났다. 그때 세릴은 지노가 안아주었다면 그냥 매달릴 작정이었다. 2초 동안에 그 생각을 했다. 정말이다.

그때 지노가 시선을 내렸기 때문에 세릴이 비켜섰다. 들어오라는 시늉이었지만 세릴의 가슴에 서늘한 기운이 덮였다가 사라졌다. 왜 그랬을까?

방에는 원탁과 의자가 3개 놓여 있다. 깨끗하고 넓다. 욕실에는 비데까지 갖춘 변기에다 욕조도 크다. 의자에 앉았을 때 세릴이 먼저 인사를 했다.

"날 추천해줘서 고마워."

"너밖에 아는 기자가 없어서."

바로 대답한 지노가 세릴을 정색하고 보았다.

"주의사항 들었지?"

"응, 여러 곳에서. 여러 놈이 하더구만."

세릴이 어깨를 치켰다가 내렸다.

"심지어는 여기 정보참모라는 놈도."

"맥마흔이 책임자야. 알지?"

"이번 사건으로 장군이 되려나봐."

"각서 썼지?"

"응, 그런 각서는 첨이야."

"나도 썼어."

"나까지 썼으니 당연하지."

세릴이 고개를 들었다.

"웬 수선이야, 도대체?"

"당연하지. 마지막 면담인데. 아니, 내가 처음 면담하는 거야."

지노가 다시 똑바로 세릴을 보았다.

"지금까지 각하는 모든 면담, 인터뷰도 거부하셨거든. 이번에 나하고의 면담만 받아들인 거야."

"지금 각하라고 했어?"

세릴이 눈을 가늘게 뜨고 지노를 보았다. 약간 화장을 한 세릴의 눈 밑이 다시 붉어졌다.

"각하로 인정하고 면담할 거야?"

"그래서 정부가 내 면담 신청을 받아들인 것이니까."

"그럼 후세인의 사과와 반성을 받아내려는 면담인 건 맞네."

"내가 먼저 그런 조건을 내민 거야."

그때 세릴이 숨을 들이켰다.

"그렇구나."

"그럼 일개 용병인 나한테 왜 면담을 시켜주겠어? 내 제의를 받아들인 것이지."

"나도 뭔가 있다는 예상을 했어."

세릴이 한숨을 쉬었다.

"어쨌든 날 불러줘서 고마워."

"내일 오후 6시야."

지노가 자리에서 일어서며 말했다.

"내 방은 607호실이야. 맥마흔이 같은 층을 잡아놓았군."

"흥, 두 연놈은 방에 CCTV 장치가 되어 있는 걸 아는 거다."

맥마흔이 쓴웃음을 짓고 말했다. 그러나 시선은 모니터에서 떨어지지 않는다.

이곳은 임페리얼 호텔의 방 안. 벽에는 10여 개의 모니터가 부착되어 있었는데 바로 지노와 세릴의 방, 복도, 베란다까지 장착된 CCTV 화면이 그대로 생중계되는 중이다.

방 안에는 정보참모실 소속의 요원들이 화면을 체크하고 있다. 그때 화면에 지노가 방을 나가는 장면이 비춰지고 있다. 세릴이 문 앞에까지 따라 나간다.

"갓, 섹스 장면은 보기 어렵겠군."

맥마흔이 안타까운 표정을 짓고 말했다.

"나중에 끝났을 때 기회를 잡겠지."

문 앞에 선 지노가 손을 내밀어 세릴에게 악수를 청했다. 뜬금없었지만 세릴이 손을 잡았을 때 손 안에 종이가 잡혔다. 그때 지노가 낮게 말했다.

"아래층 식당 화장실에서 펴봐."

세릴이 잠자코 종이를 움켜쥔 손을 빼내었다. 대번에 눈치를 챈 것이다. 방 안은 온통 도청, CCTV 장치다.

식당 화장실 안은 그래도 안전하다는 말이겠지.

식당으로 내려간 세릴에게 사내들의 시선이 모였다.

오후 7시 10분.

안쪽 테이블에 앉아있던 맥마흔이 알은체를 했지만 세릴은 얼른 외면했다. 맥마흔은 어떤 양복 차림과 동석하고 있었는데 이번 면담 때문에 온 정부 인사 같다.

세릴이 창가 테이블에 자리 잡고 앉았을 때. 맥마흔과 그 사내가 자리에서 일어나 다가왔다.

"세릴, 이분이 국무부 중동 부국장 알버트 씨인데."

맥마흔이 말했을 때 사내가 손을 내밀었다. 40대 중반쯤의 백인. 반쯤 벗겨진 대머리의 금발. 푸른 눈. 열심히 헬스를 나가고 골프를 쳤기 때문인지 날씬한 몸매. 손을 쥐었더니 과연 그립을 쥔 표시가 난다. 사내가 붉은 얼굴을 펴고 웃

320

었다.

"세릴 씨, 명성을 듣고 있습니다. 합석해도 되겠습니까?"

"거절하면 내일 면담에 참석 못 하게 되나요?"

세릴이 불쑥 되묻자 사내의 푸른 눈동자가 흔들렸다. 병신.

"하하하."

옆에 선 맥마흔이 얼른 웃어준 것은 알버트의 무안을 씻어주려는 의도인데, 불쌍한 알버트의 얼굴이 더 붉어졌다. 그때 세릴이 눈으로 빈 의자를 가리켰다.

"앉으세요, 알버트 씨."

"감사합니다."

알버트가 겨우 웃으면서 앉았을 때 맥마흔이 따라 앉으면서 말했다.

"세릴, 좀 살살해줘."

"난 국무장관 아놀드를 애인 문제로 직접 깐 사람이야. 당신도 어지간히 해."

세릴이 쏟아붓듯 말했다.

"장군이 되려면 국무부 중간 간부급한테도 아부해야 돼?"

"이것 봐요, 알버트 씨."

맥마흔이 어깨를 부풀렸다가 내리면서 얼굴을 일그러뜨렸다.

"내가 좋은 소리 못 들을 것이라고 했지 않습니까?"

"어쨌든 말씀은 드려야 할 것 같아서……."

알버트가 어색한 웃음을 짓고 세릴을 보았다.

"세릴 씨, 내일 말입니다."

"알고 있어요. 무슨 말 하려는지."

"후세인과 면담 내용이 그 자리에서 바로 녹음됩니다."

"내가 녹음기 가져가잖아요? 승인도 받았고."

세릴이 맥마흔을 흘겨보았다.

"그리고 면담 후에 녹음기도 잠깐 가져가서 확인한다는군요."

"그런데."

알버트가 푸른 눈동자로 지그시 세릴을 보았다.

"면담실에 녹음장치가 있어요."

세릴의 시선을 받은 알버트가 말을 이었다.

"그래서 밖에서도 다 듣습니다."

"철저하시네요."

"지노 씨도 알고 있습니다."

"지노도요?"

세릴이 눈을 치켜떴다가 곧 내렸다. 그러고는 고개를 끄덕였다. 금세 이해를 했기 때문이다. 그런 조건도 받아들일 수밖에 없었을 것이다. 면담을 하려면 칼자루를 쥔 쪽의 주문을 따라야겠지. 그때 알버트가 말을 이었다.

"참고하라고 말씀드리는 겁니다."

"알고 있어요, 나는 지노 씨와 후세인의 대담을 듣기만 하는 입장이라는 것을."

세릴이 쓴웃음을 지은 얼굴로 둘을 번갈아 보았다.

"쓸데없는 질문을 하지 말라는 경고로 듣고 있습니다."

그러고는 세릴이 몸을 일으켰다.

"저, 화장실에 좀."

둘이 예의바르게 일어났고 세릴은 몸을 돌렸다.

화장실의 변기에 앉은 세릴이 주머니에서 접힌 쪽지를 꺼내 펼쳤다. 곧 낯익은 지노의 글씨. 호텔방에 남겨놓았던 그 글씨가 눈앞에 펼쳐졌다.

"세릴, 이번 면담은 녹음되어서 기록으로 남겨질 거야. 그러려고 면담 신청을 했으니까. 기록 후에 원본이 지워질 수도 있겠지만 처음에 듣는 사람은 기억하겠지. 듣는 사람이 많을수록 좋고. 그것이 너 같은 기자라면 더 바람직하고. 나는 마지막까지 사담 후세인을 위한 용병으로 일한다. 지노."

세릴은 구겨진 쪽지의 글을 읽고 또 읽었다. 그리고 나서 그것을 다시 두 번, 세 번, 네 번, 다섯 번이나 접었더니 손톱만 해졌다.

이젠 숨기기가 쉬울 것 같네.

국무부 상황실에 모인 인원은 모두 10여 명. 벽시계가 오후 12시 반을 가리키고 있다. 그때 방의 선임인 국무부 부장관 와튼이 주위를 둘러보았다.

"준비는 다 되었지?"

"됐습니다."

전송 책임자인 국방부 연락관 모리스 대령이 대답했다. 왼쪽 벽에는 대형 수신 장치가 옮겨져 있었는데 위성통신 수신기다. 그리고 옆쪽에 스피커를 부착시켜서 부피가 더 커졌다. 와튼이 벽시계를 보고 나서 말을 이었다.

"내일 오후 6시에 시작되니까 여기 시간으로는 오전 11시야."

와튼의 시선이 앞쪽을 훑고 지나갔다.

상황실은 넓다. 장방형 테이블 주위로 의자가 20여 개 배치되어 있었는데 이곳은 장관이 간부회의를 주재하는 곳이다. 지금 상황실에 모인 인원은 준비요원들이다. 그때 모리스가 물었다.

"내일 국무장관, 국방장관, 그리고 백악관에서는 안보수석이 옵니까?"

"그 셋은 확정적이고."

고개를 기울였다가 세운 와튼의 눈빛이 흐려졌다.

"모르겠어, 대통령이 오실지."

와튼의 시선이 상석 의자로 옮겨졌다.

"오신다면 저기 앉으시면 되겠지. 그 좌우로 장관들이 서열별로 앉고……."

"그럼 대통령 행사가 되겠는데요?"

"비밀 행사야. 여기 오신다면 국무부에 다른 일로 들른 것으로 해야 돼."

모리스가 고개를 끄덕였다. 지금 이 장치는 내일 지노와 후세인의 면담 내용을 실시간으로 듣는 장치인 것이다. 이 내용이 녹음되고 나서 편집을 하든지 해서 언론에 내놓으면 그야말로 '명실상부'한 이라크 '종전' 선언이 된다.

'후세인의 후회와 반성'이란 제목까지 국무부에서 만들어놓은 것이다. 그러니 대통령도 관심을 갖지 않을 리가 있나.

지노의 면담을 승인한 대통령이었으니 그 결과가 궁금할 것은 당연하다. 후세인과의 면담 내용을 실시간으로 들으려고 할지도 모른다. 그때 와튼이 벽시계를 보면서 말했다.

"이제 24시간도 안 남았어."

점심 식사.

호텔의 식당 룸에 넷이 둘러앉았다. 지노와 세릴, 맥마흔과 알버트다.

오후 12시 반.

4시에는 사령부 안에 있는 사단 헌병대로 출발해야만 한다. 헌병대 옆 저택을 개조해서 사담 후세인만을 '특별하게' 보호하고 있는 것이다. 그래서 맥마흔의 요청으로 면담자 둘을 불러 마지막 리허설을 하는 것이다.

"참 철저하구만."

세릴이 감탄했지만 빈정대는 표정이다. 얼굴에 야릇한 미소가 떠올라 있다. 세릴은 머리를 뒤로 묶어서 갸름한 얼굴이 다 드러났다. 맑은 눈, 화장기가 없는 피부가 대리석 같다. 조금 얇은 입술은 항상 꽉 다물고 있어서 입 끝이 분명했고 곧은 콧등 위의 주근깨 대여섯 개가 드러나 있다.

"내가 3년 전에 프랑스 대통령 면담을 했는데도 이러지 않았어. 무슨 사전 리허설이야?"

알버트는 웃음만 띠었고 지노는 무표정. 그러나 맥마흔이 예민하게 반응했다.

"이게 그런 인터뷰하고 같나? 미국의 대(對) 이라크 전쟁에 대한 '마무리' 의미가 있는 면담이야. 지노 씨가 후세인의 입에서 '후회와 반성' 단어를 끌어내는 것으로 역사적인 종결이 되는 거야."

"당신은 군인이 되는 게 아니었어. 소설가나 PD가 어울려."

"이 일은 본래 지노 씨가 요구했던 것이라구."

맥마흔의 열띤 목소리가 방을 울렸다.

"그래서 지금 워싱턴에서도 면담 내용을 실시간으로 들을 예정이라니까."

그때 지노가 물었다.

"대령, 그 이야기는 여러 번 들었고. 오늘 마지막 미팅에서 할 이야기는 뭐요?"

그러자 알버트가 헛기침을 했다. 지노와 세릴의 시선을 받은 알버트가 정색했다.

"오늘, 대통령이 들으십니다."

지노는 쳐다만 보았고 세릴은 쓴웃음을 지었다. 알버트가 말을 잇는다.

"이곳 오후 5시면 워싱턴은 오전 10시입니다. 10시에 대통령이 국무부 상황실에 오실 겁니다."

"……."

"참석 인원은 대통령, 국무장관, 합참의장, 거기에다 공화, 민주당 대표가 포함되었어요. 대통령이 불러서요."

"역시 부시는 쇼맨이야."

세릴이 빈정거렸지만 알버트는 엄숙한 표정으로 계속 한다.

"다시 말하지만 면담의 질문 내용을 지켜주시고 돌발 사건이 일어나지 않도록 사전에 주의해주시기 바랍니다."

세릴의 시선이 지노 앞에 놓인 '질문지'로 옮겨졌다. 세릴도 오늘 아침에야 정보참모부 장교한테서 받은 '질문지'다. 지노는 저 '각본'대로 질문하면 되는 것이다. 지노가 고개를 끄덕였다. 세릴은 테이블 위에 놓인 지노의 손을 본 채 가만있었다.

무슨 생각을 하느냐구? 자신의 몸을 문지르던 저 손가락을 떠올리는 중이었다. 그래서 사람 속은 모르는 법이야. 표정은 아주 심각했거든.

오후 4시 10분.

미군 사령부에서 제공한 의전용 링컨 승용차로 호텔을 출발.

차 뒷좌석에는 지노와 세릴이 나란히 앉았다. 운전사는 하사. 옆 좌석에는 낯익은 앤디 대위가 탔다. 앞쪽 링컨에는 맥마흔과 알버트가 탔고 앞뒤로 기관포를 장착한 무장 지프 2대씩이 호위했으니 바그다드 시민들은 미국에서 '최소한' 장관급이 온 것으로 알았을 것이다.

차 안.

창밖을 내다보던 세릴이 손의 감촉을 받았다. '번쩍', 이것은 머리가 받은 충격이고, '덜컥', 이것은 심장 상태. 그리고 '후끈', 이것은 손이 받은 느낌이다. 그다음은 '주물럭'. 지노가 세릴의 손을 다시 움켜쥐었기 때문이다.

오로지 세릴이 그렇게 느끼고 있다. 원체 '주물럭'에 감동을 받은 것 같군, 원. 그것은 1초쯤밖에 안 되는 순간의 상황이다.

세릴은 손을 잡힌 채 굳어졌고 창에서 시선을 떼지 못했다. 그때 앞쪽을 응시한 채 지노가 세릴의 손을 더 세게 움켜쥐었다. '주물럭'. 그러고는 말했다.

"후세인의 용병은 오늘 자로 끝낸다."

세릴이 고개를 돌려 지노를 보았다. 지노는 앞쪽만 보았기 때문에 세릴이 잡힌 손을 펴서 마주 쥐었다. 힘껏 쥐었지만 지노가 반응하지 않아서 갑자기 가슴이 서늘해졌다.

오전 9시 35분.

워싱턴 시간이다.

"각하, 이쪽으로."

국무부 현관에서 기다리던 국무장관 아놀드가 앞장서서 부시를 안내했다. 부시가 국무부에 온 것은 18개월 전. 전임 클라크 장관 때다. 아놀드가 장관이 된 후로는 이번이 처음이다.

엘리베이터를 탄 부시의 컨디션은 좋아 보인다. 가는 몸매에 가슴이 큰 체형을 좋아하는 부시 옆에 아놀드의 비서 캐시가 서 있다. 안내역이다.

부시가 캐시의 옆모습을 잠깐 훑어보더니 물었다.

"클라크 때는 못 보았는데. 그때 어디 있었지?"

"관리부에 있었습니다."

캐시의 얼굴이 금세 빨개졌다. 정색한 부시가 고개를 끄덕였다.

"아놀드가 인재 발굴은 잘해."

캐시가 더 빨개졌고 엘리베이터에 함께 탄 안보수석과 합참의장이 낮게 웃었다. 아놀드는 여기서 끼어들었다가 말꼬리를 잡힐까 봐서 숨만 쉬고 있다. 그때 부시가 혼잣말을 했다.

"오늘은 한잔 마셔야겠어."

모두 입을 다물고 있다. 부시의 말에 함축된 의미를 알기 때문이다. 이라크 침공으로 부시가 마음고생을 무지 했던 것이다.

핵이 있다고 했지만 찾지 못했고 반군 등쌀에 시달리다가 전비만 수천억 불을 까먹고 이제 마무리를 한다. 그것이 오늘인 것이다.

이곳은 '별장' 안.

사령부 안 병사들은 말할 것도 없고 티크리트에 주둔한 7사단 병사들도 이곳을 별장이라 부른다. 사담 후세인을 가둬놓은 '군 교도소'를 말한다. 교도소지만 1인용 별장처럼 꾸며놓았기 때문이다.

사단 헌병대 옆에 정원과 산책로까지 조성된 단층집이 바로 사담 후세인의 거처인 것이다. 침실은 1개, 욕실, 응접실이 딸린 단독주택. 주방이 없을 뿐이다. 그 거처 응접실에 후세인과 미군 사령관 로니, 참모장 웨스트까지 셋이 둘러앉아 있다.

5시 40분.

그때 웨스트가 말했다.

"지금쯤 사령부에 도착했겠습니다."

지노를 말한다. 웨스트가 말을 이었다.

"10분쯤 후에는 일어나시죠."

여기서 면담 장소인 헌병대 대기실까지는 차로 3분 거리다. 그때, 로니가 고개를 돌려 후세인을 보았다.

"각하, 각하는 좋은 용병을 고용하신 것 같습니다."

옆에 앉은 웨스트의 표정도 부드러워졌다. 공감하는 것 같다. 그때 후세인이 얼굴을 펴고 웃었다.

"최고지."

후세인의 눈이 흐려졌다. 먼 곳을 보는 것 같다.

"미군 출신인 것이 유감이지만 최고의 용병이었소."

로니가 쓴웃음을 짓고 일어섰다.

"자, 가십시다."

후세인의 처음이자 마지막 면담이다. 역사에 기록될 장면이 될 것이다.

면담실은 10평쯤 되었는데 중앙에 둥근 탁자가 놓였고 소파가 마주 보고 놓여 있다. 탁자 위에는 10여 종의 음료수가 준비되었는데 후세인을 위한 배려가 돋보였다.

후세인이 즐기는 대추야자, 우유, 오렌지주스가 차례로 놓여 있다. 후세인용 소파는 1인용으로 팔걸이가 높았고 지노와 세릴은 폭이 넓은 가죽 소파에 나란히 앉는다. 면담실의 창문은 없고 벽에 거울도 붙어 있지 않았다.

그러나 벽에 걸린 그림, 시계, 구석에 놓인 화분, 탁자 밑과 방의 4면 귀퉁이에 녹음장치, CCTV가 설치되어 있다.

방에 먼저 들어온 지노와 세릴이 소파에 앉아 기다리고 있다. 벽시계가 오후 5시 56분을 가리키고 있다. 방을 둘러보는 지노에게 세릴이 물었다.

"후세인을 존경했어?"

예상하지 못한 질문이었지만 지노는 금세 대답했다.

"좋아했지."

"좋아해서 목숨까지 내놓았던 거야?"

"물론이지."

지노가 고개까지 끄덕였다.

"좋아하는 건 존경보다 비중이 커."

"첨 듣는 말이네."

"내가 너도 좋아해."

"시끄러."

그때 방문이 열리더니 후세인이 들어섰다.

사담 후세인. 1937년생. 2006년 현재 69세. 2003년 3월 20일 미국의 공격으로 이라크는 3주 만에 정복되었고 후세인은 2003년 12월 14일 체포되었다. 그리고 3년이 지난 것이다.

지노와 세릴이 자리에서 일어섰다.

그때 후세인이 지노에게 두 팔을 벌렸다. 얼굴에 웃음이 떠올라 있다.

"지노."

"각하."

다가간 둘은 포옹했다. 서로 빰을 세 번 맞대고 나서 지노는 손바닥을 제 가슴에 붙여 경의를 보였다.

"알라 아크바르."

후세인이 알라를 찬양했고 무신론자인 지노도 대답했다.

"알라 아크바르."

그러고 나서 후세인이 세릴에게 손을 내밀어 악수를 청했다.

"세릴 기자, 같이 온다는 이야기 들었습니다."

"만나 뵈어서 영광입니다, 각하."

"나도 반갑습니다."

인사를 마친 셋은 자리에 앉는다.

"응, 잘 들리는군."

부시가 감탄했다. 국무부 상황실 안. 부시는 등이 딱 붙는 의자에 머리까지 기대고 앉아있다. 스피커 성능이 좋아서 '입체 음향'으로 울린다.

그때 옆으로 다가온 캐시가 부시 앞에 커피 잔을 내려놓았다. 캐시의 옆구리

330

가 부시 코에서 20센티 간격이다. 부시가 숨을 들이켜자 옅은 우유 냄새가 났다. 그때 후세인의 목소리가 상황실을 울렸다.

"지노, 이렇게 후회와 반성을 표현할 시간을 만들어 준 것, 용병으로서의 마지막 임무인가?"

"이것이 각하의 마지막 기회일 것 같습니다."

"그렇지. 국제사법재판소는 나한테 발언 기회를 주지도 않으니까."

고개를 끄덕인 후세인이 흐려진 눈으로 지노를 보았다.

"지노, 위대한 용병."

"예, 각하."

"자네를 기다렸네."

"그러실 줄 알았습니다."

옆에서 듣는 세릴은 숨도 죽이고 있다.

탁자 위에 놓인 소형 녹음기는 테이프가 돌아가고 있다. 둘의 대화에 끌려들어 간 세릴은 눈동자만 이쪽저쪽으로 굴리고 있다.

그곳에서 20미터쯤 떨어진 복도 건너편의 편집실에는 로니 사령관, 웨스트 참모장, 작전참모 로빈에다 맥마흔, 알버트까지 모두 모여 앉아있다. 이곳에서도 스피커로 둘의 대화가 생생하게 들렸다.

"감동적이군."

로니가 감탄하면서 말석의 맥마흔을 보았다. 시선이 부드럽다.

"이거, 세릴이 대특종을 하겠어."

로니는 세릴이라고 했지만, 대통령 부시의 인기는 '후세인의 참회록'이 공개되었을 때 단숨에 급상승하게 될 것이다. 특종 정도는 가소롭지.

"기다렸다구?"

부시가 마침내 끼어들었다.

이곳은 워싱턴 국무부 상황실. 감정을 억제하지 못한 부시가 제가 떠들고는 손을 들어 조용히 하라는 시늉을 했다.

"자, 듣자구."

그때 후세인이 말했다.

"지노, 이제 내가 마음 놓고 죽을 수 있도록 말해주게."

"예, 사하란."

지노가 상반신을 세우고는 똑바로 후세인을 보았다.

"각하는 북쪽 산마루에 묻혀 계십니다. 이번에 내가 죽은 카밀라의 시신에서 떼어온 유해를 각하 가슴 위에 묻고 왔습니다. 두 분이 함께 묻힌 셈이지요."

"오오, 잘했어."

후세인의 눈에 금세 눈물이 맺혔다.

"각하는 편안해 보이시던가?"

"그렇습니다, 사하란."

"내가 죽으면 각하 옆에 내 시신의 일부라도 묻어주게."

"그러지요."

"지금 무슨 말을 하는 거야?"

부시가 묻자 당황한 아놀드가 소리쳤다.

"연락해봐!"

말석에 앉아있던 와튼이 벌떡 일어섰고 모리스는 이미 전화기를 귀에 붙이고 있다. 그때 다시 스피커에서 후세인의 목소리가 울렸다.

"지노, 고맙네. 내 정체성을 찾고 떠나도록 해줘서."

"아닙니다, 사하란."

지노가 지그시 1호를 보았다. 눈이 흐려져 있다.

"각하의 용병으로 당연한 일이었습니다. 사하란 당신의 정체성을 확인해주는 것도 제 임무라고 생각했습니다."

"녹음 중지해!"

로니가 버럭 소리쳤을 때 당황한 맥마흔이 방 안의 스피커를 꺼버렸다. 그래서 스피커는 먹통이 되었지만 녹음기는 돌아가고 있다.

그때 전화벨이 울리더니 전화기를 귀에 붙인 장교가 벌떡 일어섰다.

"예? 예, 잠깐만 기다리십쇼!"

존 크리스토퍼 합참의장이다.

"장군, 그대로 진행시켜."

존이 자르듯 말했다. 별명이 '단칼'이다.

"그대로 대화 계속하게 해."

"예, 각하."

로니가 상반신을 세우고 대답했다.

그때 사하란이 말했다.

"나, 사하란은 후세인 각하의 대역 1호로서 이라크와 대통령 각하께 목숨을 바친다. 이것은 대역 1호 사하란의 영광이다."

사하란이 어깨를 펴고 똑바로 앞에 앉은 세릴을 보았다. 두 눈이 번들거리고 있다.

"이라크 만세! 후세인 만세!"

지노는 잠자코 사하란을 본다.

이제 용병은 말이 없다.

<끝>